Jörg Maurers alpe

Herr Maurer, wie sind Ihre Erfahrungen m
Zwiespältig. Ich bin beim Wildwasserfahr
geblieben. Erst nach Monaten wurde ich e
Meine Psychotherapeuten haben mir dara
schreiben. Und hier ist er.

Reizt Sie die Idee, die Höllentalklamm im Kajak zu befahren?
Als die Höllentalklamm im harten Winter 1972/73 zugefroren war, bin ich mit dem Schlitten hinuntergefahren. Ich weiß natürlich nicht, wie sich die Höllentalklamm aufgetaut und nass anfühlt, aber reizen würde es mich schon mal. Allerdings: die vielen Reynolds-Strudel ...

Weiß man Kommisar Jennerwein auf den höheren Ebenen der Polizei zu schätzen?
Kriminaloberrat Dr. Rosenberger, der direkte Vorgesetzte, hat eine sehr positive Meinung von ihm. Das Urteil weiter oben ist angstvoll gespalten: Vorgesetzte sehen es manchmal nicht gern, wenn man zu gut ist. Das ist auch bei der bayrischen Polizei so.

Hat Hubertus Jennerwein sich mal bei Ihnen über seinen Namen beschwert?
Ja klar. Schon öfters. Namen wie Philip Marlowe, Jules Maigret oder Tom Ripley, sogar Jane Marple, hätten ihm wesentlich besser gefallen. Doch jetzt, nach vier Romanen, ist es leider zu spät für einen Namenswechsel.

Was ist Ihrer Meinung nach das Schöne am Wildern?
Man kommt an die frische Luft, bleibt in Bewegung, vom fettarmen Fleisch ganz abgesehen. Auch die Kinder sind begeistert. »Mal was anderes als Computer«, sagte mein Jüngster kürzlich, als er im Morgengrauen eine Patrone Kaliber .585 in den Lauf schob.

Liegt das Wildern dem Alpenländer im Blut?
Genauso wie jeder Hamburger sehnsüchtig aufs Meer hinausschaut, wie jeder Franzose drei Teller Zwiebelsuppe am Tag isst, so denkt der Alpenländer an nichts anderes.

Und Sie? Haben Sie mal ...
Was soll ich darauf antworten, ohne allzu sehr auszuweichen! Ich bitte deshalb, einen Blick in das vorliegende Buch zu werfen. Die Episode am Ende des 16. Kapitels vom »händischen Jagen« ist eine wahre Begebenheit aus meiner eigenen Familie. Ich kann so offen sprechen, weil Wildern bereits nach ein paar Jahren verjährt.

Nachts in einem idyllischen alpenländischen Kurort: Dunkle Gestalten schleppen eine leblose Person zur Höllentalklamm. Kommissar Jennerwein erhält einen heiklen Auftrag. Er muss einen verschwundenen BKA-Ermittler finden, aber niemand darf wissen, dass er nach ihm sucht. Während er mit seinem bewährten Team offiziell einem Wilderer nachstellt, forscht er in Gumpen und Schluchten nach dem Vermissten. Derweil erzählen die Einheimischen düstere Legenden von Flößern, die einst das Wildwasser in eine Höhle sog, ein neugieriger Numismatiker entdeckt kryptische Zeichen auf einer alten Goldmünze, und ein Scharfschütze lauert am Bergbach. Kommissar Jennerwein gerät beinahe ins Strudeln…
»Man muss kein Bayer sein, um Maurer zu mögen.« Financial Times Deutschland

Jörg Maurer stammt aus Garmisch-Partenkirchen. Er studierte Germanistik, Anglistik, Theaterwissenschaften und Philosophie und ist nun nicht nur Krimiautor, sondern auch Musikkabarettist. Eine feste Größe in der süddeutschen Kabarettszene, leitete er jahrelang ein Theater in München und wurde für seine Arbeit mehrfach ausgezeichnet, u.a. mit dem Kabarettpreis der Stadt München (2005), dem Agatha-Christie-Krimi-Preis (2005 und 2006), dem Ernst-Hoferichter-Preis (2012) und dem Krimi-Publikumspreis Mimi (2012). Sein Krimi-Kabarettprogramm ist Kult.

Weitere Titel von Jörg Maurer:
›Föhnlage‹
›Hochsaison‹
›Niedertracht‹

Die Website des Autors: www.joergmaurer.de

Weitere Informationen, auch zu E-Book-Ausgaben, finden Sie bei www.fischerverlage.de

Jörg Maurer

Oberwasser

Alpenkrimi

Fischer Taschenbuch Verlag

3. Auflage: April 2012

Originalausgabe
Veröffentlicht im Fischer Taschenbuch Verlag,
einem Unternehmen der S. Fischer Verlag GmbH,
Frankfurt am Main, März 2012

Satz: pagina GmbH, Tübingen
Druck und Bindung: CPI – Clausen & Bosse, Leck
Printed in Germany
ISBN 978-3-596-18895-6

1

Berge, Berge, Berge. Zithermusik. Ein Mann in oberbayrischer Tracht. Sein Gesicht ist geschwärzt. Er blickt wild um sich. Er trägt einen Riesenschnauzbart, den er jetzt sorgfältig glattstreicht. In der Hand hält er einen uralten Schießprügel, der noch mit Pulver geladen werden muss.

Wilderer (singt) Auf den Bergen wohnt die Freiheit!

Ein Polizeiauto nähert sich mit Martinshorn, Türen werden aufgerissen.

Lautsprecherstimme Geben Sie auf, Sie haben keine Chance!

Wilderer (lädt nach) I gib net auf, nia und nimmer!

Ein Fallnetz wird über den Berserker geworfen, jodelnd und schuhplattelnd wird er ins Polizeiauto gezogen. Die Türen werden zugeschlagen, das Auto fährt mit kreischenden Reifen davon. Im Inneren des Autos reißt sich der Wilderer den falschen Schnauzbart herunter.

Wilderer Den Düwel ook, dat war knapp!

2

Es war Anfang Mai, die Nacht war schwül, und ein warmer Wind schob sich im Schritttempo westwärts durch den Werdenfelser Talkessel. Der Mond hing über der Alpspitze wie ein frisch geschmiertes, ganz leicht angebissenes Schmalzbrot, er warf einen matten Glanz über den heruntergekommenen Schrottplatz dort unten am Rande des Kurorts. Der heiße Wind strich durch die verbeulten Rohre und ließ ein hohles Stöhnen und heiseres Rasseln hören. Das Mondlicht brachte die verbogenen Stahlteile und ausgeweideten Metallgerippe der Autowracks auf derart unheimliche Weise zum Glitzern und Funkeln, dass man nicht überrascht gewesen wäre, wenn sich die alten Kardanwellen und zerbrochenen Pleuelstangen zu einem schaurigen Totentanz aufgerafft hätten, zu so etwas wie einem *Danse Macabre* im Otto'schen Viertakt. Ein einzelnes Eisenteil stach besonders hervor. Es hing über der Tür des kleinen ramponierten Bürohäuschens, es war ein armdickes U, alle anderen Buchstaben des Wortes waren längst abgefallen. Sicher waren viele der Kunden schon stehengeblieben und hatten gerätselt, was denn das einst für eine Inschrift gewesen sein mochte. Denn der Schrottplatz gehörte dem alten und versoffenen, ganz und gar U-losen Heilinger Herbert. Gleich neben dem einsamen Buchstaben-Cowboy lehnte eine verwitterte Holzleiter an der Wand, sie führte in den ersten Stock, durch das zersplitterte Fenster konnte man ein paar Sofas und Chaiselongues mit herausgewachsenen Sprungfedern erkennen. Das wirkte von weitem fast romantisch und einladend, nahezu crimsig und cloverig, doch der Raum war bei genauerer Überprüfung so verwanzt und verlaust, so endgültig siffifiziert, dass sich der Mühlriedl Rudi und die Holzmayer Veronika entschlossen hatten, nicht dort oben zu bleiben, sie hatten es sich vielmehr gegenüber dem verfallenen Bürohäuschen in einem alten Mercedes gemütlich gemacht. Der Benz war vor ein paar Tagen erst auf der Bundesstraße 2 vom rechten Weg abgekommen, in den Motorraum hatte sich eine kräftige Mittenwalder Tanne gefräst, die Lederbezüge im Inneren hingegen waren noch intakt, und die Rücksitze luden zum launigen Verweilen ein. Der Mühlriedl und die Holzmayerin hatten sich auf den nachlässig abgesperrten Schrottplatz geschlichen, und der Diesel war ihnen gleich als Erstes aufgefallen. Eine Weile hatten sie eng umschlungen nebeneinander gesessen und in die Nacht hinein gelauscht, die schaurigen Geräusche der Fahrzeugleichen um sie herum gaben ihnen noch den zusätzlichen Kick. Geflüsterte Liebesschwüre und gepresste Zukunftspläne flogen hin und her, dann aber hielten beide gleichzeitig inne. Sie richteten sich langsam auf und spähten vorsichtig durch die zersplitterten Fensterscheiben.

»Hast du das gehört?«

»Ja. Da draußen ist jemand.«

»Angestellte vom Schrottplatz.«

»Jetzt? Mitten in der Nacht?«

Aus Richtung des Bürohäuschens näherten sich hastige Schritte, dazwischen wurden Stimmen laut. Es waren zornige Flüche in einer fremden Sprache, gepresste Beschimpfungen und gebellte Befehle. Man konnte drei Gestalten erkennen, eine davon ließ ein kurzes Rohrstück über dem Kopf kreisen, um es schließlich wütend auf den Boden zu knallen. Sie waren auf Krawall aus.

»Jessas!«, sagte der Rudi und dämpfte die Stimme auf Winnetous Pirschlautstärke. »Was kommen denn da für welche?«

Die Veronika sagte nichts, sie bekreuzigte sich zitternd.

Der Mühlriedl und die Holzmayerin waren verheiratet, jeweils verheiratet, und jeweils unglücklich. Sie waren beide auch nicht gerade die Teenys, welche man auf dem Rücksitz eines zerbeulten Mercedes Benz erwartet hätte, sie waren schon im fortgeschrittenen Alter, hätten sich deshalb locker ein Hotelzimmer leisten können, was natürlich eine Lachnummer gewesen wäre in einer überschaubaren Gemeinde mit knapp dreißigtausend Einwohnern. Die Hotelbranche des Kurorts war fest in der Hand von hochmultiplikativen Ratschkathln und ureinheimischen Dampfplauderern, das Mieten eines Hotelzimmers von zwei bekannten Größen des Ortes (Sägewerk und Apotheke) hätte sich mit Überlichtgeschwindigkeit herumgesprochen. Sie waren noch nicht sonderlich weit fortgeschritten mit ihren aushäusigen Aktivitäten, die Holzmayer Veronika hatte mal grade eben ihr Handtäschchen von der Schulter gestreift und auf den Sitz gestellt.

»Die kommen direkt auf uns zu!«, flüsterte sie entsetzt.

Der Mühlriedl Rudi murmelte ein paar unverständliche Worte, vielleicht war es auch ein Stoßgebet. Kleine Schweißperlen traten ihm auf die Stirn. Beide wagten es nicht, sich auch nur einen Zentimeter zu bewegen, so groß war ihre Angst, das Geknarze des maroden Unfallwagens könnte sie verraten. Die Gestalten kamen Schritt für Schritt näher, einer zeigte sogar in ihre Richtung. An Flucht war jetzt nicht mehr zu denken.

»Hast du dein Stichmesser dabei?«, presste die Veronika heraus.

Der Mühlriedl Rudi schluckte und schüttelte den Kopf. Nein, natürlich nicht. Wer nimmt zu einem nächtlichen Rendezvous schon ein Stichmesser mit? Die schwarz gekleideten Männer da draußen sahen auch nicht so aus, als ob man sie mit einem Brotzeitmesser in Schach halten könnte. Sie waren jetzt nur noch zehn oder fünfzehn Meter vom Benz entfernt. Einer von ihnen torkelte, als ob er betrunken wäre. Doch er war nicht betrunken, man hatte ihm die Arme hinter dem Rücken gefesselt, durch die Stöße der beiden anderen konnte er das Gleichgewicht nur mit Mühe halten. Sein Mund war mit einem Band verklebt, und er wand sich unter Schmerzen. Einer der beiden anderen nahm das Eisenrohr vom Boden auf und schlug ihm ohne Vorwarnung von hinten in die Kniekehlen, so dass er strauchelte und zusammensackte. Er blieb leblos liegen. Die beiden packten ihn an den Füßen und schleiften ihn über den grobkörnigen Kiesboden. Dabei blieben die Kopfhörerkabel seines neongrünen iPod immer wieder an einzelnen Steinen hängen. Sein Kopf holperte über die Schlaglöcher, sie beachteten es nicht. Dann hielten sie inne und sahen sich um. Sie schienen ein Versteck zu suchen. Der Mühlriedl Rudi schloss die Augen.

»Die werden doch nicht ausgerechnet –«

Die Holzmayerin hielt sich die Hand vor den Mund, ihre Augen waren weit aufgerissen. Doch die beiden Gestalten bemerkten die unfreiwilligen Zeugen nicht, sie richteten den leblosen Körper auf, fassten ihn an Armen und Beinen, um ihn zu einem alten Ford zu tragen, der nur ein paar Meter neben dem Benz stand. Die Gesichter der beiden Schlepper waren nicht zu erkennen, sie trugen schwarze Skimützen, die sie tief in die Stirn gezogen hatten. Einer öffnete den Kofferraum des Wagens, der andere machte Anstalten, den Leblosen hochzuzerren und in den Kofferraum zu hieven. Als er auf der Kante lag, konnte man das Gesicht des Opfers gut erkennen. Seine Glatze war frisch rasiert, die Augen waren geschlossen, der Mund war mit einem Haushaltstape überklebt, die Hände waren mit demselben Tape auf dem Rücken gefesselt. Dem Mühlriedl und der Holzmayerin liefen Schauer des Entsetzens den Rücken hinunter.

Besonders unheimlich bei dem Glatzköpfigen war eine Markierung auf dem geschorenen Kopf. In Höhe der Ohrenspitzen lief rund um den ganzen Schädel eine gestrichelte Linie. Innerhalb des Kreises war ein Punkt gemalt, auf den ein Pfeil zeigte. Veronika Holzmayer versuchte sich diese beiden Details einzuprägen: Die seltsame Markierung auf der Glatze des Bewusstlosen und den um den Hals gehängten iPod, der in einer neongrünen Plastikhülle steckte. Das lenkte ein bisschen von der Angst ab, jedoch nicht lange, denn bald fiel ihr Blick auf ein neues beunruhigendes Detail. Es war hell genug, um den dunklen Fleck auf der Innenseite des linken Unterarms zu sehen. Die Verfärbung sah wie ein Brandfleck aus, der von einem Stromschlag herkommen mochte, vielleicht war es auch ein Bluterguss von einem unsauberen Nadeleinstich oder anderen Dingen, die man gar nicht so genau wissen wollte. Die Holzmayer Veronika versuchte sich auch diese Beobachtung für eine eventuelle spätere Zeugenaussage einzuprägen. Das hätte sie sich sparen können. Es sollte keine späteren Zeugenaussagen geben.

Der leblose Körper wurde roh in den Kofferraum geworfen, der Deckel wurde zugeschlagen, die beiden Pudelmützen schrien und fuchtelten, sie schienen sich immer noch zu streiten. Der Mühlriedl und die Holzmayer'sche wurden nicht recht schlau aus den gutturalen stoßweise gepressten Zischlauten und fremdländischen Zungenschlägen. Irgendetwas Slawisches glaubte der Rudi herauszuhören. Dann ging alles ganz schnell, die Fremden stiegen in den Wagen und starteten ihn. Das überraschte insofern, weil man nicht vermutet hätte, dass sich inmitten der vielen Fahrzeugwracks auch ein quicklebendiges befand. Die Pudelmützen wendeten den Wagen und fuhren sehr, sehr leise davon. Ein Blitzstart mit quietschenden Reifen wäre nicht so beunruhigend gewesen wie dieses leise Wegfahren.

Veronika Holzmayer hängte ihre Handtasche wieder um, nur um irgendetwas zu tun. Beide blieben eine Weile sitzen und warteten, ohne zu wissen worauf. Sie lauschten zitternd in die stille

Nacht hinaus, doch nun war kein Seufzen verbogener Karosseriebleche mehr zu hören, selbst die Grillen schwiegen.

»Was machen wir jetzt?«, stieß die Holzmayerin heraus, und die Angst schnürte ihr die Kehle zu.

»Wir warten eine halbe Stunde, dann hauen wir ab«, erwiderte der Mühlriedl Rudi, ohne rechte Überzeugung.

»Was meinst du, wer die waren?«

»Russen vielleicht.«

»Ich glaube, wir müssen zur Polizei gehen«, sagte die Holzmayer Veronika schließlich um vier Uhr in der Frühe. »Vielleicht jeder einzeln.«

Dann schwiegen sie wieder. Es breitete sich eine Ruhe aus, die nur entsteht, wenn gerade etwas Schreckliches passiert ist.

3

Draußen herrschte herrliches Juniwetter, drinnen standen zwischen den sauber beschrifteten Leitz-Ordnern gravierte Zinnbecher, bedruckte Bierseidel und verstaubte Preispokale, die Wände waren bedeckt mit gerahmten Urkunden und Zeitungsausschnitten – und überall las man etwas von zweiten oder dritten Plätzen bei süd- und oberbayrischen Meisterschaften. Von der Decke hingen Wimpel mit Inschriften wie *Wolfgang-Mayer-Gedächtnisturnier* oder *In Erinnerung an František Hovorčovická*. Der Raum war mit so vielen Erinnerungsstücken vollgestopft, dass keinem normalen Betrachter noch eine zusätzliche Besonderheit aufgefallen wäre.

Kriminalhauptkommissar Hubertus Jennerwein war kein normaler Betrachter, er ließ sich nicht vom Wirrwarr des zusammengesammelten Edelplunders gängeln, ein paar Sekunden, nachdem er den Raum betreten hatte, blieb sein trainierter Blick sofort an einem flachen Tischchen hängen, auf dem ein Schachbrett stand. An den kleinen hölzernen Kämpfern war sicherlich lange und sorgfältig geschnitzt worden (die Könige blickten phlegmatisch uninteressiert, die Damen melancholisch arrogant), doch das eigentlich Auffällige war die geringe Anzahl der Figuren auf dem Feld. Es war wohl eine zu Ende gespielte Partie, die Mehrzahl der kleinen Kämpfer stand außerhalb – die geopferten Bauern und ausgetricksten Offiziere warteten draußen am Spielfeldrand, niedergeschlagen wie enttäuschte Bezirksligaspielerbräute. Jennerwein fand das insofern merkwürdig, als dekorativ aufgebaute

Schachspiele meist in der Grundstellung zu sehen sind, manche Chess-Protzer bauten auch berühmte Weltmeisterschaftspartien auf, so etwas wie *Lasker-Capablanca, St. Petersburg, 1918, kurz vor dem entscheidenden 32. Zug*. Ein Schachspiel in Endstellung stehenzulassen jedoch war ungewöhnlich, und das fiel Jennerwein sofort auf. Nicht dass er besonders gut Schach gespielt hätte, er beherrschte nicht viel mehr als die Regeln, aber er hatte nun einmal die Begabung, an den unübersichtlichsten Tatorten sofort das Auffällige, das Merkwürdige, das aus dem Rahmen Fallende herauszufiltern, selbst wenn es ein ihm vollkommen fremder Ort war. Und die meisten der Räume, die er betrat, betrat er das erste Mal, das unterschied einen Kriminaler Raub / Mord / Erpressung deutlich von einem Oberstudienrat Deutsch / Geschichte / Sozialkunde. War die merkwürdige Konstellation dort auf dem Brett vielleicht ein Schachrätsel aus der Samstagsbeilage, so etwas wie *Matt in drei Zügen*? Dafür jedoch war die Situation zu eindeutig, die Weißen waren drückend überlegen, für ein Rätsel war die Endstellung viel zu leicht. Es war nicht einmal Matt in einem Zug, es war Matt ohne irgendetwas. Warum aber hatte der Spieler der geschlagenen Schwarzen den König dann nicht, wie es üblich war, aufs Brett gelegt?

Vier weitere Mitglieder der Mordkommission IV betraten den Raum. Jennerwein beobachtete unauffällig, ob noch jemandem das sonderbare Schachspiel auffiel. Als Erste erschien die Polizeipsychologin Dr. Maria Schmalfuß. Sie kam gerade frisch von einer zweiwöchigen Profiler-Fortbildung, ihr Kopf war vollgestopft mit Täterprofilanalysen und Tatablaufszenarien. Sie blieb mitten im Raum stehen und ließ ihren Blick über die Urkunden und Preisbecher schweifen.

»Pathologische Sammelleidenschaft«, flüsterte sie halblaut in Richtung Jennerwein. »Zeigt den infantilen Wunsch nach einer überschaubaren, einfachen Welt.«

»Oder zeigt, dass der Sammler nicht weiß wohin mit seiner freien Zeit«, maulte Hauptkommissar Ludwig Stengele. Der Allgäuer aus Mindelheim machte einen Schritt auf Maria zu, stolperte aber gleich über einen vorstehenden Teppichrand. Droben am Berg, in luftigen Höhen, in den heimatlichen Felswänden, bewegte er sich wie eine junge Gemse, in geschlossenen Räumen wirkte er hölzern und staksig. Stengele schnüffelte und verzog das Gesicht, der Geruch in dem ungelüfteten Raum gefiel ihm augenscheinlich nicht. Oder er konnte ihn nicht recht einordnen.

»Uagnäm«, sagte er, und es klang wie das Quaken eines Frosches.

»Wie meinen Sie?«, fragte Nicole Schwattke, die hinter ihm hereingekommen war.

»Unangenehm«, übersetzte Stengele frei aus dem Allgäuerischen. Die Recklinghäuser Austauschkommissarin Nicole Schwattke war die jüngste Mitarbeiterin im Team. Sie sah sich beim Eintreten gar nicht erst im Raum um, ihr Blick tunnelte quer durch das muffige Gewusel und zielte sofort auf den wuchtigen Mahagonischreibtisch, der an der anderen Seite des Büros vor dem Fenster stand. Schweigend betrachtete sie das Holzgebirge und nickte nur stumm, so wie es die wortkargen Westfalen seit Jahrhunderten tun, wenn sie etwas Unbekanntes sehen. Als Letzter kam schließlich Hansjochen Becker, der Kriminaltechniker. Nach drei kurzen, insektenartigen Wischblicken kreuz und quer durch den Raum galt seine Aufmerksamkeit sofort dem weichen Teppich, den er aufmerksam betrachtete. Jennerwein schmunzelte. Offensichtlich war keinem der vier Ermittler das Nussholzgemetzel auf dem kleinen Schachtischchen aufgefallen. Es war auch nicht so wichtig. Es hatte vermutlich gar nichts zu bedeuten. Das Kernteam der Mordkommission IV war komplett, ein bisschen verlegen stand es jetzt da, das kleine Rudel der vier weisungsgebundenen Betatiere, augenscheinlich auf das muntere Gebell des Leitwolfs wartend.

»Nun denn«, sagte Jennerwein und drehte den Kopf in Richtung Schreibtisch.

Der beeindruckende Mahagoniklotz war bis auf ein aufgeklapptes Notebook und einen blutroten Schnellhefter mit der Aufschrift *Streng vertraulich!* leer. Der Mann hinter dem Schreibtisch war stattlich, sein Äußeres sah gepflegt aus. Ein Telefon war unter dem wuchtigen Kinn eingeklemmt, seine Arme hingen neben den Lehnen des Stuhls herunter, seine blauen Augen waren weit geöffnet, so als wäre er erstaunt über das, was er da gerade gehört hatte. Sein grabsteingraues Haar saß glatt, wie gemeißelt, er trug einen sauber gestutzten Kinnbart, eine ultrakonservative Brille – zu einem Kneifer und einem Vatermörder fehlte nicht viel. Der tadellos sitzende Anzug war keinen Zentimeter verrutscht, die Schuhe, die man deshalb gut sah, weil der Mann auf dem Klappdrehschwenkstuhl mehr lag als saß, waren blitzblank. Jennerwein trat noch einen Schritt näher. Der Teint des Hünen war sonnengebräunt, man roch Rasierwasser, und Jennerwein wusste jetzt, warum Stengele gleich beim Eintreten geschnüffelt hatte. »Hm«, machte Maria und hob ihre ägyptisch dünnspitze Nase etwas hoch. »Äußerst interessant.«

Plötzlich ließ der gepflegte Mann das Telefon vom Kinn gleiten und fing es mit der Hand geschickt auf. Der Liegelümmelstuhl drehte sich quietschend, so dass der Mann seinen fünf Besuchern frontal gegenüber saß.

»Entschuldigen Sie«, sagte er und legte das Telefon auf den Tisch. »Ein wichtiges Gespräch.«

Alle nickten verständnisvoll. Jennerwein ging auf den Mann zu und schüttelte ihm über das Mahagoni hinweg die Hand.

»Aber setzen Sie sich doch bitte, meine Herrschaften«, sagte Dr. Rosenberger. »Kaffee? Tee? Wein? Bier?«

»Ein Kaviarbrötchen«, scherzte Maria. Der gepflegte Mann war Polizeioberrat Dr. Rosenberger, der Vorgesetzte von Kommissar Jennerwein. Er lachte höflich und verschränkte seine Hände auf der Platte des Edelholzschreibtischs. Alle starrten auf die Intarsien, mit denen der Tisch an der Vorderseite verziert war. Eine exzentrische Weise, sich Distanz zu verschaffen, dachte Jennerwein. Infantile Fixierung auf Reviermarkierung, Angst vor Machtverlust, dachte Maria. Ein wunderbares Holz, um viele, viele verwertbare Spuren zu hinterlassen, dachte Becker. G'spinnerter Hirni, dachte Stengele, der hockt wahrscheinlich den ganzen Tag hinter diesem toten Holzklotz und weiß dabei gar nicht mehr, wie man Handschellen anlegt. Nicole Schwattke machte sich als Einzige keine Gedanken über den Tisch. Sie starrte in eine andere Ecke des Raums.

»Das sieht aber gar nicht gut aus für Schwarz«, sagte sie.

4

Seine Hand krallte sich an einem scharfkantigen Stein fest. Er spürte, wie ihm das Blut über den Unterarm lief, doch er beachtete es nicht weiter. Die pulsierenden Kopfschmerzen ließen nicht nach. Sein trockener Mund brannte wie Feuer, der Durst nahm ihm fast die Besinnung. Trotzdem hatte er eine winzig kleine Chance, wenn er alle seine Kräfte zusammennahm. Mit großer Willensanstrengung richtete er sich auf. Es gab kaum eine Stelle an seinem Körper, die nicht schmerzte. Er schüttelte sich und atmete tief durch, dann begann er mit der waghalsigen Operation. Jeder Griff musste sitzen. Als Erstes säuberte er die Hand mit dem Taschentuch, dann griff er vorsichtig in die Mundhöhle, umfasste mit zwei Fingern seinen vorletzten linken Backenzahn und zog die Schutzkappe herunter. Ein Zahnarzt aus Sewastopol, dem man die Approbation entzogen hatte, war der Schöpfer dieser Konstruktion, und der Krimtatare hatte geschworen, dass sie funktionierte. Vorsichtig legte er jetzt die Schutzkappe auf das Taschentuch. Es sollte ihm nicht so ergehen wie Pavel, seinem ehemaligen Kameraden. Der hatte versehentlich auf eine Notfallkapsel gebissen. Das war lange her. Warum musste ihm diese verdammte Geschichte gerade jetzt einfallen! Sie waren nach einem Einsatz noch zum Essen gegangen, ins *Knedlík & Knedlíky*, dem einzig wahren Knödelparadies in der Knödelhochburg Prag, und Pavel hatte Hasenrücken zu den *český knedlíky* bestellt, von einem garantiert frisch geschossenen Hasen. Man hätte es sich eigentlich denken können, dass man da schon mal auf Schrot beißen konnte. Und so kam es dann auch. Mitten während des

Essens war Pavel plötzlich und ohne einen Laut von sich zu geben zusammengesunken und mit dem Kopf auf dem Tisch aufgeschlagen. Erst dachten alle an einen Schwächeanfall, einen Herzinfarkt, vielleicht auch an einen Scherz, doch dann rochen sie es, zwischen den feinen Düften von Böhmischen Knödeln und Szegediner Gulasch: Kaliumcyanid, mit dem sprichwörtlichen Bittermandelgeruch, der Visitenkarte von Gevatter Tod. Dieser Idiot hatte eine Schrotkugel zwischen die Zähne bekommen und auf seine Notfallkapsel gebissen.

»Ist alles in Ordnung? Schmeckts? Kaffee zum Nachtisch? Palatschinken?«

Plötzlich war die Bedienung am Tisch gestanden, und man hatte dem armen dummen Pavel noch posthum einen Vollrausch andichten und ihn aus dem *Knedlík & Knedlíky* hinaustragen müssen, um aus der Sache heil herauszukommen. Verdammte Geschichte!

Die Schmerzen konnte er noch einigermaßen ertragen, aber der Durst brannte ihm ein Loch in den Leib. Er biss auf seinen Fingerknöchel und saugte gierig daran. Dann atmete er nochmals tief durch und konzentrierte sich. Er wusste nicht, wie viel Zeit ihm noch blieb, er musste schnell *und* sorgfältig arbeiten. Seine körperliche Verfassung war katastrophal, aber er musste es versuchen. Wenn er jetzt aufgab, würde er sich nicht mehr aufraffen können, das wusste er. Er hatte sich diese Spezialkonstruktion vor einem halben Jahr einbauen lassen. Das ausgeklügelte System hatte den Vorteil, dass es unmöglich war, die Kapsel durch einen zufälligen Biss zu zerstören, man musste mit der Zunge erst einige Turnübungen machen, um den Mechanismus auszulösen. Man musste mit der Zungenspitze an der Innenseite des vorletzten Backenzahns einen Riegel nach oben schieben. Durch Zubeißen und energisches Vorschieben des Unterkiefers wurde der Riegel zurückgeschwenkt. Im Prinzip war es eine winzige

Türklinke, die man um hundertachtzig Grad drehen konnte. An der ›Türklinke‹ war ein Dorn angebracht, der bei einem Winkel von hundert Grad auf der Zyanidkapsel auflag und bei einem Überschreiten die Glasampulle mit dem Gift zerbrach. Eine Krone schützte den ganzen Mechanismus im Alltag. Der Tod trat innerhalb von allerhöchstens zwanzig Sekunden ein – und solch einen Abgang konnten auch die gewieftesten Verhörspezialisten nicht mehr verhindern.

Der Schweiß brach ihm aus. Die Schmerzwellen in seinem Kopf pulsierten weiter, sie schaukelten sich bis zur Unerträglichkeit hoch. Und dann immer wieder der Durst. Der höllische, brennende Durst. Aber er durfte sich jetzt nicht hängen lassen. Er musste bereit sein. In der Situation, in der er sich jetzt befand, war alles möglich. Er konzentrierte sich. Nachdem er die goldene Schutzummantelung mit dem schwachen Schein eines Streichholzes angeleuchtet und auf Intaktheit überprüft hatte, baute er sie wieder ein. Er wusste, dass er ein Verhör ab einer gewissen Stufe nicht mehr durchstehen würde. Nicht bei diesen Leuten. Deswegen hatte er sich solch eine Versicherung für den Fall der Fälle überhaupt erst besorgt. Die Konstruktion des Winkel-Dentisten aus Sewastopol hatte noch einen weiteren Vorteil: Sie war optisch nicht zu erkennen, sie war auch nicht zu ertasten. Viele Befragungsexperten griffen einem vor dem Verhör in den Mund und untersuchten die Zähne, da sie von solchen Tricks wussten. Genau aus diesem Grund war die Krone aus Gold gefertigt und somit röntgendicht. In seinem Fall hätte man schon eine Tomographie machen müssen, um den Mechanismus zu entdecken. Aber welcher schmutzige Folterkeller am Ende der Welt war schon mit einem verdammten Kernspintomographen ausgestattet!

War er vielleicht schon wieder in einem solchen Verhörraum? Kam gleich ein Weißkittel herein und nippte genüsslich an einem

Glas Champagner? Dagegen sprach, dass sie ihm lediglich seine Schusswaffe abgenommen hatten, eine Brünner M 75, sonst fehlte nichts. Sie hatten ihm seine Streichhölzer gelassen, seine Ausweise und Papiere, ein paar Schreibstifte, eine Mehrzweck-Drahtschlinge, ein Bündel Banknoten, sogar sein Schweizer Armeemesser, schließlich das Notizbuch, das er sich erst letzte Woche gekauft hatte. Jetzt benützte er es für seine Aufzeichnungen. Er schrieb im Dunkeln, um Streichhölzer zu sparen.

Erster Tag. Eine Art Kellerverlies mit feuchtkalter Atmosphäre. Bin unverletzt, zumindest nicht schwer verletzt, kann mich bewegen. Unerträglicher Durst. Die Wände: grobe, unregelmäßig große Bruchsteine. Habe dafür ein Streichholz verbraucht.

Vielleicht war es auch eine nackte, unbehauene Felswand, an die in den Alpen oft überteuerte Appartements im Landhausstil gebaut werden. Aus den vermoosten, scharfen Kanten sickerte fauliges, übelriechendes Wasser. Es war zum Trinken sicherlich nicht geeignet. Er hatte trotzdem gierig an der nassen Wand geleckt. Das hatte den Durst jedoch nur verschlimmert.

Vielleicht halten sie mich im Keller einer Luxusalpenvilla gefangen. Der Raum muss riesige Ausmaße haben. Ein Probeschrei: hundertfaches Echo von allen Seiten.

Wie sie ihn hierhergebracht hatten, daran erinnerte er sich nicht. Er war plötzlich hier aufgewacht. Benommen und mit quälenden Kopfschmerzen, aber fähig, sich zu bewegen. Sie hatten wohl keine Chance mehr gesehen, dass er ihnen das verriet, was sie wissen wollten. Sie hatten die Folter aufgegeben und ihn hier zwischen-, vielleicht sogar endgelagert. Würden sie die Verhöre irgendwann wiederaufnehmen? Warum hatten sie ihn nicht getötet? Er war in den ganzen vergangenen Tagen gefoltert worden, aber weniger auf die körperlich schmerzhafte, sondern auf die wesentlich subtilere und fiesere Psycho-Art.

In einer Art Zahnarztpraxis. Gefesselt, aber nicht geknebelt auf dem Zahnarztstuhl festgeschnallt. Musikberieselung, vielleicht, um Geräusche von außen zu übertönen. Ein Weißkittel kam herein, er antwortete nicht auf Fragen, bereitete schweigend ein Tablett mit Zahnarztwerkzeugen vor. Zog eine kleine Bohrmaschine aus der Halterung, schaltete sie an. Mit einem Fußschalter ließ er sie ein paar Mal aufjaulen, dann legte er einen großen Briefbeschwerer auf das Pedal, warf das laufende Gerät auf den Tisch und verließ den Raum.

Die rotierende Nadel war kaum einen Meter von ihm entfernt, und das Geräusch wurde schon nach einer Minute unerträglich. Der Weißkittel hatte keine Anstalten gemacht, seine Mundhöhle auf eine günstige Bohrstelle hin zu untersuchen. Er hatte lediglich die Instrumente vorbereitet. Die Tür stand offen, der Bohrer drehte sich gleichmäßig. Die erste halbe Stunde war nicht die schlimmste. Schlimmer waren die halben Stunden, die noch folgten und in denen nichts geschah. Außer dass ein Zahnarztbohrer seine übelklingende Soloarie sang. Iiiiiiih! Endlich, vielleicht am Abend (der Raum hatte keine Fenster und eine stehengebliebene Uhr zeigte wie zum Hohn Viertel nach vier) kam der Weißkittel zurück und schaltete den Bohrer ab –

WELCH EINE WOHLTAT!!!!!!!!!!!!!!!!

– und stellte wie beiläufig einige Fragen, einige ganz spezielle Fragen, die er nur mit Mühe *nicht* beantwortete. Am nächsten Tag kam der Weißkittel wieder, jetzt etwas gesprächiger. Er selbst hatte einen guten Blick auf einen wohl ganz bewusst angebrachten Spiegel. Er sah darin, dass man ihn kahl rasiert hatte.

Der Weißkittel sprach hochdeutsch mit leichtem, undefinierbarem Akzent. Vielleicht slawisch, vielleicht auch bewusst mit slawischem Duktus, um eine falsche Fährte zu setzen.

»Ich werde Ihnen die obere Hälfte der Kopfhaut abziehen«, sagte der Weißkittel, »die Schädeldecke in der Höhe der Ohrenspitzen rundherum vorsichtig aufmeißeln und abheben, so dass das Gehirn zu einem Drittel freiliegt. Keine Angst, Sie bekommen eine Lokalanästhesie, wenn ich Ihnen den Schädel öffne. Sie wissen sicherlich, dass das Gehirn selbst nicht schmerzempfindlich ist. Wenn ich also einen bestimmten Bereich bearbeite, werden Sie das sehen, jedoch nicht spüren.«

Der Weißkittel tupfte ihm mit einem abgenagten Bleistiftstummel auf den Schädel.

»Hier zum Beispiel, unter der Schädeldecke, befindet sich das motorische Brodmann-Areal, das für Ihre Füße zuständig ist. Sie werden die einmalige Gelegenheit bekommen, zusehen zu können, wie ich durch Stimulierung des Homunkulus in Ihrem Gehirn Ihren großen Zeh zum Wackeln bringe. Morgen nehmen wir uns dann das sensorische Areal vor und tauchen in die wunderbare Welt der Schmerzen ein.«

Der Weißkittel sah aus, als würde er diesmal den Bohrer nicht einfach liegen lassen, um ihn am Abend wieder auszuschalten.

Ich erinnere mich bloß noch daran, dass mir der Weißkittel eine Spritze gesetzt hat. Dann habe ich das Bewusstsein verloren. Ob die Operation durchgeführt worden ist, weiß ich nicht.

Er ließ den Stift sinken. Er hatte gleich zu Beginn seiner Gefangenschaft in der Höhle seinen Körper von unten bis oben abgetastet, um ihn auf Verletzungen zu überprüfen. Er hatte es aber bisher noch nicht gewagt, die obere Hälfte seines Kopfes zu untersuchen.

5

Dr. Rosenbergers Büro, die überladene Mischung aus Dienstzimmer und Vereinsheim, lag im sechsten Stock, mitten in der Stadt, bei Föhn konnte man jedoch durchs Fenster das wuchtige Alpenpanorama des Karwendelgebirges sehen. Und es war oft Föhn. Sie alle lebten im Föhnland.

Dr. Rosenberger war der direkte Vorgesetzte von Kriminalhauptkommissar Jennerwein, und in dieser Eigenschaft hatte er das vollständige Team zu einem vertraulichen Treffen zusammengerufen.

»Es freut mich, dass Sie den Weg zu mir in die Stadt gefunden haben«, begann Dr. Rosenberger und zeichnete bei dem Wort *Stadt* zwei dicke Gänsefüßchen in die Luft.

»Sie kennen den Paragraphen 353 b des Strafgesetzbuches: Verletzung von Dienstgeheimnissen. Verstöße gegen die besondere Geheimhaltungspflicht bei besonderen Fällen.«

Alle nickten.

»Jeder von Ihnen kann die Teilnahme an der Operation, um die es geht, selbstverständlich ablehnen. Doch auch in diesem Fall gilt der genannte Paragraph. Sie alle verpflichten sich, mit niemandem drüber zu reden, auch nicht – vor allem nicht – mit den Ehegatten. Ist das so weit klar?«

Wieder nickten alle. Die Teilung von Dienstgeheimnissen mit den Ehegatten stellte bei den wenigsten ein Problem dar. Hansjochen Becker war verheiratet, seine Frau unterrichtete am Gymnasium (war also auch eine Art Spurensucherin – nach Anzeichen von

Intelligenz), aber beide redeten grundsätzlich nie über Dienstliches, das stand bei den Beckers sozusagen im Ehevertrag. Nicole Schwattke war ebenfalls verheiratet, sie hingegen besprach eigentlich alles mit ihrem Hunderte von Kilometern entfernten Mann, der ebenfalls Polizist war, die beiden telefonierten jeden Tag eine Stunde zwischen Oberbayern und dem Recklinghäuser Land hin und her. Aber es war nicht der erste Dreihundertdreiundfünfziger-Fall in ihrer Ehe, sie wussten damit umzugehen. Hubertus Jennerwein konnte man getrost als einen Mann in festen Händen bezeichnen – er war mit den Tätern, Zeugen und Teammitgliedern verheiratet, er hatte sich auf eine dauerhafte und glückliche Bindung mit Indizienketten, Schlussfolgerungen und Verfolgungsjagden eingelassen. Aber dafür war ja wohl der fragliche Paragraph nicht vorgesehen. Der Familienstand von Ludwig Stengele schließlich verlor sich ganz und gar im Nebel des Allgäuer Voralpenlandes. Stengele hatte sich in dieser Hinsicht immer bedeckt gehalten, aus keiner Äußerung konnte man auf seine diesbezügliche Daseinsweise schließen. Wohin er nach Dienstschluss verschwand, wusste man nicht. Da Dr. Rosenberger ebenfalls verheiratet war, schien Maria Schmalfuß die einzig richtiggehend Ledige im Raum zu sein. Alle nickten bezüglich des Paragraphen Dreifünfdreibe. Und das Nicken eines bayrischen Beamten wiegt schwer.

»Ich kann mich also auf Sie verlassen«, sagte Dr. Rosenberger zufrieden und verschränkte die Hände vor der Brust. »Und nun zum Fall selbst. Es gibt eine Vermissung mit Mordverdacht, die darüber hinaus staatliche Interessen berührt. Normalerweise ist das BKA dafür zuständig. Aber man hat sich an höherer Stelle dazu entschlossen, die Ermittlungen Ihrem Team zu übertragen, nicht zuletzt wegen Ihrer ausgezeichneten Ortskenntnisse im Raum Werdenfels –«

Er machte eine bedeutungsvolle Pause.

»– und auch wegen Ihrer sonstigen fachlichen Qualifikationen und Leistungen«, fuhr er fort und setzte dazu ein mikroskopisch feines Lächeln auf. Das war so etwas wie eine Belobigung. Alle nickten ein mikroskopisch kleines Danke. Doch sie hatten zu früh genickt, denn Dr. Rosenberger stand jetzt auf. Regel aus der Arbeitswelt: Wenn ein Chef nach einem Lob aufsteht, ist immer etwas faul.

»Ganz nebenbei gesagt«, fuhr er fort, »haben Sie alle bei den letzten Fällen ein paar Dienstvorschriften verletzt. Jeder von Ihnen. Sie haben jetzt Gelegenheit, diese Scharten auszuwetzen.«

»Ich nehme die rote Pille«, sagte Jennerwein. Alle lächelten, nur Stengele, der Naturbursch und Bergfex, schüttelte verständnislos den Kopf.

»Die rote Pille?«

»Aus dem Film *Matrix*. Das Einverständnis, die andere, unbekannte Welt kennenzulernen. Nicht gesehen?«

»Nein, nicht gesehen, aber ich mache mit.«

»Ich spreche hier von ernsten Dingen«, sagte Dr. Rosenberger leise. Maria hatte das Gefühl, dass er es fast traurig sagte. Der Oberrat war als nüchterner Kriminologe bekannt, der brillante Vorlesungen an der Polizeischule hielt. Er war weniger der Praktiker des Polizeialltags, mehr der Analytiker und Kriminalhistoriker, der schon einige diesbezügliche Bücher veröffentlicht hatte. Warum berührte ihn dieser Fall so? Warum zeigte er Nerven? Dr. Rosenberger setzte sich wieder.

»Es gibt im Werdenfelser Land in letzter Zeit verstärkte Hinweise auf organisiertes Verbrechen. Ich erzähle Ihnen vermutlich nichts Neues: Der Talkessel eignet sich ideal dafür, etwas zu verstecken, zu vertuschen, zu schmuggeln, etwas verschwinden oder unter den Tisch fallen zu lassen. Die Flucht- und Rückzugsmöglichkeiten sind ideal, das Gelände ist unübersichtlich und mit den üblichen polizeilichen Mitteln nicht vollständig zu kontrollieren. Die Bevölkerung ist manchmal stur und durchaus auch einmal geneigt, der Gegenseite zu helfen. Dazu kommt noch die nahe Grenze zu den unberechenbaren Österreichern.«

Dr. Rosenberger stand auf und setzte sich aufs Fensterbrett. Merke: Wenn sich ein Chef aufs Fensterbrett setzt, kommt ein längerer historischer Vortrag.

»Es gibt einen alten Handelsweg zwischen Mittel- und Südeuropa, der durch das Werdenfelser Tal führt. Bereits die alten Römer benutzten ihn, später die Fugger, dann Schmugglerbanden und andere zwielichtige Organisationen. Schon Cicero berichtet über Schlupfwinkel im Loisachtal, andere Geschichtsschreiber äußern sich ähnlich darüber. Graf Perchtold von Eschenloh zum Beispiel errichtete im Jahr 1293 in der Burg Werdenfels ein eigenes Lager für beschlagnahmte Diebesware –«

In den Weiten ferner Galaxien verglühten Sonnen, auf der Erde entstanden neue Kulturen und Imperien, ganze Weltreiche blühten auf und gingen wieder unter, Jahrhunderte vergingen, neue Lebensformen entwickelten sich – und Dr. Rosenberger saß immer noch dort auf der Fensterbank und hielt einen Vortrag über die Kriminalgeschichte des Werdenfelser Landes.

»– die Republik Venedig unterhielt bis ins Jahr 1679 einen eigenen Markt in Mittenwald, auf dem auch Soldaten angeworben wurden –«

Und da entkam Maria Schmalfuß doch ein klitzekleiner Räusperer, ein winziges Zeichen der Ungeduld.

»Ja, ich weiß schon«, sagte Dr. Rosenberger und hielt mitten im Satz inne, »meine Ausführungen sind manchmal ein wenig zu detailliert –«

»Aber nein, überhaupt nicht«, sagte Maria, jetzt wieder eine Spur zu interessiert. Es entstand eine peinliche Pause, Jennerwein sprang in die Bresche.

»Ich denke, wir wissen, worauf Sie hinauswollen, Herr Oberrat. Vielleicht greifen die jetzigen Täter wieder auf alte Strickmuster zurück.«

Maria lächelte ihn dankbar an. Jennerwein bemerkte es nicht, aber Dr. Rosenberger hatte es gesehen und lächelte seinerseits.

»Danke für die Zusammenfassung«, sagte er milde. »Kommen wir zur Gegenwart.«

»Ich habe mich ebenfalls mit dem Thema beschäftigt«, fuhr Jennerwein fort. »Heutzutage werden Auftragskiller in unscheinbaren Hotels und Pensionen geparkt, um sie bei Bedarf schnell am Einsatzort zu haben.«

»Hartnäckig hält sich auch ein Gerücht«, sagte Stengele, »dass es mitten im Kurort eine Arztpraxis gäbe, in der man jederzeit Schusswunden und andere ungeklärte Verletzungen behandeln lassen könne.«

»Sie wissen davon?«, fragte Dr. Rosenberger überrascht.

»Es ist ein Gerücht, mehr nicht.«

Wieder entstand eine Pause. Dr. Rosenberger schlug den Schnellhefter auf und notierte etwas. Alle versuchten einen Blick auf das Deckblatt zu erhaschen. Unter dem Schriftzug *Streng vertraulich!* war, etwas kleiner, die italienische Entsprechung *segretissimo!* zu lesen. Nicole Schwattke, die Jüngste im Team, folglich die mit den besten Augen, konnte darunter noch *Direzione Investigativa Antimafia* entziffern.

»Und diese Arztpraxis sollen wir finden?«, fragte sie.

»Nein«, sagte Dr. Rosenberger, »darum kümmert sich bereits das BKA. Ein Team ist deshalb schon seit einiger Zeit im Kurort tätig. Das Sondereinsatzkommando ermittelt verdeckt. Sie arbeiten eng mit den italienischen Kollegen von der Antimafia-Einheit DIA zusammen. Das BKA agiert schon einige Monate sehr erfolgreich im Kurort. Doch mitten in den brisanten Ermittlungen ist urplötzlich ein Beamter aus dem Team verschwunden. Er heißt Adrian Dombrowski –«

Nicole machte eine Bewegung zu ihrer Brusttasche hin, in

der ein Kugelschreiber steckte. Dr. Rosenberger warf ihr einen strengen Blick zu.

»Bitte nichts Schriftliches. Notieren Sie sich vor allem keine Namen«, sagte er. »Prägen Sie sich den Namen ein. A-dri-an Dom-brow-ski. Seinen Steckbrief finden Sie hier im Ordner. Wir müssen befürchten, dass er nicht mehr lebt. Er ist wie vom Erdboden verschwunden. Alle Suchaktionen sind ohne Ergebnis geblieben. Nachdem wir alle anderen Möglichkeiten ausgeschlossen haben, bleibt nur die übrig, dass er getötet wurde.«

»Gibt es nicht die Möglichkeit, dass er doch noch am Leben ist?«, fragte Nicole. »Vielleicht wurde er verschleppt!«

»Wenn das so wäre, hätte er einen Weg gefunden, sich bei uns bemerkbar zu machen. Er ist, wie alle Beamten im Team, ein Profi, der mit den Risiken bei verdeckten Ermittlungen vertraut ist.«

»Kann er sich nicht außerhalb des Kurorts befinden?«

»Dann hätte er Spuren hinterlassen, die aus dem Ort herausführen.«

»Wir sollen also diesen Adrian Dombrowski finden?«, fragte Jennerwein.

»Mehr als das. Ein weiterer BKA-Beamter, Fred Weißenborn, ist kurz darauf ebenfalls verschwunden.«

Fred Weißenborn. Maria Schmalfuß bemerkte eine emotionale Erschütterung, als Dr. Rosenberger diesen Namen aussprach.

»Ich kenne diesen Mann gut«, fuhr er fort. Er blickte plötzlich sehr ernst. »Das ist keiner, der spurlos verschwindet. Außerdem lege ich meine Hand für ihn ins Feuer. Er ist ein enger Freund von mir, ein Sandkastenspezi, wenn Sie so wollen. Ich hoffe inständig, dass er noch lebt. Sie müssen ihn finden und retten. Und wenn Sie sein Leben nicht retten können, dann finden Sie die Spur, die zu seinem Mörder führt.«

6

Auf der Kramerspitze in knapp zweitausend Meter Höhe. Aus der Ferne Kirchenglocken. Der Wilderer in Werdenfelser Tracht hält sich mit der einen Hand am Gipfelkreuz fest, mit der anderen fuchtelt er mit einem uralten Schießprügel herum.

Wilderer (singt) Auf den Bergen wohnt die Freiheit!

Ein Hubschrauber nähert sich.

Lautsprecherstimme Geben Sie auf, Sie haben keine Chance!

Wilderer (lädt nach) I gib net auf, nia und nimmer!

Zwei vermummte Männer seilen sich ab, greifen sich den Wilderer und ziehen ihn hoch. Im Inneren des Hubschraubers reißt er den falschen Schnauzbart herunter.

Wilderer Den Düwel ook, dat war knapp!

7

Fès (wobei فاس halt nun mal wesentlich besser aussieht), uralter Treffpunkt der Seidenhändlerkarawanen um das fruchtbare Land von Habran-al-m'chein, erbaut im alten Tal der Hoffnung, Königsstadt und Keimzelle der buntscheckigen Lügengeschichten. Schief gepflasterte, vom groben Wüstenstaub polierte Tuffsteine, Klänge von abessinischen Qarqabas, Wüstenschalmeien und quietschenden zweilöchrigen Flöten, die die Gesänge der Nachtigallen und das Geschrei der Affen nachzuahmen versuchen. Die Sonne brüllt. Die Hitze dampft dir den Rest von klarer Denke aus dem Hirn. Doch die Gerüche, die betörenden Anmutungen an die Nase sind das Umwerfendste an Fès. Dort einen klaren Kopf behalten? Unmöglich. Die Düfte der vielen kühnen Ras-el-Hanout-Variationen, die einem auf Schritt und Tritt entgegenwehen, werden schon in den Märchen aus Tausendundeiner Nacht beschrieben. Dann der marokkanische Geräuschpegel: Schallendes Gehämmere der barfüßigen Kesselflicker, vermischt mit dem hellen Klopfen der Steinmetze, die ihre Marmortafeln bearbeiten, so wie unsereins eine E-Mail ins Notebook tippt. Muezzine, Feuerspucker, Kamelflüsterer, Zuckerbäcker – alles Kulisse? Natürlich ist alles Kulisse, kein Wort ist echt, kein Blick ist das, was er scheint, aber hier, auf dem Markt von Fès el-Bali ist die Inszenierung schon in Ordnung. Ein Kurort bleibt eben ein Kurort. Manche sagen, Fès el-Bali sei das Garmisch-Partenkirchen Nordafrikas. Sie haben recht, aus vielen Gründen. Und dann natürlich die Gesprächsfetzen, die man aufschnappt. Wenn man Glück hat, hört man auch ein junges, hellauflachendes »بآيد لا مشيآر« durch den heiseren Nebel der Händler und Schlangenbeschwörer hindurch.

Das بآيد لا مشيآر kam von einem strohblonden Jungen, der einen Stadtplan von Fès auffaltete.

»بآيد لا مشيآر«, erwiderte das Mädchen und biss in ein Stück Mandelkuchen.

Der Junge hieß Dirk, das Mädchen hieß Tina, sie kamen beide aus einer westdeutschen Kleinstadt, sie machten mit drei anderen ehemaligen Schulkameraden Urlaub hier in Fès. Das Abitur lag knapp hinter ihnen. Dirk hatte in Mathe gerade mal fünf Punkte geschafft, trotzdem war er, wie die anderen, guter Dinge. Er hatte sogar den passenden Spruch dazu erfunden.

»Knapp drin ist auch getroffen.«

Dirk, die Mathe-Niete faltete die unbrauchbare Straßenkarte wieder zusammen und ließ den Blick über das Gewusel auf dem Marktplatz schweifen. »Richtig derb hier«, sagte er und nickte voller Anerkennung.

»Derbst«, bestätigte Tina. »Da schau mal, die Hoddles, da drüben. Jeder mit einem Teppich unterm Arm.«

Eine Busladung unverkennbarer Engländer hatten sämtliche 40-mal-80-Zentimeter-Badteppiche in Fès und Umgebung aufgekauft.

»Und wie gebamboozled die schauen!«, griente Fuzzy und hieb sich parodistisch auf den Oberschenkel. »Die glauben alle, sie hätten das Geschäft ihres Lebens gemacht.«

Fuzzy, Tina, Dirk, Flo und Oliver schlenderten fröhlich feixend über den kleinen Platz der Schreiber, Geschichtenerzähler und Profilügner. Sie hatten alle noch keine klaren Zukunftsvorstellungen. Fuzzy wollte vielleicht Mediziner werden, Zahnmediziner, Tiermediziner, plastischer Chirurg, keine Ahnung, ein Studienplatz war noch nicht in Sicht. Vielleicht was im Ausland, vielleicht Genua oder Berkeley, mal sehen.

»Sicher gibts hier in Fès auch eine Uni«, sagte Dirk.

»wwwPunktMüdesLachenPunktde«, entgegnete Fuzzy. »Eine permanente Hitzefrei-Uni mit Kursen in Wegschmelzen und Auflösen.«

Er griff in die Hosentasche, um sein Mobiltelefon herauszufingern. Doch da steckte keines. Da steckte nur eine Tüte, aus der feuchte, klebrige Datteln herausgefallen waren. »Heatmäßig heißer Scheiß«, murmelte Fuzzy.

»Sind gar keine Engländer, sind wahrscheinlich Schweizer, die Hoddles«, sagte Flo.

Flo wusste nicht einmal im Ansatz, was er die nächsten sechzig Jahre machen wollte. Irgendetwas Künstlerisches oder was Soziales. Vielleicht auch Maschinenbau.

»بآيد لا مشيآر«, rief Tina den anderen fröhlich zu. Sie wiederholte es nochmals, sie war auf ihre Aussprache sehr stolz, denn es klang so arabisch, dass sich ein einheimischer Gewürzhändler verdutzt umdrehte. Sie alle hatten im letzten Schuljahr einen Wahlkurs Arabisch belegt, aus einer Laune heraus. Nach ein paar Stunden hatten sie allerdings aufgegeben. Niemand von ihnen war auch nur in die Grundzüge des kehligen Pressens und gutturalen Knackens dieser wüstensandumwehten Sprache eingedrungen, keiner konnte auch nur ein einziges Fuzzelchen Arabisch, der Kurs war völlig für die Katz gewesen, das hatten sie gleich beim Grenzübertritt festgestellt. So hatten sie sich bemüht, wenigstens dieses eine Wort بآيد لا مشيآر (»Rhabarber«) richtig auszusprechen und damit so zu tun, als ob sie Sätze bildeten. Auf dem Campingplatz hatten sie damit ein Pärchen aus Uelzen zum Narren gehalten und ihnen weisgemacht, sie sprächen Arabisch. »wwwPunktVerarschePunktde«, hatte Fuzzy gesagt, als das Pärchen abgereist war.

»Wenn schon, dann wwwPunktVerarschePunktma«, hatte Oliver eingeworfen.

Oliver Krapf war der Stillste der jungen Urlauber. Er war auch der mit dem besten Notenschnitt (Einskommaeins, zum Nullmannsdorfer hatte es nicht ganz gereicht, weil er in Biochemie Polymethylester und Polyäthylether verwechselt hatte). Oliver Krapf hatte ebenfalls noch kein festes Berufsziel. In Mathe war er allerdings ein Genie. Wo andere rechneten, legte er die Hand aufs Blatt, er fühlte die Drehstreckzerrspiegelungen durch den ganzen Körper. Aber jetzt, mitten auf dem Marktplatz in Fès, wo die mitteleuropäische Denkweise ins Schlingern gerät, vermisste Oliver Krapf sein Notebook. Er vermisste sein iPhone, sein Mobiltelefon, alles, was einen Menschen ausmacht eben. Aber das sollte ja der Witz von diesem Nordafrika-Trip sein. Sie hatten zusammen beschlossen, eine vollkommen analoge Reise zu machen, ohne irgendwelche digitale Hilfsmittel, ohne Besuch eines Internetcafés, ohne Telekommunikation und hunderttausend Songs auf der Festplatte. Der Joke sollte der sein, so zu reisen, wie ihre Eltern in grauer Vorzeit gereist waren. Sogar eine Gitarre hatten sie mitgenommen, und Tina hatte, sozusagen als historisches Zuckerl, mehrmals versucht, Bob-Dylan-Songs zu klampfen und zu singen: ♫ *Come gather 'round people wherever you roam*, G-Dur / E-moll / C-Dur / G-Dur mit haufenweisen Barréegriffen. Sie hatten alle sehr gelacht über die schauderhafte Weltsicht der Siebziger und Siebzigerinnen.

»Meine Mam und mein Dad sind damals auch hierher gefahren«, sagte Flo. »Es gibt peinliche Fotos: Walleklamotten, Jesuslatschen, Mittelscheitel, Henna.«

Es war gar nicht so leicht, solch eine analoge Reise konsequent und den ganzen Tag lang durchzuziehen. Papierene Stadtpläne, zentnerschwere Lexika, schließlich Restaurants, von denen man die Userbewertungen nicht kannte. Oliver Krapf traf dieser digitale Entzug jedoch am härtesten. Für ihn war die Aktion *Lebe die Siebziger* ein Cold Turkey, und er bereute es immer mehr, mitgefahren zu sein. Sie gingen jetzt eine enge Gasse entlang. Oliver Krapf hielt sich ein bisschen hinter den anderen, er betrachtete die arabisch geschnörkelten Ornamente an der Hauswand, er versuchte eine Ladeninschrift zu entziffern, und er fragte sich, ob ein Araber das altdeutsche große »G« auch als so ornamental, so abgedreht und fern empfindet. Ein Händler winkte, ein Schlepper schleppte, ein Drücker drückte, und bald standen alle fünf in einem marokkanischen Laden, prall voll mit Teppichen. Es roch nach Pfefferminztee und, natürlich, Ras el-Hanout. Oliver fand diesen Laden total doof, er versuchte jedoch, sich nichts anmerken zu lassen.

»Gefällt es dir nicht?«, fragte Tina.

»Wenn ich einen Teppich haben will, dann kauf ich mir den bei eBay«, raunzte Oliver.

»بآيد لا مشيآر«, sagte Dirk, der Händler hielt das für ein schlecht ausgesprochenes as-lahma, was so viel wie Grüß Gott bedeutet hätte. Der Händler grüßte zurück in echtem Hocharabisch, fragte auf Englisch nach Herkunftsland, sozialem Hintergrund und Verkehrsmittel, um auszuloten, bei welchem Teppichpreis man bei diesen Fremden einsteigen könnte. Sie sahen sich um. Sie konnten einen echten Teppich nicht von einem noch echteren unterscheiden. Oliver Krapf blieb im Laden etwas zurück und sein Blick fiel auf Tina, die zu einem großen, mit einem Halbmond bedruckten Jutesack gegangen war. Sie beugte sich über den Sack und wühlte darin herum. Tina fand er gar nicht so uninteressant, aber den Jutesack fand er doof und den Halbmond drauf fand er gigadoof. Doch Tina winkte ihm, und er ging schließlich hin und half ihr beim Wühlen. Warum er das machte, wusste er selbst nicht. Selbst ein paar Tage später, als ihm jemand einen kalten Pistolenlauf an die Stirn drückte, konnte er sich noch an diesen Moment der Inkonsequenz erinnern. Hätte er bloß damals diesen Sack nicht durchwühlt, dachte er später, dann wäre er nicht in solche Schwierigkeiten geraten. Hätte, wäre.

Der Jutesack war zur Hälfte gefüllt mit Münzen in verschiedenen Größen, Aufschriften und numismatischen Daseinszuständen. Beide tauchten ihre Hände in das kalte Kleingeld, ihre Finger berührten sich irgendwo in der Mitte des Münzenteichs, beide zuckten zurück und ließen die Hände wieder auftauchen.

»Hier sieh mal«, sagte Tina und hielt etwas Blinkendes hoch. »Eine deutsche Münze. Wie die wohl hierhergekommen sein mag?«

Tina legte ihm den Silberling in den Handteller, einen plumpen Metallklacks, etwas größer als ein Zweieurostück, auch ein wenig dicker, und ein wenig schwerer. Unregelmäßig waren die Ränder, ungleichmäßig schien die Prägung. Vielleicht hatte jemand die Münze aber auch nur auf die Eisenbahnschienen gelegt.

»Wieso deutsch?«, fragte Oliver Krapf.

»Da sieh mal«, sagte Tina. »Der Aufdruck. E...hr...e d...ts...hs V...terl...d.«

Vor allem das Vaterland war ziemlich zerquetscht.

»Tatsächlich«, sagte Oliver Krapf und betrachtete die Münze näher. Tinas Kopf kam an seine Schulter. Sie roch nach Mandelkuchen.

»Und da«, sagte Tina. »Vielleicht eine Jahreszahl.«

Krapf betrachtete die Stelle, wo Tina mit ihrem kleinen Finger hingedeutet hatte. Eine klitzekleine Gravur war da zu sehen, eher eine Kritzelei. Vielleicht auch bloß eine Schramme. Aber in diesem Augenblick war Oliver Krapf gefangen, auch später, als er die Mauser an der Schläfe spürte, musste er an diesen Moment der unbedingten und kompromisslosen Faszination denken. Er musste diese Münze haben. Diese Münze barg ein Geheimnis. Der Händler näherte sich.

»Nur kein Interesse zeigen«, murmelte Tina. »Beiläufig eine Handvoll nehmen.«

»Ein Handvoll kostet 500 Dirham«, sagte der Händler und

stach mit einer verbeulten Kelle in den Münzhaufen. »Ich schütte sie dir in ein Säckchen, ohne dass du was siehst. Alter Brauch. Du machst das Säckchen zu Hause auf, und in alle Länder, von denen du Münzen hast, wirst du mal fahren.«

Der Händler füllte ein Säckchen ab, Oliver Krapf hielt die eine Münze fest umklammert. Sie handelten noch, dann zahlten sie einen womöglich zu hohen Preis für die nutzlosen Dinger in dem Säckchen. Die nächsten Stunden, den Rest des Tages konnte Oliver Krapf an nichts anderes mehr denken. Die Münze und vor allem die Gravur darauf hatten eine Saite in seinem rätselsüchtigen Kryptologenherzen angerissen, die nicht mehr zu klingen aufhörte. Er bewunderte die tollen Bauwerke der Kalifendynastien nur noch mit halbem Auge, ihm schmeckten die pappsüßen Crêpes und die mit Mandelbrei gefüllten Teigrollen nicht mehr. Auf dem Zeltplatz sah er sich die Münze nochmals genauer an. Wie leicht wäre es mit einem Netzzugang gewesen, ein Numismatikerforum zu besuchen! So gab es keinen Hinweis darauf, ob das eine preußische Kupfermark war, ein kurpfälzischer Thaler, ein oberhessischer Groschen, was auch immer. Was ihn aber am meisten interessierte, war die klitzekleine Gravur auf der Vorderseite, eher eine Kritzelei, auf den ersten Blick mochte es ein Gesicht sein. Auf den zweiten Blick hätte es auch eine Inschrift sein können, so etwas wie LUK A – oder eher LUK M. Das Lukas-Evangelium? Aber im tiefsten Nordafrika war natürlich kein Neues Testament aufzutreiben. Und ohne Internet –

»Ich fahre zurück«, sagte Oliver Krapf zu Tina.

»Wenn du musst«, sagte sie.

»Ich muss«, sagte er.

Auf dem sommersprossigen Gesicht Tinas erschien ein merkwürdiger Ausdruck. Oliver Krapf deutete ihn als Enttäuschung.

8

»Die verdeckten Ermittler arbeiten seit einem halben Jahr im Kurort«, sagte Dr. Rosenberger und tippte mit den Fingerspitzen auf den roten Schnellhefter. »Wir haben ihnen wasserdichte Parallelexistenzen verschafft. Sie sollten sich Zugang zu gewissen Kreisen im Ort verschaffen, um zu gegebener Zeit schnell zugreifen zu können. Sie sind unauffällig auf verschiedene, wechselnde Pensionen und Gästehäuser im – oder genauer gesagt: um den Kurort herum verteilt und warten dort auf ihren Einsatz.«

»Sie sind als harmlose Wanderer getarnt?«

»Einige von ihnen, ja. Wenn etwas in diesem Talkessel auf gar keinen Fall auffällt, dann sind es harmlose Wanderer. Zwei haben einen Cateringservice aufgemacht, sie versuchen auf diese Weise, an bestimmte sensible, Mafia-affine Adressen heranzukommen. Sie haben es schon geschafft, ins Rathaus zu liefern, ins Gefängnis, in einige verdächtige Arztpraxen, in die VIP-Lounge des Skistadions, usw.«

»Das BKA steigt ins Cateringservice-Geschäft ein? Ein ausgebildeter Scharfschütze rührt Salatsoßen zusammen?«, fragte Maria verwundert.

Alle lachten, auch das Gesicht des Oberrats heiterte sich auf. Doch er fand sofort wieder zum amtlich gebotenen Ernst zurück.

»Nun ja, so ist es eben. Im Kampf gegen das Verbrechen sind manchmal außergewöhnliche Maßnahmen nötig. Am Anfang der Aktion hatten wir sogar die Idee, ein italienisches Restaurant zu eröffnen, eine Pizzeria, die ausnahmslos mit Beamten des BKA bestückt ist. Wer weiß, vielleicht hätten sich da Mitglieder der Familie eingefunden und nach ein paar Fläschchen Barolo das eine oder andere ausgeplaudert.«

»Die Idee finde ich toll«, warf Nicole Schwattke ein. »Warum haben Sie es nicht gemacht?«

»Vielleicht haben wir es ja gemacht«, sagte Dr. Rosenberger und schwieg entschieden.

»Gibt es im Ort eine besondere Stelle, an der sich die kriminelle Energie verdichtet?«, fragte Maria Schmalfuß.

»Es gibt sogar mehrere!«, antwortete Dr. Rosenberger. »Das BKA-Team findet schon seit Monaten immer wieder Spuren von gewalttätigen Zusammenstößen und Schießereien. Im Keller eines Anwesens ist vermutlich sogar gefoltert worden, es sind Werkzeuge mit Blutspuren zurückgeblieben. Es muss Verletzte, vielleicht sogar Tote gegeben haben, aber weiter sind wir nicht gekommen, denn sämtliche Spuren brechen plötzlich ab und führen ins Nichts. Opfer wie Täter sind, wie Sie sich denken können, verschwunden. Und es gibt natürlich keine Zeugen. Das BKA-Team hat diese Orte gründlich durchkämmt und untersucht, dort sind die beiden Vermissten sicher nicht zu finden. Sie können die Details in der Akte nachlesen. Ich weise Sie aber hiermit ausdrücklich an, diese Orte bei Ihren Ermittlungen zu meiden, um die BKA'ler nicht zu gefährden.«

»Wie sollen wir dann überhaupt ermitteln?«, fragte Becker.

»Sie müssen sich etwas einfallen lassen«, unterbrach Dr. Rosenberger. »Sie müssen ohnehin verdeckt agieren. Und, wenn ich das so sagen darf: Das ist kein Kinderfasching. Die Tarnung muss über aufgeklebte Theaterschnurrbärte und verstellte Stimmen hinausgehen.«

»Wir werden uns etwas einfallen lassen«, sagte Jennerwein und massierte die Schläfen mit Daumen und Mittelfinger. Es sah aus, als hätte er schon eine Idee.

»Wann werden wir die Herrschaften vom BKA kennenlernen?«, fragte Stengele.

»Es wird kein Zusammentreffen zwischen Ihnen und diesen Herrschaften geben. Ihre Aufgabe ist es, die beiden verschwundenen Beamten zu finden, und nicht, verdeckte Ermittler zu unterstützen. Es ist auch besser, wenn das Team Werdenfels von Ihren Ermittlungen nichts erfährt, abgesehen natürlich vom Einsatzleiter, den ich Ihnen noch vorstellen werde.«

»Ich denke, die anderen vom Team werden wir dann schon erkennen«, sagte Maria.

»Das glaube ich nun wiederum nicht, dass Sie einen Beamten in Zivil ohne weiteres erkennen«, sagte Dr. Rosenberger. »Bei allem Respekt, aber diese Leute sind geschult darin, sich dem Milieu, gegen das sie vorgehen, anzupassen. Sie nehmen die Farbe der Wand an, vor der sie sitzen.«

»Pah!«, rutschte es Stengele heraus. »Ich würde einen Polizisten sofort herausschmecken. Schon die Grundausbildung hinterlässt tiefe und unauslöschliche Spuren. Da gewöhnt man sich ganz bestimmte, forschende Blicke an, einen gewissen Gang, sogar eine unverwechselbare Art, wie man dasteht.«

»Wenn Sie sich da mal nicht täuschen«, erwiderte Dr. Rosenberger und nahm den Hörer hoch. »Seien Sie doch bitte so lieb«, sagte er zu jemandem am anderen Ende des Funkstroms, »und schicken Sie den Kollegen Gärtner sowie meinen Schwager zu mir ins Büro.« Er legte auf. »Kommissar Gärtner ist der Einsatzleiter dieser Operation Werdenfels, das andere ist mein Schwager, mit dem ich hier in der Mittagspause manchmal Schach spiele.«

Er wies beiläufig auf das Brettchen, das Jennerwein vorher aufgefallen war.

»Ihre Aufgabe ist es nun, mir zu sagen, wer von den beiden Männern der durchtrainierte, in vielen Einsätzen kampferprobte Polizist ist, und wer der Chef einer gut laufenden Steuerkanzlei. Nur raten gilt nicht, ich will eine Begründung.«

Kurze Zeit darauf betraten zwei Männer ohne anzuklopfen den Raum und blieben am Türrahmen stehen. Beide hatten etwas Lasches, Laxes, fast Weichliches, keinen von ihnen konnte man sich bei einem riskanten Geiselbefreiungseinsatz vorstellen.

»Dann will ich mal den Anfang machen.«

Maria Schmalfuß erhob sich samt ihrer unvermeidlichen Kaffeetasse, in der sie meditativ herumrührte.

»Bitte, Frau Doktor, auf wen tippen Sie?«

Sie zeigte mit ihrem Kaffeelöffel auf den rechten Mann.

»Ich vermute, dass der da der verdeckte Ermittler ist.«

Der da zeigte keinerlei Regung.

»Sehen Sie sich nur die Körpersprache der beiden an«, fuhr Maria fort. »Die stehen da, wie man unterschiedlicher nicht dastehen kann! Der Linke hat eine lockere und entspannte Körperhaltung, wie ein Zivilist. Der Rechte hingegen *versucht* lediglich locker und entspannt dazustehen. Das Gespielte, das Bemühte, das erkennt man sofort. Aus dem wird nie ein Steuerberater!«

Sie setzte sich wieder und blickte Dr. Rosenberger erwartungsvoll an.

»Nicht? Fehlversuch?«

Dr. Rosenberger machte eine undefinierbare, väterlich gutmütige Handbewegung. Stengele erhob sich rumpelnd und trat ein paar Schritte auf die Männer zu. Abwechselnd untersuchte er die Handinnenflächen der beiden. Er verglich sie so sorgfältig, wie er im Hochwald frische Gamskitzlosung untersucht hätte.

»Ich bin mir eigentlich ziemlich sicher, dass der linke Mann ein Verdeckter ist«, sagte er schließlich brummelnd. »Der rechte hat Hände zum Seitenumblättern und Bleistiftspitzen – dem anderen traue ich zu, dass er schon ein paar Mal in einer Felswand gekraxelt ist. Oder bei der Einzelkämpferausbildung drei Tage im Matsch gelegen ist. Die Schwielen kommen jedenfalls nicht vom Papierfalten.«

Stengele setzte sich wieder zu seinen Kollegen.

»Und Sie, Becker?«, sagte Dr. Rosenberger, dem die Demonstration immer mehr Vergnügen zu bereiten schien. »Was meinen Sie?«

»Ich muss leider passen«, erwiderte dieser verlegen. »So rein aus dem Bauch heraus kann ich das nicht beurteilen. Ich bräuchte Hautfetzen von den Händen. Ein ausgezupftes Haar würde mir auch genügen. Oder wenigstens eine Faser. Bis heute Abend hätte ich dann Ergebnisse. Spätestens morgen früh. *Meine* Ergebnisse wären dann allerdings hundertprozentig.«

Den kleinen Seitenhieb auf alle anderen Ermittler und Schlussfolgerer hatte er sich nicht verkneifen können. Nicole Schwattke war dran. Sie stellte sich vor den linken Mann und hob die Hände zu einer Tai-Chi-Kampfpose, so etwas wie *Wendige Mücke weckt schläfrigen Tiger.* Dann holte sie zu einem Schlag aus, einem stilisiert langsamen Hieb allerdings, ihre Faust stoppte dicht vor dem Gesicht des linken Mannes. Alle beobachteten die Szene gespannt. Der Mann zeigte keinerlei Reaktion. Konnte ein Steuerberater so viel Selbstbeherrschung zeigen? Härteten ihn die Gesetzblätter und Sonderverordnungen so ab? Es schien so. Nicole brachte sich in Stellung, um die Übung mit dem rechts Stehenden zu wiederholen.

»Bei mir brauchen Sie es gar nicht zu probieren«, sagte dieser unvermittelt und verzog dabei ebenfalls keine Miene. »Jetzt, wo ich weiß, dass Sie nicht durchziehen, werde ich sicherlich nicht zusammenzucken.«

»Vielleicht hätte ich bei Ihnen ja wirklich zugeschlagen.«

»Dazu sind Sie nicht der Typ.«

»*Sie* sind nicht der verdeckte Ermittler«, sagte Nicole und ging zurück. »Sie quatschen mir zu viel.«

Alle blickten auf Jennerwein. Dr. Rosenberger nickte ihm ermunternd zu. Der Kommissar seufzte. So wie der Papa beim Kindergeburtstag seufzt, wenn er beim Würstlschnappen mitmachen soll. Er trat auf den linken Mann zu und sah ihm aus nächster Nähe in die Augen. Der hielt der Blickmensur stand, ohne zu blinzeln. Jennerwein schritt zum anderen und musterte ihn ebenfalls. Er suchte etwas ganz Bestimmtes – den starren Blick des Jägers, den Blick eines Menschen, der gar nicht anders kann, als in den Polizeidienst zu gehen. Der todunglücklich ist, wenn er Steuerberater, Oberstudienrat oder Restauranttester wird. Jennerwein fand keinen solchen Blick.

»Das sind beides keine verdeckten Ermittler«, sagte Jennerwein. »Sie haben nicht den Blick.«

Auf einen Wink des Polizeioberrats wandten sich die beiden weichlichen Probanden zum Gehen, sie tuschelten dabei leise miteinander. Nicole Schwattke (die mit den jüngsten und folglich besten Ohren) glaubte ein *Das geht ja schon gut los!* herauszuhören. Der Chef machte überhaupt keine Anstalten, das Rätsel aufzulösen. Das hatte auch niemand erwartet. Alle hatten die Botschaft verstanden: Bei diesem Auftrag konnte man nicht sicher sein, wer der Gute und wer der Böse war.

Dr. Rosenberger erhob sich. Dann hielt er den knallroten Schnellhefter hoch und fächelte damit ein paar Kubikmeter Luft weg.

»Jeder von Ihnen liest sich das durch und prägt sich die Daten ein. Verteilen Sie die Informationen auf das Team. Sie haben zwei Stunden Zeit. Gehen Sie in den Büroraum nebenan. Wenn Sie fertig sind, bringen Sie mir das gute Stück wieder zurück. Und nochmals: keine Notizen.«

Alle machten sich daran, dieser Anweisung Folge zu leisten und ins Nebenzimmer zu gehen.

»Nein, halt, Sie bleiben hier, Jennerwein. Ich habe unter vier Augen mit Ihnen zu reden.«

»Anpfiff?«, fragte Nicole Schwattke die anderen, als sie draußen auf dem Flur standen.

»Das glaube ich nicht«, sagte Stengele. »Jennerwein ist der gewissenhafteste Beamte, den ich kenne. Ich denke nicht, dass er auch nur einen einzigen Eintrag in der Personalakte hat.«

»Jeder hat irgendwas«, sagte Maria Schmalfuß.

9

Immer wieder deutete der Weißkittel mit seinem zerkauten Bleistiftstummel auf meinen Schädel. Er erzählte mir etwas von der Hirnforschung, die in letzter Zeit so große Fortschritte gemacht hätte. Ein russischer Arzt soll das Zentrum für Schmerzempfindung endlich lokalisiert haben – das Lublomossowsche Zentrum oder so ähnlich. Anwendungen: Öffnen der Schädeldecke, Implantat eines beweglichen Moduls in diese Region. Schließen der Schädeldecke, Fernsteuerung des beweglichen Moduls – perfekte Kontrolle eines Menschen. Ist angeblich bei einigen Politikern schon zum Einsatz gekommen.

Er ließ den Stift sinken, klappte das Buch zu und verstaute beides sorgfältig in der Innentasche seiner Jacke. Das konzentrierte Schreiben in der Dunkelheit hatte ihn ein wenig von den brennenden Kopfschmerzen und dem höllischen Durst abgelenkt. Die Kopfschmerzen hatten zwar etwas nachgelassen, aber sein Gesamtzustand war immer noch miserabel. Trotz alledem hatte er sich immer noch nicht dazu überwinden können, den oberen Bereich seines Schädels abzutasten. Es wäre ein einziger, beherzter Griff gewesen. Er hatte sich vorgenommen, diese naheliegende Untersuchung erst dann zu machen, wenn er wusste, dass er sich in Sicherheit befand. Er musste unbedingt herausfinden, wo er war. Er richtete sich auf und tastete sich vorsichtig an der groben Steinwand entlang. Sie fühlte sich gleichmäßig feuchtkalt an und wies nirgends Spuren menschlicher Bearbeitung auf. Er setzte vorsichtig einen

Fuß vor den anderen. Er zählte seine Schritte, um wieder zu seinem ursprünglichen Platz zurückzufinden. Nach zwanzig Schritten hielt er inne und verschnaufte. Das vorsichtige Tappen war anstrengend gewesen – oder war er jetzt schon so außer Form? Er ließ sich auf alle viere nieder und entfernte sich langsam von der Wand. Der Boden war ebenfalls aus grobem Gestein, er war leicht abschüssig und wurde mit wachsender Entfernung von der Wand immer steiler. So kroch er vorsichtig weiter. Plötzlich war ihm, als hätte er ein Geräusch vernommen. Er lauschte angestrengt in die Dunkelheit hinein, um die Richtung auszumachen, aus der es gekommen war. Jetzt wieder! Es war ein dumpfes, gleichmäßiges Pfeifen, so etwas wie das Atmen eines großen Tieres. Es kam aus der Richtung, in die er sich gerade bewegte. Alle paar Sekunden schnaufte und schmatzte das große Tier laut und vernehmlich. Sollte er ein Streichholz entzünden? Nein, noch nicht. Er kroch unendlich langsam weiter, er musste jetzt zehn Meter von der Wand entfernt sein. Das Schmatzen wurde lauter und deutlicher. Vorsichtig streckte er die Hand aus. Wo hatte er dieses Schmatzen und Schlürfen schon einmal gehört? Er konzentrierte sich. Er ließ seinen Gedanken freien Lauf, so wie er es in der Grundausbildung gelernt hatte. Leises Schmatzen, eher ein Klicken, ein helles, weiches Geräusch mit angenehmen Assoziationen. Süden, Sonne, Urlaubsbilder. Gardasee? Gardasee! Ein Spaziergang am Strand entlang, Rast in einem kleinen Café in Torbole, an einem Bistrotischchen. Und jetzt wusste er, was da schmatzte und röchelte: Wasser, das ans Ufer schlug. Es war durchaus kein starker Wellengang, es war stehendes Gewässer, so etwas wie ein ruhiger See, der alle Ewigkeit einmal ans Land suppt.

Er kroch noch zwei oder drei Meter abwärts, dann konnte er es auch riechen, das schmatzende Ungeheuer. Der Boden wurde immer abschüssiger, er spreizte sich bergsteigerisch ein, dann streckte er die Hand aus und tauchte sie ins kühle Nass. Er zählte:

einundzwanzig, zweiundzwanzig, keine Piranhas, keine Undinen, Nixen, Nöcker und Wasserelfen, die ihn hinunterzogen. Er schnupperte an der feuchten Hand, er leckte daran, es war sauberes, würzig frisches Wasser. Er formte die Hände zu einem Trichter und trank in großen, gierigen Schlucken. Mit jedem Schluck wurde ihm wohler und er legte sich auf den Rücken, um sich auszuruhen.

Es muss ein langgezogener Raum sein, so etwas wie ein Tunnel. Der Boden fällt stark nach einer Seite ab, dort hat sich viel Wasser angesammelt. Ein unterirdischer See? Ein Keller mit einem Wasserreservoir? Kaum vorstellbar, zu großer Aufwand! Gardasee? Gardasee! Eine Villa am Steilufer. Eine verschwiegene Ausfahrt. In der Nähe von Torbole soll es solch eine gut getarnte Schmugglerhochburg geben. Da hatten sie damals auch die Operation durchgeführt …

Wieder klappte er das Buch zu, vergewisserte sich, ob er noch alles am Körper hatte. Das Messer, die Streichhölzer, und vor allem: die Mehrzweck-Drahtschlinge. Warum eigentlich Mehrzweck? Sie erfüllte nur einen einzigen Zweck. In der französischen Fremdenlegion hieß sie *La belle grêle*, die schlanke Schönheit. Die Würgeschlinge war meist mit Holzklötzchen versehen, manchmal auch mit den bequemeren Ledergriffen. Die Landsknechte des Dreißigjährigen Krieges bezeichneten sie als die *Fleißige Liesl*, die Sizilianer nannten sie *La rosa silenziosa*, die lautlose Rose. Der Clanchef Luigi Cominotti soll so begeistert von ihr gewesen sein, dass er sie an sich selbst ausprobierte, als er seinem langen Leben ein Ende setzte.

Er griff in die Jackentasche. Die Drahtschlinge war noch da. Für alle Fälle. Warum hatte er die noch? Warum hatten sie ihm die nicht weggenommen? Sollte er sie in der Hand halten, um bei einem Angriff gewappnet zu sein? Er kroch zurück zur Wand und tastete sich dreißig oder vierzig Schritte weiter in den Tunnel hinein. Dann machte die Wand eine Biegung nach rechts, erst gemäßigt, dann scharf, er kam um eine Ecke. Das Schmatzen des Wassers war immer noch zu hören, die Akustik hatte sich jedoch deutlich verändert. Er beschloss, eines der wertvollen Streichhölzer zu verbrauchen. Er entzündete es. Es leuchtete nicht viel weiter als fünf oder sechs Meter. Sein Magen verkrampfte sich, ihm brach der Schweiß aus. Er war nicht allein.

10

»Ich habe großes Vertrauen zu Ihnen, Jennerwein«, sagte Dr. Rosenberger, als die beiden alleine waren. »Und dieser Auftrag ist mir sehr wichtig. Fred Weißenborn und ich sind gut befreundet. Ach was – wir sind die dicksten Freunde, die es gibt. Ich muss meine ganze verdammte Professionalität aufbringen, um bei den Ermittlungen cool zu bleiben.«

»Sollte der Fall nicht –«

»Natürlich sollte der Fall jemand anderem als mir übertragen werden, Jennerwein. Aber wie würden Sie an meiner Stelle handeln? Stellen Sie sich vor, Ihr bester Freund ist in Schwierigkeiten und Sie könnten helfen.«

Jennerwein schwieg. Schließlich nickte er langsam und zustimmend.

»Ich sage Ihnen das im strengsten Vertrauen«, fuhr der Oberrat fort. »Die Sache ist noch brisanter, als Sie bisher wissen. Ich kann nicht ausschließen, dass es einen Verräter in diesem Team Werdenfels gibt, einen Mann, den die Mafia in das BKA eingeschleust hat.«

Jennerwein kniff die Augen zusammen.

»Ein Verräter?«

Das machte die Sache ausgesprochen gefährlich. Dr. Rosenberger fuhr fort.

»Wir befinden uns in einem wirklichen Dilemma. Die Beamten können in eigener Sache nicht weiter ermitteln, sie brauchen Hilfe von außen.«

»Ist es, ganz theoretisch, auch möglich, dass die Mafia gar nichts mit dem Verschwinden der beiden zu tun hat? Dass ganz private Motive dahinter stecken?«

»Rein theoretisch ja. Aber wäre das nicht ein unwahrscheinlicher Zufall? Zwei Beamte tauchen mitten in einer brisanten Ermittlung ab, weil sie plötzlich Lust haben, in Neuseeland Schafe zu züchten?«

»Da haben Sie recht.«

»Passen Sie gut auf sich und Ihr Team auf. Und riskieren Sie nichts. Wie ist es mit diesen beiden Polizeiobermeistern im Kurort, Johann Ostler und Franz Hölleisen – kann man sich auf die verlassen?«

»Für die lege ich meine Hand ins Feuer.«

»Viel Glück, Jennerwein.«

Der Hauptkommissar verabschiedete sich und ging zu den Seinen. Die vier Ermittler waren bereits eifrig über den Inhalt des knallroten Geheimnisschnellhefters gebeugt und prägten sich Daten und Fakten ein: Die Lebensläufe der Verdeckten, ihre Klarnamen, ihre Tarnnamen, ihre dienstlichen Laufbahnen, ihre Beurteilungen, ihre bisherigen Aktivitäten im Kurort. Dazu allgemeine Informationen über organisierte Kriminalität in Südbayern. Sie verbrachten die nächsten zwei Stunden mit dem meist schweigenden Studium der hundertseitigen Akte. Jennerwein warf nur ab und zu einen flüchtigen Blick auf die Blätter, um daraufhin aus dem Fenster zu sehen. Er schien unkonzentriert, doch das Team wusste, dass das seine Art war, sich etwas einzuprägen.

»Wie packen wirs an?«, fragte Stengele in eine Pause hinein.

»Die ganze Sache muss schnell über die Bühne gehen«, sagte Jennerwein. »Wir haben nicht viel Zeit für große Vorbereitungen, wir müssen möglichst rasch an Ort und Stelle sein. Dann müssen wir im Kurort einige Tage arbeiten können, ohne dass auffällt, an was wir arbeiten. Allerdings kennt man uns dort, wir sollten uns also etwas einfallen lassen.«

»Vielleicht kommen wir als Wanderurlauber?«, schlug Maria vor. »Wir wären nicht das erste Team, das gemeinsam Urlaub macht.«

»Sechs Wochen wandern?«, prustete Stengele los. »Das ist so abwegig, dass es schon wieder gut ist.« Stengele konnte seine Sticheleien gegenüber Maria nicht lassen. Die ließ sich nicht provozieren.

»Also doch falsche Bärte und aufgeklebte Nasen?«

»Nein«, sagte Jennerwein. »Wir werden uns einen fiktiven Fall zusammenbasteln, in dem wir offiziell ermitteln. Dadurch können wir sofort mit unseren wirklichen Ermittlungen beginnen. Es ist realistisch, dass sich die Auflösung solch eines Fake-Falls vier bis sechs Wochen hinzieht. Auf diese Weise können wir uns unauffällig im Ort bewegen, können Befragungen durchführen, und uns unserer eigentlichen Aufgabe zuwenden.«

»Ein Fake-Verbrechen?«, fragte Nicole Schwattke skeptisch.

»Ja, es muss etwas sein, mit dem wir nicht nur die Presse füttern und die öffentliche Aufmerksamkeit ablenken können. Es muss darüber hinaus eine Ermittlung sein, mit der wir die Operation Werdenfels keinesfalls stören und mit der wir gleichzeitig die Mafia und den Verräter in den Reihen des BKA-Ermittlungsteams in Sicherheit wiegen.«

»Geniale Idee«, rutschte es Maria heraus.

»Danke, aber die Idee ist eigentlich nicht von mir«, sagte Jennerwein, auf einmal bübisch verschmitzt. »Kennen Sie den berühmten Scheinangriff des bayrischen Generals Nepomuk von Dattelberger im bayrisch-österreichischen Krieg 1735?«

»Fangen Sie jetzt auch mit historischem Zeugs an, Chef«, fragte Stengele ernsthaft besorgt. Jennerwein lachte. Er legte ein paar Bleistifte auf den Tisch, als wolle er damit die Abseitsregel erklären.

»Hier standen die Österreicher, hier eine bayrische Kompanie unter der Führung des Generals. Die Bayern waren völlig chancenlos, aber sie haben den glaubhaften Anschein eines Vorstoßes erweckt. Hier hat er den Scheinangriff angesetzt, der Dattelberger, dort den wirklichen Angriff. Die Österreicher mussten sich schließlich geschlagen geben.«

Jennerwein stand auf.

»Becker, Sie werden diesen Scheinangriff organisieren. Sie suchen diesmal keine Spuren, Sie legen welche. Arbeiten Sie mit Ostler und Hölleisen zusammen. Wir wählen uns ein Kapitalverbrechen aus, das in unser Ressort fällt. Mord, Totschlag, räuberische Erpressung. Dann erst gehen wir ins Tal der Verzweiflung und dattelbergern, was das Zeug hält.«

Becker strahlte, Jennerwein geriet in Schwung.

»Wir anderen kümmern uns um die eigentlichen Verbrechen, nämlich die beiden Vermissungen mit Mordverdacht. Stengele, Sie besorgen sich sofort eine genaue Karte des Loisachtals, am besten ein Messtischblatt, auf dem Sie die Stellen markieren, an denen es gut möglich ist, zu verschwinden, unterzutauchen, sich in Luft aufzulösen – Sie wissen, was ich meine. Maria, Sie erstellen die Persönlichkeitsprofile aller dieser Verdeckten, natürlich auch von den beiden Vermissten. Wir müssen ausschließen können, dass die beiden aus privaten Gründen abgetaucht sind.«

Maria salutierte.

»Ach ja, Maria, ich habe noch einen Spezialauftrag für Sie. Sie legen sich einen Hund zu, einen Mantrailer aus unseren Polizeibeständen natürlich. Er soll die Witterung von Fred Weißenborn und Adrian Dombrowski aufnehmen. Der Hund soll nicht nach einem Polizeihund aussehen, es soll eher so scheinen, als hätten Sie sich halt einen Hund zugelegt und haben niemanden gefunden, der auf ihn aufpasst.«

»Zwei Nasen riechen mehr als eine«, sagte Maria.

»Nicole, Sie und ich gehen nochmals die Details aus dem Fall durch, vielleicht finden wir noch etwas.«

»Ich könnte die Akten schnell scannen und auf meinen Computer laden. Das merkt doch keiner.«

»Auf keinen Fall. Ich habe die nötigen Daten im Kopf.«

Alle zogen verwundert die Augenbrauen hoch. Hatte Jennerwein ein gusseisernes Gedächtnis? Hatte er die hundert Seiten mit Daten so schnell auswendig gelernt? Niemand außer ihm selbst wusste den wahren Grund, warum er sich manchmal Dinge besser merken konnte als andere. Er hatte eine Krankheit. Er litt an Akinetopsie. Doch manchmal hatte diese Krankheit auch ihre guten Seiten.

»Auf gehts. Sagen Sie alle privaten Termine bis auf weiteres ab. Ich brauche Sie alle, und das rund um die Uhr. Wir müssen schnell und konzentriert handeln, wenn wir die zwei Beamten retten wollen.«

General Dattelberger hatte zum Angriff geblasen. Er hatte die besten Offiziere, die es gab.

11

Stellt man sich eine kleine mittelständische Firma mit dem Namen *Zarathustra Solutions* vor, eine Zulieferfirma für die Automobilbranche beispielsweise, eine kleine GmbH mit sorgsam ausgewählten, hochmotivierten Mitarbeitern, dann wird man den nächsten Schritt nicht ganz ins Reich des Phantastischen verweisen können, nämlich den, dass die Umsatzkurve schon im zweiten Geschäftsjahr (nicht kometenhaft, aber doch stetig ansteigend) auf einen ersten Höhepunkt von 2,6 Mio klettert. Man kann sich ferner vorstellen, dass der Umsatz sogleich wieder sinkt. Gründe dafür gibt es genug, seien es die hundsgemeinen gesetzlichen Vorschriften, die abflauende Konjunktur, die Unwägbarkeiten des Weltmarkts. Der Einbruch ist nicht dramatisch zu nennen, aber immerhin gibt es im vierten Geschäftsjahr eine Talsohle in der Gegend von 1,4 Mio. Die Oberen setzen sich zusammen und beratschlagen, was denn nun zu tun sei. Sie beschließen, einen wirtschaftlich beschlagenen, solide agierenden Gesellschafter ins Boot zu holen, und der schafft es tatsächlich, dass der Umsatz bei *Zarathustra Solutions* im fünften Jahr einen zweiten, etwas geringeren, aber, wenn man so will, dauerhafteren Höhepunkt erreicht. Man landet schließlich auf einem Sattel von 2,2 Mio. In der Folgezeit wackelt die Umsatzkurve ein wenig, sie zittert in luftigen Höhen, hält sich aber brav oben, das Firmenergebnis schwankt zwischen 1,8 und 2,3 Mio. Und dann, im siebten Jahr kommt das, was eben kommen muss: Schroff geht es bergab mit der Firma, wie Geröll stürzen die Forderungen der Gläubiger auf die Gründer, die Banken stehen still und schweigen. So geht es bis zum bitteren Ende von *Zarathustra Solutions*, der Liquidation und der Streichung aus dem Handels- und Rotaryregister nach sieben Jahren stetigen Mühens. Führt man sich die Historie dieser Firma vor Augen und zeichnet sie auf ein kariertes Blatt, so erhält man eine Kurve, die gerade Touristen im Werdenfelser Land außerordentlich bekannt vorkommen muss:

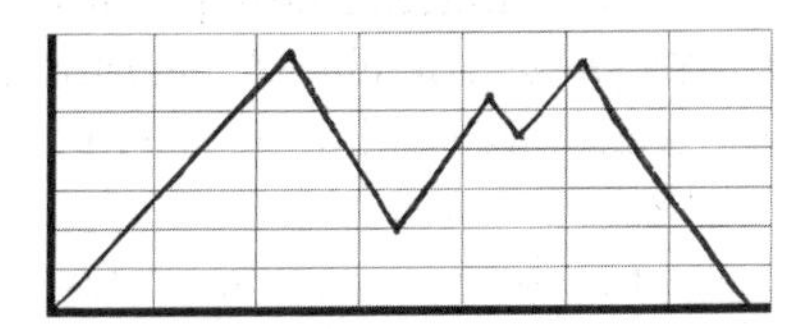

Die bekannte Silhouette, die Ansicht der schroff aufsteigenden Alpspitze (die zum Wahrzeichen des Kurorts geworden ist) und der wuchtigen Waxenstein-Gruppe, hinter der die allseits bekannte Zugspitze lauert, wird seit Jahrzehnten im Heimatkundeunterricht der örtlichen Volksschulen auf genau diese Art und Weise gezeichnet, und die Schüler des Werdenfels-Gymnasiums merken sich die flotten miozänischen Auswölbungen von Trillionen Tonnen Kalkgestein wesentlich besser, wenn sie das Wettersteingebirge aus der Businesskurve von *Zarathustra Solutions* ableiten. Der Zusammenhang zwischen barock-gebirgiger Landschaft und dem ständigen Auf und Ab der gezackten Umsatzkurve ist naheliegend, eng und unausweichlich. Menschen, die sich für wirtschaftliche Zusammenhänge interessieren, besteigen auch Berge. Schon Adam Smith, der Ahnherr allen kapitalistischen Denkens, der Entdecker des menschlichen Hauptantriebs, des Raffs und *Ruachs*, er war ein begeisterter Bergsteiger.

Die Manager vieler örtlicher mittelständischer Betriebe warfen, wenn die Geschäfte wieder einmal lahmten und schleppten, einen Blick aus dem Fenster, hin zur Alpenkulisse im Süden des Tals, und anstelle eines altmodischen Bittgangs zur Wallfahrtskirche St. Anton wanderten sie mit ausgewählten Hoffnungsträgern hinauf zur Höllentalhütte und stiegen, symbolisch, wieder auf zu den Höhen des schroffen Waxensteingebirges.

»So«, sagten sie dann und zahlten den Eintritt zur Höllentalklamm, »so wird es mit uns auch wieder aufwärts gehen.«

Und genau auf diesen Punkt der Kurve, auf den Beginn des steilen Aufstiegs zum Kleinen Waxenstein, starrte der Manager Konrad Finger, leitender Mitarbeiter einer großen Weltfirma der Telekommunikationbranche. Er hob seinen Blick. Wie andere auf den stillen finnischen See oder das wogende Meer hinausträumen, blickte er sinnend auf die hohen Berge, die ihn so an seine gezackten Kurven erinnerten, mit denen er im Manageralltag herumfuhrwerken musste. Seine Theorie: Ingenieure fahren an die See, blicken hinaus, um über ihre kleinen, unbedeutenden, in den meisten Fällen vollkommen nutzlosen Erfindungen nachzudenken. Manager jedoch gehen zum Bergsteigen, und von allen Seiten prasseln visionäre Ideen und zukunftsweisende Geistesblitze auf sie ein.

Konrad Finger packte sein Kanu hochkant und legte es ins Wasser. Hier am Oberlauf der Loisach gab es eine beliebte Einstiegsstelle. Die Loisach, die den Kurort in Gut und Böse teilte, war kanutechnisch ein Gewässer der mittleren Schwierigkeitsstufe II, an manchen Stellen vielleicht auch III. Die internationale Wildwasserschwierigkeitsskala bewegte sich zwischen den Stufen 0 (Dorfteich) und VI (Siphons, Niagara, Hades). Momentan kurvte Konrad Finger jedenfalls langsam die Loisach hinunter, er stach mit dem Paddel in eine kleine, flache Stelle, dann nahm er Fahrt auf. Der Vertriebsleiter für Österreich, Schweiz, die baltischen Staaten, die Tschechei, die Ukraine (das lukrative Polen hatte ein Protégé des Chefs, der Idiot R. bekommen) rückte seinen schützenden Helm zurecht, rechts zog langsam das Wettersteingebirge vorbei, links der Kramer. Früher war auch er auf die Berge gestiegen, Wildwasserfahren war aber noch aufregender. Er hatte mehrere Kurse im fernen Patagonien belegt und war als leibhaftiger Wildwasserkanut zurückgekommen. Man kann sich schon denken, was seine Frau gesagt hatte: Jetzt hast du das auch geschafft.

Innerhalb von kürzester Zeit widmete Finger jede freie Minute dem Kanusport. Bei den reißenden Fahrten, ganz alleine im Boot, konnte er am besten nachdenken: Je schwieriger der Parcours, desto waghalsigere Ideen für Geldanlagen und Marketingaktionen fielen ihm ein. Die Zulieferfirma XY kaufen oder sie als Kunden behalten? Schon mehr als einmal hatte er die intuitive Lösung gehabt, als er aus dem Strudel wieder heraus war: XY sofort kaufen! Oft hatte er im Boot noch mit seinem Büro telefoniert, um die entsprechende Order durchzugeben.

Er hatte Mathematik und Informatik studiert, auch in Amerika, auch an der Stanford, später Praktikum in Grafing, dann stieg er in die Firma ein als Verantwortlicher für die Software, die im Rechner Strömungen nachbildete. Luftströmungen, Festkörperflussströmungen, Wasserströmungen, alles Mögliche.

»Warum einen gefährlichen Wildwasserparcours hinunterfahren«, hatte er damals in einem Vortrag vor Kunden gesagt, »wenn ich auf der Simulation sehen kann, wo die tödlichen Stellen sind!«

Das hatte er damals gesagt, so würde er heute nicht mehr reden. Denn das Wildwasserfahren war mit keiner Simulation zu vergleichen. Da vorne kam eine Reynolds-Schraube. Wenn man den aus dem Wasser ragenden Stein da vorne, die Seitenwand, die Wassergeschwindigkeit, die Temperatur, das Gefälle und sonst noch ein paar Werte zusammenrechnete – wenn man also den Strudel simulierte, wusste man, wie man da heil durchkommt. Was war das aber gegen das Gefühl, mit einem leichten, intuitiven Druck des rechten Hinterbackens, ganz ohne Theorie, nur mit dem Gefühl Mensch –vs– Natur durch den Strudel zu gleiten!

Noch zehn Meter. Es war ein Reynolds-Strudel der höheren Schwierigkeitsklasse. Es war ein Strudel, der einen auf jeden Fall auf den Grund zog, in diesem Fall knappe drei Meter tief. Man musste nur darauf achten, dass man sich unten nicht verkantete, dass man den Dingen seinen Lauf ließ, dass man gar nicht erst versuchte, sich unten abzustoßen oder andere gegenläufige Bewegungen machte. Denn normalerweise galt der alte Indianerspruch *taki-nama-teki-jo*: Ein Strudel, der sich nach unten dreht, spuckt irgendwann alles wieder aus. Konrad Finger hatte diese Reynolds-Stelle schon ein paar Mal durchfahren, einmal war er fünf Sekunden unten geblieben, aber dann hatte ihn der gütige Sog wieder nach oben gehoben, sogar ein bisschen aus dem Wasser geschleudert, und das Glücksgefühl, das er gehabt hatte, war unbeschreiblich gewesen. Konrad Finger durchlebte herrliche fünf Sekunden, dann nochmals mulmige zwei Sekunden, dann kam ein rüder Schock. An diesem formvollendeten Reynolds-Strudel hatte irgendein Idiot ein Fahrrad ins Wasser geworfen, das auf den Grund gesunken war, und an dem er jetzt festhing. Der alte indianische Spruch *taki-nama-teki-jo* hatte in einem solchen Fall seine Gültigkeit verloren.

12

»Ein Fake-Verbrechen?«, sagte Nicole Schwattke und trat ins sepiabraune Moos, wobei sie darauf achtete, einige Blumen in Umbra, Neapelgelb und Fischsilber nicht zu zertreten. »Ich glaube es immer noch nicht.«

Nachdem sich alle von Dr. Rosenberger verabschiedet hatten, beschlossen sie, noch am selben Tag eine Lagebesprechung abzuhalten. Nach dem, was sie vorhatten, war es ratsam, sich im Kurort vorerst noch nicht sehen zu lassen, um das Fake-Verbrechen, die Dattelberger-Finte nicht zu gefährden. So waren sie nach Murnau gefahren und spazierten nun in den sanft geschwungenen Ebenen des Blauen Landes um das Murnauer Moos herum. Die Gemeinde am Staffelsee lag ein paar Kilometer nördlich des Kurorts, und das Wort *malerisch* klebte an Murnau wie feuchtes Gras am Schuh. Die Liste der Maler, die hier gewirkt hatten, war eindrucksvoll: Kandinsky und Münter hatten hier gewohnt, die Blauen Reiter Marc und Macke hatten hier gepinselt, Dürer, Kubin, Klee und Konsorten waren aquarellierend, gouachierend und anderweitig klecksend hier durchgereist. Seitdem watete man in Farben, schlenderte durch Motive, versumpfte in Zentralperspektiven. Selbst die Kühe waren hier nicht einfach bräunlich gefleckt, sondern mit dem Rotmarderpinsel Nr. 4 orangeocker-indischgelb getupft. Der Himmel war pompeijanischblau, das Ortsschild jaune brilliant tief bis zitronengelb, die Dachziegel kadmiumrot foncé, natürlich mit dem berühmten kleinen Verlauf ins Drachenblutrote. So wie in Schliersee und

Reit im Winkl das Hollaradri-jo und Drei-dulijö durchgehend die Gassen durchtönt und bestimmt, erstickt man in Murnau schier im Colorigen.

Jennerwein hatte den geheimnisvollen Schnellhefter mit dem (jetzt kann man es ja sagen: permanentsignal-) roten Umschlag wieder abgegeben, und sie wussten so gut wie alles über die acht verdeckten Ermittler, die im Kurort gegen das organisierte Verbrechen kämpften.

»Wir müssen schnellstens unser gefaktes Verbrechen im Kurort inszenieren«, sagte Jennerwein und betrachtete dabei einen kleinen Bach, der silberglitzernd dahinfloss. »Hat jemand Vorschläge?«

»Ich weiß was!«, sagte Nicole. »Mitten im Kurort, im Zimmer eines renommierten Hotels wird eine Leiche entdeckt. Es besteht dringender Verdacht auf ein Gewaltverbrechen. Wir werden gerufen, wir kommen hin und ermitteln. Ist leicht vorzubereiten, ist technisch leicht machbar, verschlingt keine großen Steuergelder.«

»Das ist ein guter Anfang«, sagte Jennerwein, »aber es ist mir zu wenig öffentlich. Das Ereignis sollte schon etwas mehr Aufruhr und Empörung im Ort verursachen. Lassen Sie uns von den Mutmaßungen und Spekulationen der Einheimischen profitieren. Wir müssen die lokalen Ratschkathln und Quackelfritzen dazu bringen, Namen und Orte zu nennen, die wir nicht in unseren Wanderkarten finden.«

Sie kamen auf eine kleine Anhöhe, von der aus man einen guten Blick aufs Murnauer Moos hatte. Ein Schild wies darauf hin, dass Henri Matisse hier schon mal gestanden hatte. Und tatsächlich, die bunte Blumenpracht dort unten hing im Louvre. Die Alpenkämme im Hintergrund hätte Paul Cézanne hingetupft haben können, der Wald hatte etwas Schräges, vielleicht von Joan Miró. Ludwig Stengele stand da wie eine Figur von Arno Breker.

»Wie sieht es mit einem schönen, satten Banküberfall aus?«, schlug der Allgäuer vor. »Den Täter spielt einer von uns. Ich hab auch noch eine alte Skimütze zu Hause. Der Bösewicht entkommt und versteckt sich, irgendwo im Kurort. Wir schnüffeln herum und sammeln nebenbei unsere eigenen Informationen.«

»Das gefällt mir schon besser«, entgegnete Jennerwein. »Großer Nachteil bei einem Überfall auf ein Geldinstitut: Wir müssten die Angestellten der Bank ins Vertrauen ziehen. Und für die gilt der Paragraph 353 b beim besten Willen nicht mehr.«

»Andere Idee«, sagte Hansjochen Becker. »Wir inszenieren einen Schusswechsel in der örtlichen Spielbank. Die Spielbankmitarbeiter sind bayrische Beamte wie wir – oder zumindest Angestellte im öffentlichen Dienst. Die können wir im Vorfeld auf staatsbürgerliche Treue überpüfen, dann ins Vertrauen ziehen. Vorteil bei der Sache: Es geht ums große Geld. Das weckt Begehrlichkeiten. Der Täter versteckt sich irgendwo und hat angeblich einen Haufen Kohle dabei. Das schürt Spekulationen.«

Hansjochen Beckers Augen leuchteten. Man sah es ihm an: Endlich durfte er als Spurensicherer aktiv falsche Spuren legen und musste nicht den Spuren anderer hinterherhecheln.

»Nicht schlecht, die Idee mit der Spielbank«, sagte Jennerwein. »Das sind mir aber erstens immer noch zu viele Leute, die wir in das Geheimnis unseres Fake-Verbrechens einbeziehen müssten. Und zweitens: Ein Überfall auf die Spielbank erzeugt im Ort nicht den Empörungsgrad, den ich will. Verstehen Sie: Mit der Spielbank wird ein Symbol der Großkopferten, der internationalen Bourgeoisie angegriffen. Da kocht der Volkszorn nicht sehr hoch.«

»Wie wäre es mit einem Ehrenmord?«, warf Maria ein. »Das ist doch unbestritten ein Delikt mit einem großen Empörungsgrad.«

»Auch nicht schlecht, Maria, aber das ist mir dann doch eine Idee zu brisant. Hier wäre mir das öffentliche Interesse wieder zu groß. Ein Ehrenmord, der läuft auf allen Fernsehkanälen, da interessiert sich die internationale Presse dafür, das verschreckt vielleicht auch unsere Herrschaften von der Mafia. Wir müssen einen Gang runterschalten.«

»Vielleicht wollte die Frau Doktor mal ins Fernsehen kommen und dort den üblichen Nahostkatastrophenexperten Konkurrenz machen«, stichelte Stengele. Die beiden mochten sich nicht, der Naturbursch und Frau Doktor Kopf. Maria blickte in die andere Richtung. Nicole Schwattke pflückte ein lasurgraues Gänseblümchen und steckte es ins Knopfloch. Sie streckte die Hand nach einer anderen Blume aus.

»Vorsicht, das ist eine violette Drosselkopfprimel, die sollten Sie nicht ausreißen, die steht unter Naturschutz«, sagte Stengele.

»Wirklich? Ich dachte, es wäre ordinäre Katzenminze.« Sie zog ihr Smartphone heraus. »Gut, dass ich eine Botanisierungs-App runtergeladen habe.«

Es vergingen keine zwanzig Sekunden, da zeigte Nicole dem verdutzten Stengele triumphierend den Sichtschirm des Smartphones.

»Katzenminze, habe ichs doch gesagt.«

»War eh nur ein Scherz«, sagte Stengele. »Die violette Drosselkopfprimel gibts gar nicht.«

»Bitte wieder zur Sache, meine Herrschaften!«, mahnte Jennerwein. »Die Zeit drängt. Lassen Sie uns die Idee festhalten, dass ein Täter untertaucht und im Ort verschwindet, so dass es nicht auffällt, wenn wir überall herumschnüffeln – diesen Ansatz finde ich schon mal sehr gut.«

Es wurde Abend. Der Himmel färbte sich vom hellsten Coelinblau mit weichem Türkisstich ins Praseodymgelb-Ockrige, und das war auch das Mindeste in Murnau. Der Mond war schon zu sehen, ein Elfenbeinweiß-Getüpfle van Goghs, oder ein heller, kräftiger Klacks Sumpfkalkl von Kandinsky, vielleicht auch nur ein hingehuschtes Patzerl Deckweiß von einem ungeschickten Malschüler der ersten Klasse.

»Wir brauchen also einen sympathischen Täter, so etwas wie Robin Hood, Karl Moor oder Che Guevara, den die Bevölkerung jederzeit verbergen würde.«

»Und an wen oder was denken Sie, Chef?«

13

Mondhelle Nacht. Hintereingang einer Wirtschaft. Ein Mann in oberbayrischer Tracht öffnet seinen Rucksack.

Wilderer Was is, Unterwirt, magst a Gams? Frisch gschossen!

Der Wirt zögert. Plötzlich hört man das Martinshorn. Ein Polizeiauto fährt in den Hof.

Lautsprecherstimme Geben Sie auf, Sie haben keine Chance!

Wirt Lauf durch die Küch!

Der Wilderer verschwindet im Haus. Die Polizeibeamten stampfen ärgerlich auf.

14

Oliver Krapfs erster Impuls war es gewesen, seine Sachen zu packen und sofort den nächsten Zug zu nehmen, heim ins Land der vernetzten Netze und der unbeschränkten Kommunikation. Zu Hause an seinem Rechnerplatz wollte er sich dann in die einschlägigen Foren stürzen, um alles, aber auch alles über Münzen, Prägungen und Inschriften, Vorder- und Rückseiten, Münzfüße und Metalllegierungen zu erfahren. Er verabschiedete sich von seinen Freunden. Es läge nicht an ihnen, er vertrüge nur das Klima nicht. Die sommersprossige Tina bekam einen traurigen Gesichtsausdruck, sie wollte noch etwas sagen, doch Dirk stieß sie leicht mit dem Ellbogen an, und so schwieg sie. Oliver Krapfs Gesichtsfeld war so eingeschränkt, er war so fiebrig, so gebamboozled, dass er das nicht bemerkte.

Er beschloss, nochmals zu dem Pfefferminz-Teppich-Händler zu gehen. Er stand vor dem Bazar und überlegte, ob er den Händler einfach ganz naiv und unverschämt fragen sollte, woher er denn seine schönen Münzen bezog. Krapf verwarf den Gedanken. Der Händler sah nicht so aus, als würde er Geschäftsgeheimnisse verraten. So stand Oliver Krapf eine Weile da und beobachtete den Haupteingang des Ladens.

»Unentschlossen?«, fragte eine Stimme direkt hinter ihm. Er drehte sich um. Ein Marokkaner in Jeans und einem T-Shirt mit FC-Bayern-Aufdruck stand vor ihm und lachte ihn zahnlückig an.

»Führung gefällig?«

»Nein, danke. Ich will eigentlich nur was wissen.«
Der Marokkaner zog die Augenbrauen hoch.
»Zehn Dirham für einfache Fragen, fünfzig für komplizierte.«
»Der Händler dort drüben verkauft doch auch Münzen –«
Der Marokkaner verzog das Gesicht.
»Schlechte Münzen, billiges Zeugs – ich weiß was Besseres. Komm mit.«
»Nein, ich will nur wissen, woher der Händler die Münzen bezieht.«
»Er gräbt sie aus, mit der Schaufel.«
Der Marokkaner lachte.
»Nein, Spaß. Er hat sie von einem spanischen Münzgroßhandel. Ist irgendwo in Ceuta oder Málaga.«
»Wie heißt der Münzgroßhandel?«
»Kann ich rausbekommen.«
»Bis wann?«
»Warte hier.«

Nach einer Stunde kam er wieder zurück und nannte ihm die Adresse eines Münzhändlers in Südspanien. Oliver Krapf entlohnte ihn reichlich, er ging zum Bahnhof und löste ein Ticket für Zug und Fähre nach Málaga. In der Wartezeit brach er die Übereinkunft, die die fünf Freunde für diesen Urlaub getroffen hatten, und nahm in einem Internetcafé ein paar tüchtige Inhalationen aus dem Netz. Ahhh! Das war doch herrlich, in Foren einzudringen, in digitalen Lexika herumzuschnüffeln und der ganzen verschwitzten realen Umgebung ein Schnippchen zu schlagen. Das galt zu Hause in seinem Kaff, in dem er wohnte, genauso wie in Fès. Das Säckchen mit den Münzen hatte er dem marokkanischen FC-Bayern-Anhänger geschenkt, sie waren wahrscheinlich ohnehin nichts wert. Das bewusste Geldstück, die bekritzelte Münze, das Objekt seiner detektivischen Begierde hielt er fest umklammert. Sein Zug fuhr erst in ein paar Stunden. Mit zittrigen Fingern schraubte er jetzt die Leselupe zusammen, für die er fast die Hälfte seines Reisegelds ausgegeben hatte. Er fuhr die Münze Millimeter für Millimeter ab. Sie hatte enorm viele Kratzspuren, Hunderte von kleinen Schrammen und Dellen. Die Gravur jedoch, die ihm als erstes ins Auge gefallen war, das Gekritzel, das er erst als LUK M gelesen hatte, war wohl mit einem scharfen Gegenstand eingehämmert worden. Die Buchstaben waren nicht in einem Schwung eingeritzt, die Linien brachen an mehreren Stellen ab und waren dann wieder neu angesetzt. Diese Art der Beschriftung überraschte ihn nicht, die Oberfläche einer Münze war sicherlich so hart, dass man ihr mit einer normalen Nähnadel wohl kaum zu Leibe rücken konnte. Im Netz fand er heraus, dass Münzen meistens aus Kupfernickel, Zinn-, Gold- und Silberlegierungen bestanden, die Oberflächen konnten verschiedene Härtegrade haben, ganz harte Oberflächen konnte man nur noch mit Diamanten bearbeiten. Wenn er wusste, wie die Schrift eingestanzt oder eingeritzt worden war, ob mit einer aufwendigen Technik oder nur so nebenbei, dann wäre er schon ein Stück weiter. Er spürte, wie ihm das Blut in den Kopf stieg und wie sein Herz raste. Er konnte der Ausstrahlung dieser Münze nicht widerstehen. Und eines wusste er: Er würde diese Münze nie aus der Hand geben, um sie von einem anderen untersuchen zu lassen. Diese Münze hatte ein Geheimnis. Auf ein Geldstück kritzelte man nicht einfach etwas hin, wie auf eine Schulbank oder eine Toilettentür. Wer sich die Mühe gemacht hatte, auf diesem kleinen, außergewöhnlichen Datenträger eine Nachricht zu hinterlassen, der war in Not. Es war ein Hilferuf. Da war sich Oliver Krapf ganz sicher. Er musste nur noch die Schriftzeichen entschlüsseln.

Die Schrift selbst war gut erkennbar, vor allem deshalb, weil die Schriftrillen durchgängig eine bräunliche Verfärbung aufwiesen, so etwas wie Rost. Aber eine Münze rostet doch nicht? Vielleicht doch. Das wollte er alles zu Hause klären, vielleicht mit einer Metallbestimmungs-App, wenn es so etwas gab. Er sah sich nochmals das LUK M oder LUK A an. Das M oder A war nur auf den ersten Blick ein Buchstabe, bei genauerem Hinsehen konnte man die Inschrift auch als LUK 111 lesen. Er tippte Lukas hundertelf als Suchbegriff ein, ein solches Kapitel gab es im Lukasevangelium jedoch nicht. Kapitel elf? Das existierte wiederum, es handelte vom richtigen Beten, von *Unser täglich Brot gib uns heute* und *Vergib uns unsere Schuld* und ähnlichen christlichen Nebelkerzen. Machte sich aber jemand die Mühe, auf eine Münze den Hinweis auf das weltbekannte Vaterunser einzustanzen? Die mittlere Eins der Zahl Hundertelf war niedriger gestellt, er hatte eine neue Idee.

> LUK 1,1
> Schon viele haben es unternommen, einen Bericht
> über all das abzufassen, was sich unter uns ereignet
> und erfüllt hat.

Das war der Anfang des Lukasevangeliums, der Beginn der bekannten Weihnachtsgeschichte mit Maria und Josef. Doch wozu wieder der Aufwand? Weihnachtsgrüße auf einer Münze? Sein Zug fuhr in einer halben Stunde. Das LUK konnte man auch als SUR lesen. War eine Sure des Koran gemeint? Das Auftauchen der Münze im arabischen Fès hätte dazu gepasst. Er tauchte wieder ins Netz ein. Die Sure hundertelf war äußerst rätselhaft, das waren gleich hundertelf Nebelkerzen, da waren die christlichen Geheimnisse gar nichts dagegen. Wer war die Frau, die als »elende Brennholzträgerin« bezeichnet wurde? Die Sure elf war wiederum sehr lang und vollkommen unverständlich für jemanden, dessen Wissen über den Orient nicht über drei, vier Stunden Wahlkurs Arabisch hinausging. Er schrieb sich sowohl die Bibelstelle als auch die Koranstelle auf und bestieg den Zug nach Málaga. Sein kryptologisches Jagdfieber hatte seinen kritischen Verstand fast ausgeschaltet.

15

Manche lernen es nie, manche rumpeln immer wieder hinein in dieselbe Gefahr, aus der sie gerade eben mit Müh und Not entkommen sind. Man möchte fast meinen, sie sind nur deswegen froh, der Bedrohung entronnen zu sein, weil sie gleich darauf auf der Hacke umdrehen und sich erneut in den finsteren Wald mit den spitzen Messern und gespannten Fallen stürzen.

Der Mühlriedl Rudi und die Holzmayer Veronika (Sägewerk und Apotheke) waren wohl solche Zeitgenossen, und das gleich in mehrerer Hinsicht. Zunächst einmal waren sie natürlich beide nicht zur Polizei gegangen, nicht zusammen und nicht einzeln, das ist ja noch verständlich. Schließlich vernebelte sich die Erinnerung an die Schrottplatzmondnacht vor sechs Wochen derart, dass ein Gang zur Polizei jetzt überhaupt keinen Sinn mehr gehabt hätte. Sie hatten sich seit der verpatzten Mainacht nicht mehr getroffen. Sich ganz aus dem Weg zu gehen war jedoch in solch einem kleinen Ort nicht möglich. Und so geschah das, was geschehen musste. Der Mühlriedl Rudi war mit seiner Gattin beim Einkaufen, sie bezahlten gerade an der Kasse.

»Komm, gehen wir noch bei der Holzmayer-Apotheke vorbei«, sagte die Gattin unvermittelt, »die sollen ein neues Entschlackungs-Dragee im Angebot haben.«

»Da kannst du allein hingehen.«

»Warum willst du denn nicht mitgehen?«

»Die Holzmayer-Apotheke ist doch vollkommen überteuert.«

»Jede Apotheke ist überteuert, und dir würde so eine Entschlackung auch nicht schaden.«

Jetzt nochmals zu widersprechen wäre auch irgendwie aufgefallen, dachte der Rudi, und so ging er halt mit. Tatsächlich stand die Chefin im Laden, die Apothekerin Veronika Holzmayer, der Gatte war auch da, er mischte im Hintergrund irgendetwas zusammen. Verflixt, das kann ja was werden, dachte der Mühlriedl Rudi. Man musste sich jetzt siezen, und man durfte auch nicht zu fremd tun, sonst fiel es ja auch wieder auf. Die richtige Frau Mühlriedl bemerkte offensichtlich nichts, der Mühlriedl Rudi hingegen bemerkte an diesem Nachmittag etwas ganz Wesentliches, nämlich dass das Fremdgehen recht wenig zu tun hat mit irgendwelchen erotischen Bedürfnissen, sondern mit der archaischen Lust an der Gefahr, so wie man sich zwischen die Schienen legt und einen Zug drüberfahren lässt. Der Rudi schaute die Veronika an, und er wusste, dass auch sie so dachte. Die beiden nickten sich zu, unmerklich und leise. Es war ein unglaublich kleines, ein homöopathisches Nicken von der Nickstärke D20, das nur Verräter und Untreue bemerken. Und noch am Abend desselben Tages schlichen sie sich wieder aus den ehelich-trauten Häusern, quer durch das Dorf – *Es bellen die Hunde, es rasseln die Ketten* – hin zum morbiden Eisenreich des alten versoffenen Heilinger Herbert.

Der schöne Kuschelmercedes war nicht mehr da, aber ein schwer lädierter Geländewagen, den es auf einer Forststraße seitlich erwischt hatte. Der Mond hing über der Alpspitze wie ein eingerollter Mittenwalder Weißfelldachs, die Grillen zirpten, die Eisenteile schwangen sich wieder einmal zu großen harmonischen Kühnheiten auf – beide stiegen in den Opel. Die Frau Apothekerin, gerade vor ein paar Stunden noch mit solchen Dingen wie 1-Methyl-7-oxo-3-ethoxyphenyl-Mischungen und Kampferkraut-Essenzen gegen Orangenhaut und Neurasthenie beschäftigt, streifte jetzt wieder ihre Handtasche ab, und sie zog sogar ihre Schuhe aus. Auch der Rudi entledigte sich seines grob gewirkten, seines *wurchernen* Jankers, und es hätte nicht viel gefehlt, da hätte er auch noch seinen Hut abgenommen.

Ging es jetzt los? Führten sie nun das zu Ende, was sie im Benz begonnen hatten? Mitnichten, so muss man es sagen. Sie saßen noch eine Weile lauschend und sinnend da, sie hörten wieder auf die kleine Rhapsodie, die die verbogenen Eisenteile und geschäftigen Windsbräute für sie aufführten. Und wortlos, wie es nur Liebende tun, sahen sich der Mühlriedl und die Holzmayer'sche an und nickten zustimmend. Dann öffneten sie die Opeltüren wieder und stiegen hinaus. Vorsichtig schlichen sie zum Bürohäuschen des Schrottplatzes. Aus genau dieser Richtung waren die zwei slawisch sprechenden Schleifer und der Bewusstlose mit dem iPod und der Glatze gekommen. Die Tür des Bürohäuschens stand einen Spalt offen, leise und unendlich langsam öffneten sie die Tür. Dort drinnen waren menschliche Stimmen zu hören.

16

»Dit jibs ja janich! Dtkannawonniwaasin!«

Heiß und windstill war es droben auf der herrlich gelegenen Schröttelkopf-Alm. Kein Wölkchen am Himmel, der Duft von frisch gemähtem Gras, das harmonische Klingen von Kuhglocken. Draußen auf der Terrasse wurde eiskaltes Bier serviert, und der Sommerfrischler, der am Klapptisch mit der besten Aussicht saß, hätte leicht in der Operette *Im Weißen Rössl am Wolfgangssee* mitspielen können, in der Rolle des Wilhelm Giesecke, des raunzigen Preußen aus dem Zille-Land, aus Berlin. Gieseckes Frau hatte in die Berije jewollt, und da saß er nun, mit der Frau, auf der Terrasse der Schröttelkopf-Alm. Er hatte über den Kaffee gelästert, er hatte über das Wetter gemeckert, das Bier war ihm zu warm, der Sonnenbrand schmerzte, dann aber hatte er einen Euro in eines der aufgestellten Münzfernrohre gesteckt und hatte das Postkartenpanorama betrachtet. Wenigstens das war einmalig. Einen Raubvogel hatte er auffliegen sehen, ein paar bunte Paraglider hatte er sich angeguckt, dann hatte es plötzlich einen lauten RRRUMS in der sonnigen Almlandschaft gegeben.

Giesecke ließ das Fernrohr erschrocken los. Er blickte sich ängstlich in Richtung Terrasse um, doch dort sah er nichts als fünfzig andere aufgeschreckte Ausflügler, vermutlich lauter Berliner wie er, die die Berije sehen wollten. Und noch einmal gab es einen RRRUMS, diesmal ganz eindeutig aus der Richtung der Wiese dort unten.

Giesecke schwenkte das Teleskop talabwärts. Dort standen sich zwei Männer in Duellabstand gegenüber, zwei zornige Männer in gespannter, kampfbereiter Haltung. Der eine trug eine gepflegte, gebügelte Kniebundhose, einen grünen Lodenumhang und einen Trachtenhut mit aufgepflanztem Gamsbart. Die Flinte, die er in der Hand hielt, blinkte in der Mittagssonne. Der andere Mann war wesentlich jünger. Er trug eine zerbeulte, speckige Lederhose, die den Blick auf seine Wadeln freigab, die braungebrannt und sprungbereit unter den Wadelschonern lauerten. Seine Augen blitzten verwegen, sein Gesicht war geschwärzt, und er hielt ebenfalls ein Gewehr in der Hand – in seinem Fall war es eher ein verbeultes Rohr, ein verbogener, vorsintflutlicher Schießprügel. Er hatte einen Rucksack aufgeschultert, aus dem eine halbe Gams, ein Reh, ein Hase (irgendetwas aus dem Wald eben) ragte. Und sofort glaubte Giesecke die Situation erfasst zu haben: Der arme Waldbauernbub hatte für seine dreißigköpfige Familie etwas Wildbret geschossen, und der Herr Oberforstrat stellte ihn jetzt deswegen zur Rede. So etwas Ähnliches war da unten los, alpenländisches Milljöh eben. Und jetzt waren auch die heiser geschrienen Stimmen der beiden Kontrahenten zu vernehmen.

»Bleiben Sie stehen«, rasselte der Oberforstrat gerade. »Legen Sie Ihre Waffe auf den Boden!«

Der andere, der Schwarzgesichtige, gab etwas zurück, was Giesecke nicht verstand, ein *kreizkruzifixhimmiherrgottseiten* hörte er heraus und andere Lautketten, das konnten nur die tief empfundenen Flüche der Alpenbewohner sein. Der Mann mit den strammen Wadeln wollte sein Gewehr partout nicht auf den Boden legen.

»Schleich di, Jaager! Sonst g'hörst da Katz!«, rief der waldbauernbübische Berserker. Doch der Herr Oberforstrat wollte sich durchaus nicht schleichen. Er beliebte das Gewehr hochzureißen und damit noch einmal in die Luft zu schießen. Der

Wildschütz sah ihm fest in die Augen, dann drehte er sich um und ging davon, er ließ den verdutzten Jäger mitsamt seiner Gamsbartpracht einfach stehen. Der Herr Oberforstrat war wütend. Er legte kurzerhand an und schoss. RRRUMS. War der wahnsinnig? In den Rücken? Durfte man das? Das war doch das Allerletzte! Doch der hinterhältige Schuss hatte sein Ziel wohl verfehlt. Der tollkühne Mann mit dem Wildbret im Rucksack drehte sich um und legte das Gewehr an, um den Forstrat auf Distanz zu halten. Der schoss nochmals, und jetzt blieb dem Wildschütz wohl nichts anderes übrig, als das Feuer zu erwidern. Mehrmals. Und da war es geschehen: Der Oberforstrat fasste sich ans Herz und fiel zuckend und zappelnd, schreiend und stöhnend auf die Wiese, er kullerte den Abgang hinunter, schlug durch ein paar Büsche und geriet schließlich außer Sicht. Der Lederhosenträger lief in die andere Richtung, schließlich verschluckte auch ihn der Wald. Regungslose Stille auf der Terrasse. Niemand wagte sich dort hinunter, man wusste ja nicht, wie viele Kugeln noch in den Läufen warteten. Der Wirt der Schröttelkopf-Alm rief die Polizei. Die beiden Polizeiobermeister Johann Ostler und Franz Hölleisen waren innerhalb von wenigen Minuten da. Sie mussten ganz in der Nähe Streife gefahren sein – oder sie waren einfach so auf Draht –, denn bald nach den Schüssen brausten sie schon den Bergweg mit Blaulicht herauf und hielten mit quietschenden Bremsen im Hof der Schröttelkopf-Alm. Sie sprangen geschmeidig wie die Wildkatzen heraus und liefen mit gezogenen Waffen die Wiese hinunter. Vorsichtig teilten sie die Büsche, die am Wiesenrand standen, dann waren auch sie verschwunden.

»Dit jibs ja janich!«, rief Giesecke und setzte sich.

Ostler und Hölleisen mussten nicht lange suchen. Bald sahen sie die Spur, die noch weiter abwärts, zu einem Heustadel führte, es war ein breiter Streifen niedergedrückten Grases. Es war genauso ein Streifen, wie ihn Charles Bronson in *Rio Grande* hinterlassen hatte, als er schwerverwundet vor dem hinterhältigen Marshall geflohen war.

»Da, in dem Heuschober, da ist er!«, flüsterte Hölleisen, und beide schlichen sich hin. Leise öffneten sie die knarzende Tür, und da lag er, der Oberforstmeister.

»Können Sie uns kurz schildern, was dort droben auf der Schröttelkopf-Alm passiert ist?«

Der Reporter der örtlichen Zeitung hielt Jennerwein das Aufnahmegerät vor die Nase, und nie hatte der Kommissar mehr Lust gehabt, die Wahrheit hineinzusprechen. Aber natürlich hielt er sich an den Drehplan.

»Wir wurden gerufen, weil sich im Ort ein Gewaltverbrechen ereignet hat. In einem Heuschober am unteren Rand der Schröttelkopf-Wiese wurde die Leiche eines etwa 40-jährigen Mannes gefunden. Er hatte frische Schussverletzungen, seine Identität ist noch nicht geklärt.«

»Können Sie uns Genaueres über die Schussverletzungen sagen?«

Nicht allzu geheimnisvoll bleiben, dachte Jennerwein, einige Fakten auf den Tisch legen, einen Brocken Brot hinwerfen, um den Kuchen für sich zu behalten.

»So weit sind wir noch nicht. Es wurden mehrere gezielte Schüsse in den Brustkorb abgegeben.«

»Der Täter war also ein Profi? Ein Sportschütze? Ein Auftragskiller?«

»Das wissen wir nicht. Der mutmaßliche Täter ist flüchtig.«

»Und der Tote? Ein Einheimischer? Ein Kurgast? Ein Wanderer?«

»Auch das entzieht sich unserer Kenntnis. Das Opfer wird gerade im gerichtsmedizinischen Institut untersucht. Bis die Ergebnisse der Untersuchung vorliegen –«

»Gibt es irgendwelche Hinweise zum Anlass des Verbrechens?«

Jennerwein schwieg beziehungsreich. Doch der Reporter kannte die Spielregeln des Spiels ebenfalls.

»War es ein Eifersuchtsdrama? Raubmord? Läuft es auf Erbschaftsstreitigkeiten hinaus? Geben Sie mir einen Tipp. Einen klitzekleinen Tipp, Kommissar. Ich werde pro Zeile bezahlt. Und ich habe vier hungrige Kinder zu versorgen –«

»Tut mir leid, aber um über die Hintergründe des Verbrechens zu spekulieren –«

»– ist es noch zu früh, sicher. Aber es gibt doch Zeugen?«

»Ja, es gibt Zeugen, deren Aussagen werden immer noch überprüft und ausgewertet.«

Und wie viele Zeugen sie hatten! Mehr als fünfzig aussagebereite, mitteilungsbedürftige Zeugen, die Beckers Inszenierung von der Terrasse aus beobachtet hatten, mit den Münzfernrohren, mit dem Fernglas oder mit bloßem Auge. Regisseur Becker hatte mit seinem Drama nicht eher begonnen, bis endlich ein Kurgast mit dem schwenkbaren Panoramateleskop oben auf der Terrasse der Schröttelkopf-Alm in der Alpenkulisse herumkurvte. Dann erst hatte er das Spektakel unten auf der Wiese in Gang gesetzt.

»Chapeau, Becker!«, sagte Jennerwein im Besprechungsraum, und alle nickten beifällig in die Richtung des spurenlegenden Spurensicherers. Hansjochen Becker grinste und verneigte sich.

»Sie haben gute und schnelle Arbeit geleistet«, fuhr Jennerwein fort. »Man könnte meinen, Sie hätten die letzten Jahre mit nichts anderem verbracht, als ein Verbrechen nach dem anderen zu planen!«

Und in der Tat: Seit der Strategiewanderung der Jennerwein-Truppe durch die Farbenpalette des Murnauer Mooses war nur ein Tag vergangen, und schon war das spektakuläre Fake-Verbrechen geschehen. Der Herr Oberförster wurde abtransportiert, der Wildschütz war geflohen, das Team von Jennerwein konnte, ganz offiziell, gerufen werden und für alle sichtbar ermitteln. General Dattelberger war mit seinen Truppen ins Tal des Schreckens vorgerückt und hatte die Geschütze sorgfältig in Stellung gebracht. Dass die Geschütze in eine ganz andere Richtung zielten, ahnte niemand.

»Ich hatte allerdings eine Heidenangst dort unten im Heuschober«, sagte Hansjochen Becker. »Aber nur davor, dass jemand runterkommt und mich vorher entdeckt. Vor Hölleisen und Ostler.«

»Der Titel *Oberforstrat* wird Ihnen bleiben, Becker«, sagte Stengele. »Mehrere der Zeugen haben Sie schon als solchen bezeichnet. Da sieht man, was eine schicke Uniform und ein schneidiges Auftreten ausmachen.«

Das war der Plan gewesen. Auf einer gut besuchten Bergalm sollte sich ein Wilddieb einen Schusswechsel mit einem Jäger liefern, der Jäger sollte dabei getötet werden. Dann galt es den Verdacht zu streuen, dass es sich bei dem Wilddieb in Wirklichkeit um einen braven Bürger des Kurortes mit vielen Kindern und wenig Geld handelte.

»Das ist glaubhaft«, hatte Ostler damals bei der Entwicklung des Plans gesagt. »Da haben Sie die Seele der Einheimischen hier im Ort genau erfasst. Solch ein Wilderer hätte sofort die Sympathie der Bevölkerung! Und wir können die dummen Polizeibeamten spielen, die endlose Fragen nach Verstecken und Unterschlupfmöglichkeiten stellen.«

»Ja, Wildern ist immer noch ein großes Thema im alpenländlerischen Oberbayern«, sagte Hölleisen. »Ich weiß, wovon ich rede. Ich habe in der Verwandtschaft einige Jäger. Was heißt Jäger, die Grenzen zum Wildern sind fließend. Wir haben uns als Kinder schon immer gewundert, warum der Onkel Toni, der längst pensioniert war, immer frische Rehe und

Hasen, Wildsauen und Hirsche bei uns daheim vorbeigebracht hat. Vom *händischen Jagen* war da die Rede, die Erwachsenen haben sich zugezwinkert, und ich habe erst viel später verstanden –«

Das Telefon klingelte, Ostler ging hin.

»Schon wieder ist er gesehen worden, der Schlawutzi!«, rief er vergnügt. »Diesmal auf der Zugspitze. Den Jubiläumsgrat soll er entlangspaziert sein.«

»Auf der Zugspitze? Steht das in unserem Drehplan?«

»Nein, natürlich nicht. Aber an allen Ecken ist er gesehen worden, das ist doch gut für uns. Die alte Hausingerin, die größte Ratschkathl im Ort, hat vorher angerufen. Sie würde sich nicht wundern, wenn er sich im Keller vom Hartlhaus versteckt hätte. Beim alten Hartl Peter, da könnte man sich durchaus einiges vorstellen. Vor allem das Wildern.«

Ostler hatte beim Gespräch mit der Hausingerin in einem Nebensatz fallenlassen, dass es ein Jäger gewesen ist, der da erschossen worden war, ein Jäger mit einer staatlichen Lizenz des Forstamtes Lüneburg. Lüneburg! Das war wieder mal typisch! Eine preußische Beamtennase, die von nichts, aber auch von gar nichts eine Ahnung hatte, die einen Haufen Gemseneier nicht von einem Kuhfladen unterscheiden konnte – so einer hatte einen unbescholtenen oberbayrischen Wilderer angegriffen, einen edlen Freischütz, der waidgerecht jagte und einen Hirsch auf zwei Kilometer so ins Herz traf, dass er schon tot war, wenn er auf dem Boden aufschlägt! Ein Wildererdrama zu inszenieren, das war die Idee Jennerweins gewesen.

»Genial, Chef«, hatte sogar Stengele zugeben müssen.

Und in der Tat. Der Mythos des Wilderns war fest in der Seele der Bayern verankert. Gab es denn etwa eine Oper über einen Jäger, so etwas wie *Oberforstrat Schulze*? Na eben. Aber den *Freischütz* gab es, und tausend andere Geschichten über wilde

Gesellen, die mit dem Teufel im Bunde sind, durch die südlichen Wälder und Hochwälder streifen, um dort der ursprünglichsten Betätigung des Menschengeschlechts nachzugehen, dem Jagen.

Die Idee, wer den Schnauzbärtigen mit der Gams auf der Schulter spielen sollte, war von Nicole Schwattke gekommen.

»Das könnte doch mein Mann machen. Der freut sich, wenn er einen Einsatz in Bayern hat.«

Der Mann von Kommissarin Schwattke war ebenfalls Polizist, aber er stammte durchaus nicht aus Recklinghausen, er war Bayer. Bedingt durch das föderale Polizeiwesen brauchte man, wenn man als Polizist das Bundesland wechseln wollte, einen Tauschpartner. Nicole und ihr Mann hatten sich beim Tauschen kennengelernt, jetzt saßen sie in ihren jeweiligen anderen Heimaten fest und sahen sich kaum. Der westfälische Bayer hatte dem Plan erfreut zugestimmt.

»Er hat schon viel Flachländisches angenommen, hoffentlich fällt das nicht auf. Zum Beispiel sagt er dauernd *Den Düwel ook!* Ich habe es noch nicht übers Herz gebracht, ihm zu sagen, dass man in Recklinghausen so ganz sicher nicht spricht. Das ist ja total norddeutsch.«

»Wir brauchen ihn ja bloß noch einmal zum Schluss, in sechs Wochen, wenn wir ihn verhaften.«

»Oder erschießen«, fügte Stengele sarkastisch hinzu.

»Aber jetzt an die Arbeit«, sagte Jennerwein bestimmt. »Ich möchte Sie noch einmal drauf hinweisen, dass die Zeit drängt. Becker, Sie betreuen weiterhin die wasserdichte Abwicklung des Fake-Verbrechens. Wir müssen das Wildererdrama ja auch glaubhaft abschließen. Überlegen Sie sich genau, wen Sie ins Vertrauen ziehen, führen Sie eine Liste darüber.«

»Die Gerichtsmedizinerin muss ich wohl einweihen. Sie wird eine Legende von der Leiche erstellen. Das ist mal was anderes als an Brustkörben und Bauchdecken rumzuschnipseln, das macht sie sicher gerne.«

»Seien Sie trotzdem vorsichtig«, sagte Jennerwein. »Wir haben vermutlich einen Maulwurf in den eigenen Reihen.«

Er sah in die Runde. Alle blickten ihn erschrocken an.

»Was –?«

»Nicht in unserem Team natürlich«, beruhigte Jennerwein. »Im Team der verdeckten Ermittler. Ostler und Hölleisen, Sie hören sich bei den Einheimischen um. Stengele sucht nach Schlupfwinkeln im Talkessel, Maria arbeitet mit dem Polizeihund, der auf Dombrowski und Weißenborn angesetzt worden ist.«

»Mal sehen, wie ich mich als Hundeliebhaberin mache.«

»Nicole, Sie halten hier auf dem Revier die Stellung und nehmen die reichhaltigen Hinweise aus der Bevölkerung auf. Ich werde mich heute, ganz geheim und an einem verschwiegenen Ort, draußen auf freiem Feld mit dem leitenden Ermittler der Antimafiatruppe treffen.«

Alle erhoben sich.

»Aber wie ist das jetzt mit Ihrer Wilderer-Verwandtschaft, Hölleisen?«, fragte Maria. »Was ist das mit dem *händischen Jagen*? Das würde mich schon noch interessieren.«

Polizeiobermeister Franz Hölleisen lächelte.

»Das ist schnell erklärt, Frau Doktor. In den Siebzigerjahren des 19. Jahrhunderts war das Werdenfelser Land dünn besiedelt, der Wildbestand war mäßig, und Bleikugeln waren rar. Ein Teufel, der die unfehlbaren Freikugeln gegossen hätte, war weit und breit nicht zu sehen. Das ist wohl eher eine böhmische Spezialität. Meine Vorfahren, die vielen Mitglieder der weitverzweigten Familie Hölleisen, die sich über Generationen mit Wildern über Wasser gehalten hatten, mussten sich etwas anderes einfallen lassen. Ein kühner Vorfahr von mir, der Hölleisen Sylvester, hatte nun eine Idee. Er leerte unter eine gut zwanzig Meter hohe Tanne einen Sack Wildkastanien aus, dann stieg er hinauf auf den Baum. Als die hungrigen Hirsche kamen, ließ er sich todesmutig auf die äsende Herde herabfallen. Gleich beim ersten Versuch landete er auf dem Leithirschen, und bevor der reagieren konnte, erwürgte er ihn mit seinen Riesenpratzen, die der Familie Hölleisen seit Generationen zu nichts nütze gewesen waren.«

Hölleisen hielt zum Beweis seine Hände hoch. Obwohl sie sich schon drei Jahre kannten, fielen seine Riesenpranken dem Team erst jetzt auf.

»Die anderen Tiere sind geflohen, und er saß mit einem erlegten Hirsch da. Nur mit Mühe hat er ihn heimschleifen können, so kapital war das Trumm Viech. Die Familie Hölleisen aber konnte gut leben mit dieser Methode des geräuschlosen *händischen Jagens*, die zudem den Vorteil hatte, dass das Wild schnell erlegt war und keine verdächtige Ausrüstung erforderte. Im harten Winter 1872/73 hing die komplette Familie Hölleisen in den Bäumen und stürzte sich auf eine ganze Herde von Wildsauen, die dann den Winter über reichte. Ausfälle gab es allerdings auch. Der Großvater Hölleisen kam auf die Idee, den Hirsch, wenn man schon auf ihm saß, auch heimreiten zu lassen. Der Hirsch, den er erwischte, jagte jedoch mit dem Großvater in Richtung Höllental-Schlucht und stürzte mitsamt ihm hinunter in die Klamm. Unten hat man nicht mehr gewusst, wer Hirsch und wer Opa war.«

17

Eine Zwischenfrage: Waren Sie denn schon mal im Kurort? Haben Sie dort Gemsen springen sehen oder im Frühtau das Loisachtaler Morgenrot bewundert, das lasziv über den Wank schlingert? Haben Sie einen der oft gerühmten, mehr oder weniger schneebedeckten Berge bestiegen und dort die herrlichen Gipfelbucheinträge inspirierter Hochpoeten studiert? Waren Sie vielleicht sogar auf dem Zugspitzplatt und haben kaffeeschlürfend dem größten Gletscher Deutschlands beim Wegschmelzen zugeschaut? Sie schütteln den Kopf? Aber in der verschwiegenen Spielbank werden Sie doch gewesen sein, in der Dostojewski schon saß, im Jahre 1867, als er sich seine Spielsucht abgewöhnen wollte? Nein? Denken Sie nach: Vielleicht haben Sie ja einen Bekannten, der, auf dem Weg nach Italien oder Südafrika, einmal Rast gemacht hat kurz vor der Grenze, in einem der Zugspitzstüber'l, Riesserseehütter'l oder Olympiarestaurant'l? Nich't? Und der dann in der Pension Alpenrose, Edelweiß, Zugspitzblick, Bergesruh, Gipfelglück, Zirbelholz oder so ähnlich übernachtet hat? Kennen Sie keine solchen Leute? Aber im Fernsehen werden Sie doch wohl mal die scharfkantige Wettersteinwand angeguckt haben, oder die frierenden untergewichtigen Skispringerchen und wackeren Biathlonheroinen aus der Gegend? Nicht? Niemals? Völlige Fehlanzeige?

Zugegeben, die touristischen Angebote dort unten im Süden der Republik sind vielleicht allzu vielfältig, die eigene Freizeit hingegen ist knapp bemessen. Aber! Aberaberaber aberaber! *Wenn* Sie mal da sein sollten im Föhnland, und wenn Ihnen die Zeit fehlt, die herrlichen Herausforderungen des Fremdenverkehrsamts alle durchzuhecheln, dann versprechen Sie mir wenigstens eines: Gehen Sie auf den Friedhof. Wenn Sie diesen Friedhof am Fuße der Kramerspitze gesehen haben, dann haben Sie alles gesehen. Der herrliche Viersterneacker ist eine Fahrt von Bümmerstede quer durch Deutschland wert. Er ist so liebreizend eingebettet in die Landschaft, dass ein gewitzter Münchner Immobilienmakler schon entsprechende finale Liegeplätze angeboten hat: *Drei Kubikmeter, Sonnenhang* – die Nachfrage war enorm. Der halbe Kurort liegt da unter der Kramerspitze versammelt, friedlich vereint findet man da die verblichenen Originale des Tales, den Halberdinger Maxl, den Groest Beppi, natürlich den unvergessenen Zither-Beppi, die Rafflmauxner Ludmilla und den Obersberger Eugen. Auf den Kieswegen trifft man selbstverständlich auch auf höchst Lebendige, zum Beispiel die Grinzrainer Gretel, die die ewigen Begonien gießt. Und so eine Lebende führt einen auch gerne herum, innerhalb der Öffnungszeiten natürlich.

Die drei Herrschaften, die gerade über die Friedhofsmauer stiegen, hielten sich nicht an die Öffnungszeiten, sie glaubten weit über den örtlichen Friedhofsrahmenbestimmungen zu stehen. Sie waren in ganz anderer Hinsicht penibel: Sie achteten darauf, keine Spuren zu hinterlassen, keine abgeknickten Zweige, keine Schuhtapper, nicht einmal Fingerabdrücke. Nicht, dass sie momentan auf der Flucht gewesen wären – es waren einfach alte Gewohnheiten, die sie von heut auf morgen nicht so einfach ablegen konnten. Als sie schließlich auf der anderen Seite der Mauer heruntergehüpft waren, dämmerte der Morgen, und das fahle Licht wies ihnen den Weg. Doch zumindest zwei der ungewöhnlichen Friedhofsbesucher hätten auch im Dunkeln ihren Weg gewusst. Sie waren vom Fach. Sie waren Bestatter. Und sie kannten fast jeden hier auf dem Friedhof. Viele davon hatten sie selbst unter die Erde gebracht, höchstpersönlich, professionell und mit der versammelten Würde des Berufs.

»Ein eigenartiges Gefühl ist das schon«, sagte Ursel Grasegger zu ihrem Gatten, »wenn man nach so langer Zeit wieder einmal auf heimatlicher Erde steht.«

»Da schau hin, da liegt der Obersberger Eugen«, sagte Ignaz Grasegger. Beide hielten vor dem sauber gepflegten Grab inne. Der dritte Mann, der als Letzter über die Friedhofsmauer geklettert war, wischte sich die Hose ab und gesellte sich zu den beiden.

»Was hat es denn mit diesem Obersberger Eugen auf sich?«, fragte Maximilian Goldacker.

Goldacker war der Rechtsanwalt der Familie Grasegger, er war ein guter Rechtsanwalt, ein erfolgreicher Strafverteidiger, und einen solchen hatten sie auch dringend nötig gehabt, nach all dem, was sie in den letzten Jahren an zweifelhaften Geschäften im Kurort, aber auch in Italien und Österreich getrieben hatten. Goldacker hatte eine entfernte Ähnlichkeit mit Ludwig Thoma, dem Alpenhebbel, und Goldacker pflegte diese Ähnlichkeit. Er war ein wendiger kleiner Mann, er kam stets mit Anzug und Krawatte daher, er bot eine gepflegte, pyknische Erscheinung. Jetzt war er völlig außer Atem. Das Springen über Friedhofsmauern gehörte nicht zu seinen Gewohnheiten.

»Der Obersberger Eugen?«, sagte Ursel. »Der hat uns schon vor zwanzig Jahren im Vertrauen gesagt, dass er, wenn es einmal so weit ist mit ihm, bäuchlings beerdigt werden will, mit heruntergelassener Hose.«

»Was? Mit heruntergezogener Hose?«, keuchte Goldacker. »Ist das überhaupt mit dem bayrischen Bestattungsgesetz vereinbar?«

»Herr Rechtsanwalt«, sagte Ursel und machte auf dicke Wisse. »Wir haben den Artikel 5 immer so ausgelegt, dass der Wille des Verstorbenen höher zu bewerten ist als das sittliche Empfinden der Allgemeinheit.«

»Und was war der Grund für das eigenartige – ich möchte fast sagen: unbillige – Vermächtnis?«, fragte Goldacker.

»Zuerst wollte er es uns nicht sagen, der Eugen. Aber wir haben immer wieder nachgebohrt, und eines Tages ist er damit rausgerückt.«

Sie zeigten auf den Grabstein der Familie Obersberger, so als wäre das Geheimnis, das ihnen der Eugen anvertraut hatte, dort in Stein gemeißelt. Die Erste auf der Grabtafel war eine gewisse Agathe Obersberger (1864–1921), dann ging es hinunter bis zum Eugen. Für den Eugen war aber nicht mehr ganz so viel Platz gewesen, sein Name war am unteren Ende der Tafel ziemlich eingezwängt. Man wusste schon, was sich die Verwandtschaft gedacht hat: Für den Eugen lohnt sich keine neue Grabtafel.

»Er war auf seine geldgierige Sippe gar nicht gut zu sprechen«, sagte Ursel, »und er wollte ihnen, sozusagen posthum, noch eins auswischen.«

»Und so hat er sich die zehn Jahre bis zu seinem Tod an der Vorstellung ergötzt, dass alle Verwandten, seine Geschwister, mit denen er zerstritten war, seine missratenen Kinder, seine verhasste Frau, alle miteinander, die dereinst zu seinem Grab kommen und dort falsche Kniebeugen machen würden, dass er denen dann dereinst den Hintern entgegenrecken könnte.«

»Deswegen ist er so lebenslustig gewesen. Seitdem wir ihm versprochen haben, ihn so einzugraben, hat ihn das Leben wieder gefreut. In den letzten Jahren hat man den Obersberger Eugen auf der Straße lauthals auflachend gesehen.«

»Manche dachten, der ist narrisch geworden. Aber da ist ihm wieder einmal eingefallen, dass noch die Kinder und Kindeskinder seiner garstigen Brut dieses unehrenhafte Defilee werden durchführen müssen.«

»Und?«, fragte Rechtsanwalt Goldacker zerstreut und sah auf die Uhr. »Haben Sie ihm diesen letzten Wunsch wirklich erfüllt?«

»Natürlich, aber die Geschichte geht ja noch weiter. Denn ausgerechnet der Eugen ist zwei Jahre nach seinem Tod exhumiert worden, wegen einer anderen Sache. Kannst du dich daran erinnern, Ignaz? Es ist schon lang her.«

»Ja freilich! Das war Anfang der Neunzigerjahre. Um unseren zehnten Hochzeitstag herum. Die Gerichtsmediziner haben natürlich große Augen gemacht. Ob das denn hier in Bayern so üblich sei, hat ein Preuße gefragt.«

»Wir selbst sind dann in Verdacht gekommen, dass wir schlampig gearbeitet haben. Und weil ein Bestatter von seinem guten Ruf lebt, ist uns nichts anderes übrig geblieben, als die Geschichte aufzuklären.«

»Das Schöne daran aber war, dass es dadurch alle Verwandten erfahren haben.«

»Und das war auch durchaus im Sinne des Verstorbenen, weil jetzt wirklich auch der letzte Obersberger wusste, was der Eugen von ihm gehalten hat.«

»Und wie liegt er jetzt drin?«

»Das ist eine schwierige Frage. Nach der gerichtsmedizinischen Untersuchung ist er eingeäschert worden. Und weil die Anatomie dabei ziemlich durcheinanderkommt, sind ehrenrührige Haltungen nicht mehr so leicht möglich.«

Maximilian Goldacker hörte nur mit halbem Ohr hin. Er war unkonzentriert, er war in Eile. Seine beiden Mandanten hatten sich gewünscht, noch schnell an ihrer alten Wirkungsstätte vorbeizuschauen, außerhalb der Öffnungszeiten. Er hatte ihnen diesen Wunsch erfüllt, warum auch nicht, es waren ausgesprochen einträgliche Mandanten. Doch die Zeit drängte, er wollte nicht schon beim ersten Mal zu spät kommen.

»Da liegt der Reininger Sepp«, sagte Ursel Grasegger und wies auf das übernächste Grab.

»Den haben Sie wahrscheinlich kopfüber beerdigt?«, unterbrach Goldacker. »Das ist ja alles hochinteressant mit Ihren Geschichten, aber darf ich Sie daran erinnern, dass wir einen wichtigen Termin haben.«

Ursel und Ignaz Grasegger nickten. Es war ein unangenehmer Gang, aber er musste sein. Sie waren ziemlich nervös gewesen wegen diesem Termin, aber auf dem Friedhof hatten sie sich Ruhe und Kraft geholt. Jetzt verließen sie ihn mit erhobenem Kopf, diesmal durch das Eingangstor. Denn es war inzwischen acht Uhr früh, das Tor war aufgesperrt worden, die ersten Besucher kamen zur Grabpflege.

»Das gibts doch nicht«, sagte die Witt Resl, eine aus der Familie der Baschs. »Hast du die gesehen?«

»Wen denn?«, blinzelte ihre Begleiterin. »Ich habe meine Brille nicht dabei.«

»Das waren doch die Ursel und der Ignaz Grasegger.«

»Und was ist mit denen?«

»Die werden polizeilich gesucht! Schon seit drei Jahren.«

»Was! Wirklich?«

»Ja, kennst du die Geschichte denn nicht? Die haben für die Mafia Leichen verschwinden lassen. Die haben sie zusammen mit unseren lieben Anverwandten beerdigt. In manchen Särgen sollen fünf tote Italiener drinnengelegen sein.«

»Italiener von der Mafia?«

»Freilich! Er, der Ignaz soll ja zu einem sizilianischen Mafia-Boss aufgestiegen sein.«

»Und was machen wir jetzt? Sollen wir das melden?«

»Erst pflanzen wir die Begonien ein, dann melden wirs.«

»Das glaubt uns doch eh niemand.«

Es wäre auch vollkommen überflüssig gewesen, das zu melden. Ursel und Ignaz Grasegger, die ehemaligen Bestattungsunternehmer, waren gerade auf dem Weg zum Polizeirevier, um sich dort ganz freiwillig zu melden. Momentan marschierten sie, abgesichert von Rechtsanwalt Goldacker, der nervös nach allen Seiten blickte, auf kürzestem Weg dorthin.

»Die Geschichte vom Reininger Sepp, die müssen wir Ihnen noch erzählen, Herr Advokat«, sagte Ursel.

18

Zirbelholz, Zirbelholz, Zirbelholz. Im Wohnzimmer einer alteingesessenen Familie. Ein halbes Dutzend solcher Alteingesessenen sitzen um den Esstisch herum und löffeln aus Tellern, in denen eine pechschwarze Suppe schwimmt. Alle, selbst die Frauen, haben einen starken Oberlippenbartwuchs. Einer der Männer trägt zusätzlich einen gezwirbelten Schnurrbart.

Vater Mag noch jemand einen Nachschlag? Es ist genug da.

Lautes Pochen an der Tür. Alle halten erschrocken inne.

Stimme von draußen Machen Sie auf! Polizei! Widerstand ist zwecklos.

Vater Was ist denn los? Wir sind grade beim Tischgebet!

Stimme Man riecht es bis hier draußen!

Mutter Was riecht man?

Stimme von draußen Die frisch geschossene Gams!

Der Mann mit dem gezwirbelten Schnauzbart kriecht hastig unter den Tisch. Der Vater öffnet die Tür, einer der Polizisten kommt herein.

Polizist Aha.

Vater Was: Aha.

Polizist Fünf Leute – sechs Teller.

Die Mutter seufzt. Der Polizist bückt sich und zieht den Wilderer unter dem Tisch hervor.

19

Konrad Finger rang nach Luft. Der internationale Topmanager und Vertriebsleiter für halb Europa, der Wildwasser-Liebhaber und Kenner von Strudeln, Walzen und Wasserkaskaden befand sich in einer äußerst misslichen Lage. Ohne dass er sich dagegen wehren konnte, drängten sich ihm Bilder aus seiner Studienzeit in Stanford auf. Er saß in der hintersten Reihe des Großen Hörsaals, ganz vorne konnte er seinen Physik-Professor erkennen, der gerade eine monströse Formel an die riesige Schiefertafel schrieb. Es war die Formel für den Reynolds-Strudel. *Allgemein gilt, dass Flüssigkeitswirbel entstehen, wenn innerhalb eines Fluids ein ausreichend großer Geschwindigkeitsgradient entsteht.* Fingers großer Traum war es gewesen (und war es immer noch), solch ein Modell chaotischer Wirbelströme auf die Business-Welt zu übertragen. Doch jetzt breitete sich wieder eine eigenartige Leere in Konrad Fingers Gehirn aus. Das Wasser der Loisach, das um ihn herum perlte und schäumte, war eiskalt, trotzdem umtoste es ihn liebevoll und lockend, wie gut gekühlter Champagner. Es schien ihm, dass er schon minutenlang nicht mehr geatmet hatte, eher stundenlang. Vielleicht hatte er überhaupt noch nie geatmet, vermutlich war er ein gebürtiger Fisch, der dann später Physik in Stanford studiert hatte. Konrad Finger wusste um seinen momentanen Zustand: Er hatte einen Bewusstseins-Flash, der durch Sauerstoffmangel im Gehirn zustande gekommen war. Der Pallauf-Effekt. Erfahrene Wassersportler kannten so etwas. Und als erfahrener Kajakfahrer wusste er auch, dass er schnell dagegen ankämpfen musste. Doch schon wieder stand sein Physikprofessor an der Tafel, er hatte inzwischen die Form einer rötlich schimmernden Lachsforelle angenommen. Die Lachsforelle schrieb und schrieb, und endlich war die Formel fertig:

$$\nabla f = \mathrm{grad}(f) = \frac{\partial f}{\partial x_1}\hat{e}_1 + \cdots + \frac{\partial f}{\partial x_n}\hat{e}_n = \begin{pmatrix} \frac{\partial f}{\partial x_1} \\ \vdots \\ \frac{\partial f}{\partial x_n} \end{pmatrix};$$

Der Professor drehte sich um und lachte. *Das heißt nichts anderes*, dozierte er, *als dass ein Teil der Flüssigkeit deutlich schneller fließen muss als der Rest.* Die Zeit dehnte sich unendlich lange aus. Konrad Finger hatte die Reynolds-Funktion noch nie dermaßen klar durchschaut und endgültig verstanden. Man konnte die Reynolds-Funktion bei der Berechnung von Umsatzschwankungen verwenden. Gleichzeitig wusste er, dass er schon blau und grün angelaufen war aus Mangel an Atemluft. Das Pallauf-Syndrom, letztes Stadium, allerhöchste Eisenbahn. Er versuchte, die Spritzdecke aufzureißen und sich aus dem Kajak zu stemmen. Er musste schnellstmöglich von dem verdammten Fahrrad wegkommen. Mit letzter Kraft hievte er sich aus dem Boot, um nach unten abzutauchen und sich aus dem Strudel hinausschleudern zu lassen. Doch das Boot schlingerte sofort wild hin und her, riss sich vom Fahrrad los und traf ihn mit der Spitze voll in den Rücken. Finger spürte den Schmerz nicht, dafür war zu viel Loisachchampagner um ihn herum. Das Boot stieg hoch, er wollte sich daran festhalten, er bekam es nicht zu fassen. Schließlich war es außer Greifweite, es war verschwunden, es trieb vermutlich schaukelnd flussabwärts, und irgendwo saßen Kinder am Ufer und sangen: ♫ *Treibt ein kleines Boot vorbei, / hockt gar keiner drin …* Und irgendwo saß auch sein amerikanischer Physikprofessor und beobachtete ihn, wie er in diesem Mörderwirbel gefangen war. Jetzt aber, ohne behinderndes Kajak, wurde Finger hochgezogen, er hatte sogar das Gefühl, hochgeworfen zu werden, hoch in die Luft, raus aus den Wassermassen. Der erste Atemzug war ausgesprochen schmerzhaft, weil er zur Luft auch noch eine Handvoll Wasser in die Lunge bekam.

»Da haben Sie ja noch mal Glück gehabt!«

Hoch auf spritzte die Gischt, er spürte einen scharfen Schmerz am Arm. Eine grobknochige Hand hatte ihn gepackt und hochgezogen, zwei Hände kamen auf seine Brust, und zwei Arme umschlossenen ihn von hinten und zogen ihn ans Ufer. Einer der Wasserwachtler gab ihm eine leichte Ohrfeige.

»Sind Sie in Ordnung?«, fragte er.

»Reynolds, oh Reynolds«, murmelte Finger.

»Menschenskinder!«, hörte Finger seinen Retter sagen. »Das ist doch schon das zweite oder dritte Mal, dass wir Sie rausziehen.«

Die Wasserwachtler umhüllten ihn mit einer Polyesterdecke, gaben ihm heißen Tee, unterhielten sich miteinander über die schlechte Verfassung des SC Riessersee, seit der kanadische Trainer nicht mehr da war.

»Wiewo«, stotterte Finger endlich heraus. »Wiewo – wo ist das Boot?«

»Das haben wir einen Kilometer weiter unten treiben sehen. Das war Ihr Glück. Wir kennen Ihre Kiste, Herr Finger. So eine g'spassige Inschrift hat sonst niemand: Zarathustra Solutions. Wir haben uns sofort auf die Suche gemacht und Sie hier gefunden. Zuerst haben wir Sie gar nicht gesehen, Herr Finger, aber wir haben uns schon gedacht, dass es Sie da reingezogen hat.«

Finger deutete in die Mitte des Flusses.

»Ziehen Sie das Fahrrad heraus«, keuchte er. »Ich bin an einem verdammten Fahrrad hängengeblieben.«

Die Wasserwachtler brachten Finger in die Notaufnahme des Klinikums. Er wurde untersucht, er wurde versorgt. Irgendwo saßen Kinder am Ufer und sangen Lieder. ♫ *Treibt ein Fahrrad auch vorbei, / sitzt gar keiner drauf* … Beim Einschlafen erschien Konrad Finger noch einmal die Reynolds-Gleichung, die der Professor an die Tafel geschrieben hatte. Er würde sie modifizieren, er würde sie um den Faktor $a(fx)\xi$ erweitern, und sie würde als Finger-Funktion in die Geschichte der Wirtschaftswissenschaften eingehen.

20

Im Besprechungsraum des örtlichen Polizeireviers herrschte fröhliche Betriebsamkeit. Gelächter brandete auf, Fotos wurden herumgezeigt. Die meisten der Bilder, die zugeschickt, gemailt oder persönlich auf das Revier gebracht worden waren, zeigten die Wiese unterhalb der Schröttelkopf-Alm. Der imposante Herr Oberforstrat war da zu sehen, und vor allem, als besonders beliebtes Motiv, der kecke braungebrannte Wilderer. Wilderer wütend, Wilderer gelassen, Wilderer von der Seite, Wilderer von hinten. Ein Schnappschuss wurde besonders gelobt, da blickte der Spitzbube sogar keck in die Kamera und lächelte verschlagen, er schien kurz davor, den Hut vom Kopf zu nehmen und sein Publikum auf der Galerie zu grüßen.

»Hat Nicoles Mann hier nicht etwas übertrieben?«, bemerkte Maria Schmalfuß.

»Nein, überhaupt nicht«, sagte Ostler, »das passt ganz gut zu einem kühnen Freischärler der Berge. Ein schüchternes Bürscherl wäre hier ganz und gar unglaubhaft. Ein bayrischer Wilderer wildert auch fürs Publikum. Für die erste Reihe und für den Balkon.«

»Haben Sie das sonderbare Schachspiel gesehen, Chef?«, sagte Nicole Schwattke am Rande des lustigen Treibens zu Jennerwein. »Die Partie, die in Dr. Rosenbergers Büro aufgebaut war?«

»Ja, die habe ich auch gesehen, und ich werde nicht recht schlau daraus. Schwarz hat zwei Bauern weniger als Weiß –«

»– und nur noch einen Springer.«

»Warum hat er es aber so deutlich sichtbar hingestellt? So, als ob er es für uns aufgebaut hätte!«

»Vielleicht codiert er ja geheime Nachrichten damit.«

»Wie soll denn das gehen?«

»Jede Figur steht für einen Ermittler, jeder Zug für eine bestimmte polizeiliche Maßnahme. Sb1 † Tc3+ bedeutet *Schwattke, töten Sie den Verräter!* – so etwas in der Art.«

»Wäre möglich«, sagte Jennerwein nachdenklich. »Aber jetzt an die Arbeit!«

Der Zeiger der Uhr sprang auf acht, und alle setzten sich um den großen Tisch.

»Erst mal ganz offiziell: Willkommen hier im Kurort«, eröffnete der Chef der Mordkommission IV die Besprechung. »Zum Kuren blieb ja diesmal nicht viel Zeit. Aber ich denke, dass Sie alle den gestrigen ersten Tag gut genutzt haben –«

»Und die Nacht –«, sagten mehrere Teammitglieder gleichzeitig, und ihre Augenringe unterstrichen die Worte.

»Wenn wir in dem Tempo weitermachen«, sagte Stengele, »dann haben wir den Fall bis morgen gelöst.«

Draußen war herrliches Wetter, wie immer bei Dienstbesprechungen. Die morgendliche Sonne löste die letzten Wölkchen auf und beschien die tautropfende, saftiggrüne Wiese so satt, dass alle hinaussehen und die Kulisse bewundern mussten.

»Ich darf mal ganz unhöflich mit meinen eigenen Ergebnissen beginnen«, sagte Jennerwein. »Wie Sie wissen, hatte ich gestern im Ort ein Gespräch mit dem Einsatzleiter der BKA-Truppe –«

»Und?«, platzte Maria neugierig heraus. »Welcher der beiden Männer, die wir bei Rosi getestet haben, war es nun? Ich habe mit Stengele deswegen eine Wette laufen. Eine Portion selbstgemachte Maultaschen für mich, eine personenbezogene Typberatung für ihn –«

Stengele verzog das Gesicht.

»Das kann ich Ihnen leider nicht sagen«, fuhr Jennerwein ernsthaft fort. »Ich habe den Einsatzleiter nicht von Angesicht zu Angesicht gesehen, ich kenne nicht einmal seinen Namen. Ich muss schon sagen: Es geht wirklich außerordentlich geheimniskrämerisch zu beim BKA. Es war eine luftige Unterhaltung, hoch droben auf der Zugspitze. Und fragen Sie mich nicht, durch wie viele Stationen die mich gelotst haben! Endlich bin ich dem Einsatzleiter gegenübergestanden. Er hatte seine Skimütze heruntergezogen.«

»Woher wussten Sie, dass es der richtige Mann war?«

»Wir haben, ganz altmodisch, Parolen ausgetauscht.«

»Wie kommen wir anderen zu diesen Kennworten?«, fragte Becker. »Oder ist es gar nicht vorgesehen, dass – äh – niedrige Dienstgrade –?«

»Ich gebe Ihnen den Schlüssel, wenn wir die analytische Phase hinter uns haben und in die operative Arbeit einsteigen. Jetzt aber zu meinen beiden Hauptergebnissen. Zum einen hat mir der BKA-Ermittler gesagt, dass es tatsächlich einen Arzt hier im Kurort gibt, bei dem man Schusswunden behandeln lassen kann, ohne dass er das meldet. Der Doktor, der diese illegale Dienstleistung anbietet, ist einer der verdeckten Ermittler. Ich sage Ihnen das bloß, damit Sie Hinweisen aus der Bevölkerung, die in diese Richtung gehen, keine weitere Beachtung schenken.«

»Wo ist denn seine Praxis?«, fragte Becker.

»Er hat sein Behandlungszimmer in einer kleinen, aber teuren Kurklinik eingerichtet. Dort werden Schönheitsoperationen angeboten, Gesichtsveränderungen, Wellnesskuren, Ayurvedafußmassagen – mit einer stinknormalen Blinddarmreizung brauchen Sie sich da nicht blicken zu lassen.«

»Aber mit einer Kugel im Bauch schon!«

»Richtig. Diese Kurklinik ist jedenfalls gut gewählt, sie zieht die richtige geldige Klientel an, und genau darum hat das BKA den Beamten dort platziert.«

»Es handelt sich doch nicht etwa um die Kurklinik Dr. Reuschel?«, fragte Polizeiobermeister Ostler. Jennerwein blickte ihn erstaunt an.

»Ja, richtig, aber woher wissen Sie das?«

»Der Name dieser Klinik ist in unterschiedlichen Ermittlungen immer wieder aufgetaucht, ohne dass sich allerdings etwas Konkretes ergeben hätte.«

»Sehen Sie, es funktioniert schon. Die zweite Information ist recht verschwommen, trotzdem sollten Sie davon wissen. Zwei verdeckte Ermittler sind auf die Spitzner-Alm gewandert. Sie hatten einen diesbezüglichen Tipp bekommen. Tatsächlich saßen auf der Almterrasse zwei international agierende Kriminelle: Waffen, Drogen, Geldwäsche. Die Beamten konnten sich zwar in die Nähe der Zielpersonen setzen, haben jedoch nur gehört, dass von einer Frau die Rede war, die Wanda hieß.«

Ludwig Stengele breitete eine große Karte auf dem Tisch aus und glättete sie sorgfältig. Die Karte war übersät mit verschiedenfarbigen Kreisen.

»Die Frage ist doch die: Wo könnten sich Dombrowski und Weißenborn befinden? Wo könnte ich eine oder mehrere Personen verstecken? Alle Felsnischen, Höhlen, hohlen Baumstämme und so weiter scheiden aus. Da kämen wir über kurz oder lang drauf – mit Hunden, mit Hubschraubern, mit Suchstaffeln. Es muss etwas Abgeschlossenes und vor allem Abschließbares sein. Grün umkringelt habe ich also hier alle Jagdhütten, Alpenvereinshäuser, Materiallager von Feuerwehr und THW, die aber allesamt nicht mehr in Betrieb sind. Ich habe die entsprechenden Dienststellen angerufen, die verantwortlichen Leiter haben auch schon Leute hingeschickt.«

»Und?«

»Nichts. Das wäre auch zu einfach gewesen.«

»Die blauen Kringel?«

»Das sind geeignete Wohnungen mitten im Ort. Bei einem Haus in freier Landschaft habe ich ja immer das Problem, dass der Zugangsweg ungeschützt und beobachtbar ist. Ich hingegen habe Objekte von Ureinheimischen gesucht, die dem Fortschritt und dem touristischen Halligalli feindlich gegenüberstehen. Die außerdem über mehrere und vor allem unübersichtliche Wege zugänglich sind.«

»Alte Detektivregel: Suche den Kirchenräuber im Haus neben der Kirche.«

»Genau, Chef, und das ist in diesem Falle wörtlich zu nehmen. Im Ortskern, um die Pfarrkirche St. Martin herum, gibt es einige dieser Objekte. Ich habe eine Liste davon gemacht. Es sind acht heiße Kandidaten, alles alteingesessene Bauern- und Handwerkerfamilien, aufmüpfig gegen die Obrigkeit bis ins Mittelalter zurück. Die sollten wir abarbeiten. Ich könnte jetzt gleich sofort mit Ostler losgehen –«

»Gut gemacht, Stengele«, unterbrach ihn Jennerwein. »Aber warten Sie noch einen Augenblick, ich will erst die Ergebnisse der anderen hören. Was haben Sie uns zu sagen, Maria?«

»Ich bin mit dem Hund schon einen großen Teil des Orts abgegangen. Ich werde Fritz auch weiterhin in jedem Vorgarten und in jedem Hauseingang schnüffeln lassen. Die Hundetrainerin sagte mir, der Mischling würde Dombrowski und Weißenborn im Umkreis von einem Kilometer aufspüren.«

»Hat er schon mal positiv reagiert?«

»Bisher noch nicht. Soviel ist sicher: Dort, wo ich gestern gegangen bin, sind die beiden nie gewesen.«

»Das mit dem Hund war eine gute Idee«, sagte Hölleisen. »Am Ende löst unser Fritz den Fall.«

Er streichelte das Tier, das unter dem Tisch lag und vor sich hin döste.

»Unser Dattelberger-Plan funktioniert übrigens prächtig«, fuhr Maria fort. »Viele der Einwohner und Geschäftsleute kennen mich ja, hauptsächlich aus der Zeitung. Sie ratschen mit mir, während Fritz seine Arbeit tut.« Maria warf einen Seitenblick auf Stengele. »Und nicht dass Sie jetzt meinen, ich wäre nur mit dem Hund spazieren gegangen. Ich habe mir währenddessen Lebensdaten, Beurteilungen und Dienstbiographien der beiden Vermissten durch den Kopf gehen lassen. Zuerst das Profil von Adrian Dombrowski, dem Beamten, der zuerst verschwunden ist: Unauffällig, gute Beurteilungen, Freundeskreis im Polizeimilieu, keine feste Bindung. Dann das Profil von Fred Weißenborn, dem Freund von Dr. Rosenberger. Und jetzt raten Sie mal!«

»Unauffällig? Gute Beurteilungen? Freundeskreis im Polizeimilieu? Keine feste Bindung?«

»Genau. Die sind mit ihrem Beruf verwachsen wie die Borke mit dem Stamm. Das sind beides keine Leute, die bei ein paar Bündel Geldscheinen feuchte Augen bekommen. Die bekommen feuchte Augen, wenn sie einen Fall gelöst haben. Private Motive für ihr Verschwinden kann ich absolut ausschließen.«

»Nicole, wie steht es mit Ihnen? Sie Ärmste haben den ganzen Tag Telefondienst geschoben.«

»Nun ja, die Bevölkerung arbeitet fleißig an der Lösung des Schröttelkopf-Falles«, sagte sie schmunzelnd. »Ich muss die Hinweise erst noch genauer auswerten. Aber eines kann ich jetzt schon sagen: Wir haben die Bewohner des Kurorts richtig gut beschäftigt. Becker hat ganze Arbeit geleistet. Und wo unser Wilderer schon überall gesehen worden ist! An den unmöglichsten Stellen –«

Nicole zögerte.

»Raus mit der Sprache!«, sagte Jennerwein.

»Glauben Sie denn wirklich, dass uns der Phantom-Wilderer zu dem Versteck von Dombrowski und Weißenborn führt?«

»Natürlich nicht direkt«, entgegnete Jennerwein. »Sehen wir

es so: Das ganze Dorf denkt praktisch für uns mit. Wir haben dreißigtausend Hilfssheriffs, die für uns arbeiten.«

»Gut«, fuhr Nicole fort, »ich habe eine Liste mit möglichen Verstecken erstellt, die sich aus den Hinweisen der Bevölkerung ergeben. Die absurdesten, wie zum Beispiel die Polizeidienststelle, das Feuerwehrhaus oder die Apotheke habe ich gestrichen.«

Nicole legte einen Ordner auf den Tisch.

»Diese Adressen sind übrig geblieben. Ich habe die Liste sofort mit der von Ostler und Hölleisen abgeglichen. Die beiden haben einheimische Familien gesucht, die in irgendeiner Weise aufgefallen sind.«

»Zum Beispiel durch plötzlichen Wohlstand«, fügte Ostler hinzu. »Wir haben unsere Ergebnisse schon gestern Abend verglichen. Und ein Name taucht in allen drei Listen auf. In der von Stengele, in der von Nicole, in der von uns: Der Hartl-Hof, der Hartl-Hof, der Hartl-Hof.«

»Auf den Hartl-Hof zeigen alle Vektoren hin«, sagte Hölleisen. »Das sehe ich auch so«, sagte Stengele. »Er ist direkt neben der Kirche gelegen, an zwei Stellen über den Kirchhof und an drei Stellen von der Straße her erreichbar. Das Haus selbst ist denkmalgeschützt bis in den letzten Ziegel, da ist seit dreihundert Jahren nichts mehr verändert worden. Was da für unterirdische Gänge sein können, daran will ich gar nicht denken.«

»Und dann der Hartl Peter selber«, sagte Ostler seufzend. »Unser Problemkind im Ort. Ist gegen alles, prinzipiell. Hat aber eine gute Rechtsberatung, hat schon viele Prozesse gegen die Gemeinde gewonnen. Ein Sturschädel, wie er im Buch steht.«

»Da gehen wir rein!«, sagte Stengele und war schon halb in der Jacke.

»Moment, Moment«, sagte Jennerwein. »Da gehen wir auf keinen Fall offen rein. Wir wollen doch nicht die Gefangenen gefährden, die sich möglicherweise dort drinnen befinden.«

»Außerdem ist das gar nicht so einfach«, sagte Hölleisen. »Der nimmt auch schon mal ein Gewehr zur Hand.«

»Morgen ist doch der 24. Juni, also Johannistag?«, fragte Nicole Schwattke unvermittelt. Alle blickten sie verwundert an.

»Ja freilich ist morgen Johanni«, sagt Ostler. »Alte Bauernregel: *Stich den Spargel nie – mehr nach Johan-ni!* Aber was hat das mit unserem –«

Das Telefon klingelte. Ostler ging hin. Nachdem er aufgelegt hatte, schüttelte er erst einmal nur verdattert den Kopf.

»Wir bekommen Besuch. Und zwar einen Besuch, den wir jetzt überhaupt nicht, aber so was von überhaupt nicht brauchen können!«

Er schaute in eine erstaunt blickende Runde. Wer um alles in der Welt mochte das wohl sein, der den gestandenen Polizeiobermeister Ostler ins Schwitzen brachte?

21

Die Kurklinik Dr. Reuschel lag in der Mitte des Ortes, nur ein paar Gamsbocksprünge vom Hartl-Anwesen entfernt. Es war ebenfalls ein altes Gemäuer, mit viel Efeu und Goldregen überwachsen – die Kurklinik hatte Stengele als Versteck gestrichen, hier war ja schon ein trojanischer BKA'ler platziert worden. Über der wuchtigen Eingangstür prangte das auffällige Logo der Kurklinik. Es war eine geschwungene Fieberkurve, die schon zu manchen Spekulationen Anlass gegeben hatte. Mit dem Normalwert von 36,0 °C begann sie, die beschriftete Kurve, dann stieg das Fieber des Patienten ruckartig auf 38,6 °C, um innerhalb weniger Stunden auf akzeptable 37,5 °C zu sinken. Malaria? Typhus? Das Sinken der Temperatur kam wohl durch eine milde Gabe von 200 mg Paracetamol zustande. Dann stieg das Fieber jedoch wieder, diesmal sogar auf dramatische 39,1 °C, um gleich wieder zu fallen. Der übliche Stabilisator, ein lytischer Cocktail aus Atosil, Aspirin und Dolantin brachte aber wohl nichts, die Kurve kletterte in einen lebensgefährlichen hyperpyretischen Bereich von 41,3 °C. Die Kurve flatterte und landete schließlich bei 42,1 °C. Milzbrand? Beulenpest? Die Kurve führt jetzt steil abwärts, wie bei einem jähen Kreislaufversagen. Viele, die diese Kurve als Krankheitsbild gedeutet hatten, mussten sich darüber belehren lassen, dass sie, gestaltet von einem gewitzten Werbegrafiker, etwas ganz anderes bedeutete –

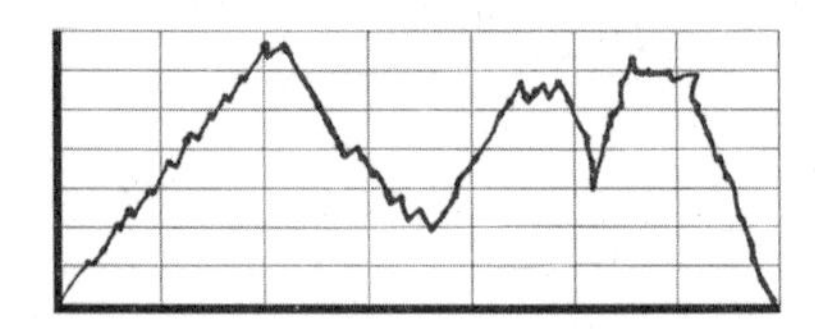

– nämlich wieder nichts anderes als die Silhouette des Werdenfelser Landes, mit der gefällig aufragenden Alpspitze links und den beiden wuchtigen Waxenstein-Kegeln rechts.

Vor der Eingangstür der Kurklinik Dr. Reuschel stand ein Besucher. Er sah nicht so aus, als ob er sich zu einer Ayurvedafußmassage angemeldet hätte. Er war unrasiert, das Hemd hing ihm aus der Hose. Er hatte die Hand schon zur Türklinke ausgestreckt, da trat er nochmals zurück und hob den Kopf, um das Logo zu betrachten. Er schien nicht recht schlau daraus zu werden. Kopfschüttelnd öffnete er die schwere Buchentür und trat hinein, ohne sich umzusehen. Er hinkte leicht. Er hinkte an der unbesetzten Rezeption vorbei, und er hinkte die Treppe hinauf. Er wusste ohnehin Bescheid, sein Ziel war Zimmer 112, das Behandlungszimmer eines gewissen Dr. Patzelt.

»Herein!«, sagte der gewisse Dr. Patzelt. Im Raum stand ein Schreibtisch, ein Regal mit Lexika, einige Tische mit Apparaturen, im Hintergrund war ein kleiner Operationstisch zu sehen. Der hinkende Mann warf einen kurzen Blick darauf, und ein kleines Lächeln breitete sich über sein Gesicht aus. Der Arzt bot dem Besucher einen Stuhl an. Der Mann setzte sich nicht.

»Sind Sie verletzt?«, fragte Dr. Patzelt.

Der Mann schwieg. Er starrte ihn an.

»Können Sie mich nicht verstehen?«

»Ich verstehe Sie gut«, sagte der hinkende Mann, und er sagte es ohne jeden Akzent. Eigentlich flüsterte er es, er krächzte es, er war heiser wie ein Turnlehrer nach der sechsten Schulstunde. Er deutete auf seine Kehle.

»Chronische Laryngitis. Muss flüstern. Seit Monaten.«

»Sehr unangenehm.«

Der Mann nickte.

»Aber hören Sie, Kehlkopfentzündungen sind nicht mein Spezialgebiet.«

»Ich weiß. Deswegen bin ich auch nicht hier.«

Der hinkende Mann schwieg, der Arzt schwieg. Draußen zwitscherten die Vögelchen, und als sie ebenfalls schwiegen, hörte man, wie sich der Efeu hochrankte. Der Heisere kam ihm irgendwie bekannt vor. Er ähnelte einem Mann, den er schon vor ein paar Monaten behandelt hatte.

»Dann wollen wir mal das Finanzielle besprechen«, sagte Dr. Patzelt. »Sie zahlen erstens bar, und zweitens vor der Behandlung, sonst läuft hier gar nichts.«

Der Mann nickte. Der Arzt ging zum Waschbecken und wusch sich die Hände. Händewaschen schafft Vertrauen, es wirkt kompetent und zielgerichtet. Schon Pontius Pilatus hatte auf diesen Effekt gesetzt. Dr. Patzelt betrachtete seine tropfnassen Hände. Er betätigte nochmals den Seifenspender, reinigte abermals sorgfältig die Zwischenräume zwischen den Fingern, er trocknete seine Hände genauso sorgfältig ab.

»Sind Sie selbst der Patient?«, sagte er über die Schultern, als er das Papierhandtuch in den Klappeimer warf.

»Nein. Mein Kumpel. Draußen im Auto.«

Na prima, dachte Dr. Patzelt, die Dienste, die die Kurklinik anbot, mussten sich in der Szene herumgesprochen haben. Das Geschäft kam ins Rollen, die Kundschaft wuchs.

»Wenn ich meine Praxis verlassen muss, kostet das extra. Und jetzt sagen Sie mir, um was es geht. Für eine Schusswunde muss ich nämlich einen anderen Koffer packen als für einen Messerstich.«

Messerstich. Messerstich. Der Mann damals hatte ebenfalls eine Stichwunde gehabt. Und der Verletzte damals war ein Profi gewesen. Er hatte darauf bestanden, alle Instrumente und Verbände zu behalten, nachdem die Operation erfolgreich beendet und die Wunde verbunden war. Es war ein Durchstich durch den Oberschenkel mit einem gezackten Messer gewesen. Auch das herausgelöste Messer hatte der Mann eingewickelt und mitgenommen. Äußerst umsichtig, äußerst professionell. Messerstich. Messerstich! Jetzt klickte etwas in Dr. Patzelts Schaltzentrale. Der Mann hier war der Verletzte von damals! Das war er hundertprozentig! Damals hatte er zwar nicht gekrächzt, damals hatte er mit Akzent gesprochen, aber es war zweifellos derselbe Mann. Äußerste Vorsicht, Alarmstufe Ro – und in dem Moment spürte er einen harten Schlag in die Seite, der ihm den Atem nahm. Zwei, drei Sekunden der Unaufmerksamkeit hatten genügt, um sich den Leberhaken einzufangen. Er ging zu Boden. Er schnappte nach Luft, er war zu keiner Gegenreaktion fähig. Solch ein Schlag in die Seite presste das Blut aus der Leber, verkrampfte die Gefäßmuskulatur, lähmte den Angegriffenen vollständig. Sein ganzer Körper war von Serotonin überflutet.

Er musste sich zusammenreißen. Er stand kurz davor, in die Bewusstlosigkeit abzusinken. Er sammelte alle seine Kräfte und griff zu seinem Brustholster, wie er es im Training tausend Mal geübt hatte. Sofort verspürte er wieder einen brennenden Schmerz, diesmal am Handgelenk. Er biss die Zähne zusammen. Chronische Laryngitis, von wegen. Der Mann hatte keinen Kumpel draußen im Auto, der Mann war gekommen, um Zeugen zu beseitigen. Und der Zeuge war er. Bewegungslos lag er am Boden. Er hatte noch eine allerletzte, verschwindend geringe Chance. Der Killer benützte vermutlich keine Feuerwaffe, selbst ein Schuss mit Schalldämpfer war zu laut für einen geschlossenen Raum. Er benützte vermutlich die *Fleißige Liesl* oder eine

Injektionsspritze. In beiden Fällen brauchte der Mann ein paar Sekunden, um die Geräte vorzubereiten. Unter dem Schreibtisch befand sich ein Fußschalter, für genau solche Notfälle. Wenn er den drücken konnte, würde innerhalb von wenigen Minuten das Einsatzkommando im Raum stehen. Er machte eine Kriechbewegung in Richtung Tisch. Er machte noch eine. Er erwartete einen Schlag in den Rücken. Doch der Schmerz blieb aus, der andere hinderte ihn nicht am Weiterkriechen. Noch fünf oder sechs Bewegungen, dann war er am Schalter. Er hörte ein Lachen, ein dumpfes, ausgehöhltes, unnatürliches Lachen. Und er kroch und kroch. Und er erreichte den Tisch nicht.

Der Heisere stieß das Röhrchen schnell und gezielt in die Ohrmuschel des bewusstlosen Arztes, dann drückte er die Spritze, und Dr. Patzelt war wohl endgültig im Reich der Schatten. Der Heisere schnaubte verächtlich: 500 mg Thiopental, das sollte für zwei Elefanten genügen. Er ließ sich nicht gerne hinters Licht führen. Dieser Arzt war kein Arzt, das wusste er aus erster Quelle: Das war ein Polizist. Der Heisere verstaute die Spritze, steckte das Hemd in die Hose, ordnete seine Haare, er ging zum Waschbecken und wusch sich die Hände. Er machte das sorgfältig und vertrauenseinflößend, genau so, wie es Pontius Pilatus damals gemacht hatte, er vergaß auch die Zwischenräume zwischen den Fingern nicht. Dann verließ er die Kurklinik Dr. Reuschel. Er hinkte jetzt auch gar nicht mehr.

22

Frisch und tatendurstig stieg Oliver Krapf, der Jäger der mysteriösen Münze, in Málaga aus dem Zug, er hüpfte nahezu aus dem Eisenbahnwagen, auf dem Bahnsteig drehte er den Kopf in alle Richtungen, wie ein Luchsfuchs, der Fährte aufgenommen hat. Er studierte den öffentlich angeschlagenen Stadtplan und machte sich auf den Weg zur Münzgroßhandlung Juan Padilla.

Eine Münzgroßhandlung hatte er sich imposanter vorgestellt, als ein Riesenlager, aus dessen übervollen Containern Münzen wie aus römischen Brunnen heruntertropften – *Aufsteigt der Strahl und fallend gießt / Er voll der Marmorschale Rund* – Deutsch Grundkurs, Gedichtinterpretation 11. Klasse. Nur acht mickrige Punkte hatte er damals dafür bekommen. Die Münzgroßhandlung Padilla bestand aus einem kleinen Büro im Hinterhof, der Mann hinter dem Tresen sprach zum Glück englisch. Den Grundkurs Englisch hatte Krapf mit vierzehn Punkten abgeschlossen. Also auf gehts.

»Es geht um eine Münze, die ich in Fès gekauft habe«, platzte er heraus. »Wahrscheinlich neunzehntes Jahrhundert.«

»Neunzehntes Jahrhundert? Wir sind spezialisiert auf zwanzigstes Jahrhundert, Nazizeit, Francozeit, Fünfzigerjahre. Manchmal liefern wir auch antike Münzen, ungereinigte römische Münzen, von der Kaiserzeit bis zur Spätantike. Aber neunzehntes Jahrhundert – die ist wahrscheinlich nicht von uns. Zeigen Sie mir das gute Stück doch einmal.«

Oliver Krapf hatte, um die Münze nicht aus der Hand geben zu müssen, Vorder- und Rückseite in einem Laden fotokopiert und die Kopie anschließend vergrößert. Auf dieser Kopie hatte er die Stelle mit der geheimnisvollen Gravur mit weißem Papier überklebt und nochmals kopiert. Er legte die beiden Blätter auf den Tresen.

»Dann wollen wir mal sehen, junger Mann. – Sie haben recht: Frühes neunzehntes Jahrhundert, vielleicht auch spätes achtzehntes Jahrhundert. Die Münze ist sicher nicht von uns.«

Der Händler machte eine ungeduldige Geste, so als wollte er sagen: Das wars dann wohl.

»Ist es eine seltene Münze?«, fragte Krapf.

Der Händler lachte.

»Selten? Die gibts wie Sand am Meer.«

Der Händler richtete sich auf und sah Oliver Krapf fest in die Augen.

»Sie ist absolut wertlos.«

»Echt?«

Krapf war nicht überrascht, er hatte so etwas schon erwartet. Ein Händler würde ja auch wohl kaum sagen: *Oh, der Wahnsinn. Mann! Her mit der Scherbe, ich zahle jeden Preis!* Es war auch gar nicht wichtig, ob die Münze wertvoll war oder nicht. Die Gravur, die Kritzelei, die Bibelstelle interessierte ihn. Aber er musste Herkunftsgebiet und Prägezeit herausbekommen, das nämlich hatte er im Netz nicht recherchieren können. Der Händler schob die Blätter wieder über den Tisch.

»Sie sind enttäuscht, junger Freund. Ich sehe schon, Sie brauchen eine kleine Taschengeld-Aufbesserung. Bringen Sie mir die Münze, ich gebe Ihnen zehn Euro dafür. Das ist natürlich viel zu viel! Das mache ich nur, weil ich heute so gut drauf bin. Ich werde mehr Arbeit mit dem Geldstück haben, als es wert ist. Es ist ziemlich verschmutzt, ich muss es reinigen, muss nachprüfen, ob es echt ist –«

»Können Sie mir denn sagen, woher die Münze kommt? Und aus welcher Zeit sie ungefähr stammt?«

Krapf wollte ihm gerade noch etwas Trinkgeld für solch eine schnelle Expertise anbieten, doch der Händler hatte seine Brille aufgesetzt und betrachtete jetzt die Kopien genauer. Er verweilte länger an einer bestimmten Stelle.

»Was ist denn das für ein Fleck?«

Krapf erschrak. Er versuchte, sich nichts anmerken zu lassen.

»Was für ein Fleck? Zeigen Sie mal her. Ach ja, da, ein Fleck. Komisch, den habe ich noch gar nicht gesehen.«

»Da hat jemand etwas – wie heißt – *abrillantar* – wegpoliert.«

»Und wo kommt sie her?«, fragte Krapf schnell, um von dem Fleck abzulenken.

»Es ist ein spanischer Silber-Escudo aus der Grafschaft Aragon. Er ist in den Prägestätten von Navarra gepresst worden. Die gibt es massenweise. Also wie gesagt: zehn Euro. Wissen Sie was: Ich gebe Ihnen zwanzig.«

»Das verstehe ich jetzt nicht. Hier sehen Sie, diese Prägung, da steht: E…hr…e d…ts…hs V…terl…d.«

Und wieder erschien vor allem das Vaterland ziemlich zerquetscht.

»Das ist doch eine deutsche Münze«, sagte Krapf entrüstet. »Was erzählen Sie mir Storys vom Grafen von Aragon?«

Der Münzhändler verzog keine Miene.

»Aber wissen Sie denn das nicht?«, sagte er und gab Oliver Krapf das Gefühl, der letzte unwissende Nulltklassler zu sein, der keinen, aber auch wirklich gar keinen Peil hatte.

»Was soll ich nicht wissen?«

»Der Graf von Aragon hatte, durch geschickte Heirat seiner Vorfahren, Besitzungen in der Markgrafschaft Baden. Die Adelsgeschlechter von Navarra und Baden haben in den Jahren 1790 und 1791 gemeinsame Münzen gedruckt. Sozusagen als Vorgriff auf ein vereintes Europa.«

»Tatsächlich?«, sagte Oliver skeptisch. Das hier führte doch zu nichts, er musste das Ganze von zu Hause aus erledigen. Dieser Sportsfreund hier verarschte ihn ganz gewaltig, und weiterhelfen konnte er ihm auch nicht. Krapf vermutete, dass er diese Münze gar nicht kannte, wahrscheinlich war er auch kein Numismatiker, er war der Hausmeister der Münzgroßhandlung Juan Padilla, der hier versuchte, einen dummen Touristen zu bamboozeln.

»Na gut, ich werde Ihnen das Geldstück bringen«, log er. Er nahm die Kopien, um sie einzustecken.

»Nein, bitte, lassen Sie die Blätter ruhig da«, sagte der Händler, eine Idee zu hastig, wie es Krapf vorkam.

»Ich will sie aber lieber mitnehmen.«

»Schade, ich dachte –«

Oliver Krapf verabschiedete sich. Nachdem er das kleine Büro verlassen hatte, griff der Händler sofort nach dem Telefon und sagte etwas von rápidamente und lo más pronto posible.

Der Überfall kam blitzartig und professionell. Schon an einer der nächsten Straßenecken, an der zwei kleine Gässchen aufeinanderstießen, raste ein Mopedfahrer mit überklebtem Nummernschild und geschlossenem Visier auf ihn zu, bremste und drehte scharf bei. Er stieß ihn gegen die Wand und bedrohte ihn mit einem Springmesser. Die Beifahrerin sprang vom Rücksitz, zückte eine Haushaltsschere und schnitt ihm damit blitzschnell die Schnur des Brustbeutels durch. Dann rasten beide mit der Beute davon. Krapf hatte keine Gelegenheit gehabt, zu reagieren. Er hatte sich nicht gewehrt. Oliver Krapf atmete tief durch und entspannte sich. Dieser geraubte Brustbeutel hatte nichts Wertvolles enthalten, er hatte im Urlaub lediglich den Zweck, einen eventuellen Dieb von der eigentlichen Brieftasche abzulenken, die er in der Jackeninnentasche trug. Er hatte von diesem Trick einmal irgendwo im Netz gelesen. Wenn aber die Diebe den Beutel gleich in der nächsten Seitenstraße durchsuchten und den Irrtum bemerken? Oliver Krapf hatte es auf einmal sehr eilig. Er lief schnell in die andere Richtung, stieß bald auf eine belebte Hauptstraße, er hielt ein Taxi an, ließ sich zum Bahnhof fahren, gab an der dortigen Poststation ein wattiertes Päckchen in Richtung Heimat auf. Er küsste die Münze zum Abschied. Dann löste er eine Zugkarte. Zweite Klasse, eine Person, einfach. Vor allem einfach.

Bis zur Abfahrtszeit musste er noch zwei quälende Stunden im Warteraum des Hauptbahnhofs von Málaga verbringen. Allerlei wirre Gedanken schossen ihm durch den Kopf. Münzräuber? Die nur auf seine Münze aus waren? Nein, der Überfall war sicher nur Zufall gewesen. Der Überfall konnte mit der Münze nichts zu tun haben. Trotzdem wollte er hier weg. Auf schnellstem Weg. Plötzlich zuckte Krapf zusammen und stöhnte zornig und enttäuscht auf. In den geraubten Ablenkungsbrustbeutel hatte er die beiden Kopien von der Münze gesteckt. Aber warum regte er sich auf? Sie waren für die Diebe vollkommen wertlos. Das Pärchen war sicherlich ausgesprochen wütend, auf diese Weise vorgeführt zu werden. In wenigen Minuten fuhr sein Zug. Da vorn, zwei junge Leute in Lederkluft – aber nein, Entwarnung, das waren sie nicht. Schließlich saß er im Zug. Er war jetzt fast pleite, aber er befand sich gesund und wohlbehalten in einem voll besetzten Zugabteil. Münze und Fotokopien? Die brauchte er nicht, er kannte die Münze inzwischen auswendig. Der Besuch in der Münzgroßhandlung Juan Padilla fiel ihm wieder ein. Irgendetwas arbeitete in Krapfs Kopf. Der Besuch war ohne Ergebnis geblieben. Oder vielleicht doch nicht? Hatte er etwas übersehen?

Valencia flog draußen vorbei. Der Händler war ein Dampfplauderer, sonst nichts. Er war nicht einmal imstande gewesen, die Münze zeitlich und räumlich einzuordnen. Aber irgendeinen, vielleicht gar nicht so geringen Wert musste die Münze doch haben, sonst hätte er ihm nicht zwanzig Euro geboten. Irgendwo zwischen Barcelona und Cannes tauchte ein nebelhafter Redefetzen des sonderbaren Händlers auf:

»Da hat jemand etwas – wie heißt – *abrillantar* – wegpoliert.«

Der Fleck auf der Kopie. Der Händler hatte seine Abdeckung auf dem Papier für einen Fleck auf der Münze selbst gehalten. Aber natürlich! Diese Möglichkeit hatte er bisher überhaupt noch nicht bedacht: Die Inschrift war nicht gemacht worden, um auf etwas hinzuweisen, sondern um von etwas abzulenken! Vielleicht war auf der Münze etwas zu sehen gewesen, was aus irgendeinem Grund wieder entfernt werden musste. Wegpoliert, abgekratzt, abgefeilt, wie auch immer. Um davon wieder abzulenken, war der leere Fleck beschriftet worden! Natürlich! Krapf war wieder im Fieber. Was hätte er jetzt darum geben, die Münze in der Hand zu halten. Krapf saß im vollbesetzten Abteil, und die anderen Fahrgäste begannen schon über ihn zu tuscheln. Er schüttelte den Kopf. Vermutlich war das alles Unsinn mit der weggekratzten Stelle. Was sollte das auch für einen Sinn haben? Er entspannte sich wieder. In Genf gab es eine halbe Stunde Aufenthalt. Er konnte der Versuchung nicht widerstehen, den Zug zu verlassen und in ein Internetcafé im Bahnhofsbereich zu gehen. Er tippte hastig ein paar Daten ein. Und seine Augen weiteten sich: Der Graf von Aragon, Großherzog von Navarra, Spanier durch und durch, hatte um 1790 tatsächlich Besitzungen in Baden gehabt. Randnotiz: In dieser kurzen Zeit wurden gemeinsame Münzen geprägt. Noch eine Randnotiz: Es gab heutzutage nur noch ein knappes Dutzend von ihnen auf der Welt. Jeder einzelne dieser Silber-Escudos war von unbezahlbarem Wert.

»Gehts Ihnen nicht gut?«, fragte eine Frau kurz nach Zürich.

»Sommergrippe«, krächzte Krapf.

23

Ignaz Grasegger setzte sich als Erster auf die kleine Wartebank im Foyer des Polizeireviers, Ursel nahm neben ihm Platz.

»Wahrscheinlich können sie es gar nicht fassen, dass wir gekommen sind.«

»Vielleicht sitzen die gerade beim Frühstück. Weißt du noch, Ursel: Beim Padrone Spalanzani, damals in Palermo, da hat es ein Frühstück gegeben, da läuft mir heute noch das Wasser im Mund zusammen –«

»Ruhig! Ruhig!«, zischte Rechtsanwalt Goldacker. »Nicht hier, nicht in einem Polizeirevier! Nichts von Palermo, nichts von Padrone Spalanzani. Nicht in Ihrer Lage!«

»Ist ja schon recht, Herr Advokat. Wir sind ja schon ruhig.«

»Hast du schon in die Zeitung geschaut, Ignaz? Eine unglaubliche Geschichte läuft da zur Zeit: Der Jennerwein jagt einen Wilderer. Mit so was beschäftigen die sich hier!«

Polizeiobermeister Johann Ostler kam in den Warteraum. Er betrachtete das sonderbare Trio: Die beiden Graseggers waren braungebrannt und von stattlicher Leibesfülle, sie hatten in den drei italienischen Jahren wohl nicht ganz so konsequent auf tierische Fette verzichtet. Beide waren in werktäglicher Bauerntracht erschienen, Johann Ostler sah mit einem Blick, dass es feinste Stoffe waren, die sie da trugen. Maximilian Goldacker hingegen, der blasse Advokat, der schon einige Spitzbuben aus der Gegend vertreten hatte, war städtisch gekleidet, er trug Anzug und Krawatte. Die Graseggers erschienen souverän und abwartend, Goldacker hielt nervös und verkrampft sein Aktenköfferchen umklammert.

»Sie müssen sich noch einen Augenblick gedulden«, sagte Ostler. »Kriminalhauptkommissar Jennerwein kommt gleich zu Ihnen –«

»Wir haben Zeit«, sagte Ignaz ironisch. »Arbeiten dürfen wir ja nicht mehr.«

»Ruhig, ruhig!«, zischte Goldacker leise. »Beherrschen Sie sich. Wir brauchen die Unterschrift des Kommissars, bis dahin reißen Sie sich gefälligst zusammen.«

»Ich gebe Ihnen Bescheid, wenn der Kommissar Zeit hat«, sagte Ostler und verließ das kleine Wartezimmer. Die Minuten vergingen, alle drei warteten schweigend.

Goldacker hatte eine berufsbedingte Abneigung gegen das Schweigen.

»Also, erzählen Sie schon: Wie war das jetzt mit diesem Reininger Sepp?«, fragte er.

»Der Reininger Sepp war Bauunternehmer, und sein Baugeschäft ist ausgesprochen gut gelaufen«, sagte Ignaz, und ein verschmitztes Lächeln erschien auf seinem Gesicht. »Im Lauf der Zeit hat sich einiges auf dem Bankkonto angesammelt, zwei- oder dreihunderttausend Euro werden es schon gewesen sein. Vielleicht waren es auch vierhunderttausend. Aber der Reininger Sepp wollte partout nicht, dass seine undankbaren Kinder das erben, nicht einmal den Pflichtteil hat er ihnen vergönnt. Also hat er das Geld abgehoben. Aber wohin jetzt mit den Scheinen? Er musste ein Versteck finden, auf das er zwar zu Lebzeiten jederzeit zugreifen konnte, das sich aber im Fall seines Todes quasi in Luft auflöst!«

»Seltsame Gespräche sind das schon in einem Polizeirevier«, sagte Goldacker und blickte nervös zur Tür.

»Wieso?«, fragte Ursel unschuldig. »Dieses Problem haben

doch viele: Wohin mit den parfümierten Liebesbriefen des Liebhabers, die nach dem eigenen Tod niemand sehen soll, an denen man aber zu Lebzeiten immer wieder schnuppern will? Wohin mit belastendem Material, das man zeitlebens für Erpressungen braucht, das aber im Fall des Falles, um den Nachruf nicht zu gefährden, verschwinden soll?«

»Man bittet einen Freund –«, sagte Goldacker.

»Einen Freund? Ich weiß nicht so recht.«

»Man vergräbt das Geld?«

»Das ist viel zu unsicher.«

»Man steckt es – in den Papierkorb?«

»Schon besser, Herr Advokat«, sagte Ignaz. »Und zwar in den Papierkorb seines eigenen Zimmers. Man besteht vor der Ehefrau darauf, ihn selbst zu leeren. Im Todesfall aber wird die Ehefrau im ganzen Haus nach dem Geld suchen – den Papierkorb aber wird sie vermutlich ahnungslos entsorgen!«

»Ja, so könnte es funktionieren«, sagte Goldacker und blickte ängstlich stöhnend in Richtung Tür.

»Der Reininger Sepp aber«, sagte Ursel, »der hat ein noch besseres Versteck gehabt. Ein todsicheres Versteck!«

»Kaum ist die Familie Grasegger da, geht es schon wieder um todsichere Verstecke!«, sagte Jennerwein, der mit Ostler hereingekommen war.

Das Trio erhob sich, die Graseggers überragten den Rechtsanwalt um Haupteslänge.

»Meine Mandanten haben einen Termin bei Ihnen, wegen der Meldeauflage vom Gericht, wir bitten um Ihre Unterschrift.«

»Meldeauflage?«, fragte Jennerwein kopfschüttelnd. »Die Familie Grasegger hat vor, sich hier im Ort niederzulassen?«

»Wir sind hier aufgewachsen«, sagte Ignaz trocken. »Es ist unsere Heimat. Wir haben ein Recht darauf, uns hier wieder anzusiedeln.«

»Nun, die juristische Lage ist die«, sagte Goldacker. »Meine Mandanten sind vor drei Jahren übereilt aus dem Kurort – sie haben den Ort verlassen und fanden es besser, sich einige Zeit in Italien aufzuhalten. Dann aber nahm das angesprochene Heimweh überhand, und so etwas ist nicht kontrollierbar. Deshalb haben sie vor einigen Monaten beschlossen, sich den Behörden zu stellen. Freiwillig, wie ich betonen möchte. Sie mussten mehrere Wochen in Untersuchungshaft verbringen, ich konnte erreichen, dass sie gegen Kaution freigelassen wurden.«

Goldackers hochroter Kopf verlor etwas an Farbe, man merkte, dass er sich langsam wieder auf gewohntem Terrain bewegte.

»Der anschließende Feststellungsbeschluss am Oberlandesgericht hat bewirkt, dass ein Eilverfahren gegen sie angestrengt wurde, das damit endete, dass sie eine Gefängnisstrafe auf Bewährung erhielten.«

»Eine Bewährungsstrafe für hundertdreißig Leichenentsorgungen!«, bemerkte Ostler entrüstet. »Für hundertdreißig Störungen der Totenruhe! Für hundertdreißig Strafvereitelungen!«

»Meine Mandanten haben ja keine Kapitalverbrechen begangen. Darüber hinaus mussten sie eine hohe Geldstrafe zahlen, bei der ihre gesamten Ersparnisse aufgebraucht wurden.«

»Wenigstens die buchhalterisch erfassten Ersparnisse«, murmelte Ostler. Jennerwein stieß ihn an und machte eine versteckte, beschwichtigende Geste.

»Meine Mandanten dürfen ihren geliebten Beruf nicht mehr ausüben, was sie besonders hart trifft. Und dann die letzte gerichtliche Auflage: Sie müssen sich täglich auf dem Polizeirevier ihres Wohnorts melden.«

»Und da sind wir«, rief Ursel mit Nachdruck. »Schreiben Sie uns in Ihr Meldebuch, und schon sind Sie uns wieder los, Herr Hauptkommissar.«

Goldacker holte eine Kopie des Gerichtsurteils aus dem Aktenkoffer, Jennerwein nahm sie in Empfang und las sie sorgfältig. Noch ein letztes Mal musterte er die beiden ehemaligen Bestattungsunternehmer. Sie hielten seinem Blick stand. Die beiden Parteien verabschiedeten sich kühl.

»Bis morgen dann«, sagte Ursel Grasegger zu Jennerwein.

»Die haben uns gerade noch gefehlt!«, rief der Hauptkommissar, als er sich im Besprechungszimmer wieder zu den anderen setzte. »Es geht mir wohlgemerkt nicht um diese tägliche Unterschrift. Es geht mir auch nicht um verletzte Eitelkeit, weil sie mir damals entkommen sind. Es geht mir darum, dass das Auftauchen dieser beiden unsere Pläne gefährdet. Die Graseggers sind nach wie vor sehr beliebt im Kurort, sie werden den täglichen Gang zum Revier vermutlich genüsslich auskosten – so wie die drauf sind.«

Stengele nickte bestätigend.

»Unsere mühsam aufgebaute Legende ist gefährdet. Das öffentliche Interesse wird durch die beiden wieder auf die Themen ›Mafia‹ und ›Organisiertes Verbrechen‹ gelenkt.«

»Und genau von diesen Themen wollten wir doch ablenken! Wo ist eigentlich Nicole Schwattke?«

»Die kommt gleich wieder. Sie hat gesagt, sie hätte da noch eine Idee.«

»Jetzt mal ganz was anderes«, sagte Becker. »Kann es nicht sein, dass die überraschende Rückkehr der Bestatter vielleicht sogar etwas mit den verschwundenen BKA-Leuten zu tun hat?«

»Möglich, aber unwahrscheinlich«, erwiderte Jennerwein. »Die beiden stehen ja ab sofort unter ständiger Beobachtung. Wie sollen sie da agieren können? Aber trotzdem. Wir wollen vorsichtig sein. Noch vorsichtiger als bisher.«

»Wir könnten die Graseggers natürlich morgen ganz offen daraufhin ansprechen«, schlug Stengele vor. »Wir könnten ihnen, ganz inoffiziell, einige spezielle Fragen stellen.«

»Nein, das werden wir nicht tun. Ich traue den beiden nicht

über den Weg. Und diesem Goldacker auch nicht. Wir müssen den Dombrowski-Weißenborn-Fall schnell zu Ende bringen. Das ist unsere einzige Chance.«

»Wenn ich noch etwas sagen darf, Hubertus«, sagte Maria. »Vielleicht ist es ja auch von Vorteil für uns, dass die Grasеggers wieder im Ort sind. Denn lenken sie nicht die öffentliche Aufmerksamkeit noch mehr von unserem eigentlichen Vorhaben ab?«

»Gut, sehen wir das mal so«, brummte Jennerwein, nicht restlos überzeugt. »Trotzdem ist Eile geboten. Wir nehmen uns den Peter Hartl und sein Anwesen vor. Das ist eine ganz heiße Spur. Nach allem, was wir über das Anwesen herausgefunden haben, ist da was faul.«

»Oberfaul.«

»Die Frage ist nur: Wie kommen wir ohne großes richterliches Trara da hinein?«, sagte Stengele. »Wir bekommen nie und nimmer einen Durchsuchungsbeschluss.«

»Ich weiß. Jedenfalls nicht so schnell.«

»Ganz verwegene Idee«, sagte Maria. »Nicoles Mann, der Wilderer, klopft nachts an und bittet um Asyl.«

»Der alte Hartl kennt doch jeden hier. Er wird schnell herausbekommen, dass mit dem Wilderer etwas nicht stimmt. Vielleicht schmeißt er ihn sofort wieder raus. Und einen zweiten Versuch haben wir nicht.«

Es klopfte zaghaft an der Tür, die Klinke wurde behutsam heruntergedrückt, die Tür öffnete sich langsam, und alle blickten verwundert in diese Richtung.

»Hallo! Wer sind Sie?«, rief Stengele. »Wir sind hier in einer polizeilichen – Äh – Wer bist du?«

Ostler und Hölleisen, die automatisch aufgesprungen waren, setzten sich wieder hin und schüttelten den Kopf. Ein hochaufgeschossenes, staksiges Mädchen von vielleicht vierzehn oder fünfzehn Jahren war hereingekommen. Es trug ein rotes Kopftuch, unter dem ein langer, rötlichbrauner Zopf hervorlugte.

»'S Gout mitnand'«, sagte das Mädchen im gemütlich-breiten Dialekt des Oberlandes, wobei man ihre glitzernde, entstellende Zahnspange erkennen konnte. Das arme Mädchen, gehänselt und geneckt in der Schule. Die roten Bäckchen –

»Herrjessas, was sind wir für Idioten«, schrie Ostler und schlug sich mit der Hand an die Stirn.

»Aber eine volle Minute sind Sie alle drauf reingefallen«, sagte Nicole und nahm das Kopftuch und den falschen Zopf ab. »Das ist ein Vorteil der Jugend. Mit fünfundzwanzig kann man noch eine Vierzehnjährige spielen. Und für ein pubertierendes Mädchen gehe ich gerade noch durch, wenn ich mich anstrenge.«

Stengele nahm erst jetzt die Hand von der Dienstwaffe. Alle entspannten sich, Maria Schmalfuß klatschte Beifall.

»Bravo! Ich hätte es eine halbe Stunde lang nicht bemerkt. Und so wollen Sie zu diesem Hartl Peter gehen?«

»Ja, das ist meine Idee. Ich dachte, ich probiere das gleich mal an Ihnen aus. Morgen ist Johanni, Sie wissen schon, der Tag mit den Johannisfeuern. Da gibt es einen alten Brauch, nämlich das sogenannte *Grainauer Feuergeldsingen*.«

»Das ist ein ganz alter Brauch« sagte Hölleisen anerkennend. »Ich dachte, dass der schon vergessen ist. Woher wissen Sie denn davon, Frau Schwattke? Den kennt man in Recklinghausen sicher nicht.«

Nicole holte ihr Smartphone heraus und zeigte darauf.

»Ich habe eine Bräuche-App heruntergeladen. Bräuche aus aller Welt, Bräuche in Bayern, Bräuche in Oberbayern, Bräuche im Werdenfelser Land – Jacklschutzen, Josefi-Kücherl, Karfreitags-Ratschen – und das Grainauer Feuergeldsingen.

Jugendliche gehen an diesem Tag von Haus zu Haus und erbitten Geld für die Johannisfeuer. Erstmals erwähnt im Jahre zwölfhundertsoundsoviel.«

»Ja, so ist es«, sagte Hölleisen. »Die Johannisfeuer oben auf dem Berg waren früher eine sehr zeitraubende und teure Angelegenheit. Die Burschen, die das Feuer vorbereitet und angezündet haben, konnten auf dem Feld und im Stall nicht mithelfen, der Lohnausfall ist durch das Feuergeld wieder ausgeglichen worden.«

»Ich spiele eine schweigsame Bauerstochter«, sagte Nicole. »Der Hartl Peter kann mich zwar auch rausschmeißen, aber ich denke schon, dass ich ins Haus komme.«

Sie deutete auf ihre Zahnspange und auf ihre grobporige, picklige Nase.

»Wunder der Kosmetik!«, sagte Maria.

»Diesmal in die entgegengesetzte Richtung. Ich zähle auf den Mitleidseffekt. Ich gehe dort auf die Toilette, ich verirre mich, ich habe dadurch ein paar Minuten Zeit, mir alles ein wenig genauer anzuschauen.«

»Zwei oder drei Jugendliche wären natürlich noch besser«, sagte Ostler. »Meine beiden Buben –«

»Unter gar keinen Umständen!«, donnerte Jennerwein. »Ein waghalsiger Einsatz, ja, jederzeit. Aber bei Minderjährigen hört der Spaß auf.«

»Ich übernehme die Verantw–«

»Das glaube ich Ihnen gerne. Aber Nicole geht allein. Wir verkabeln sie, sie ist bewaffnet. Wir erstellen einen Projektplan für die Aktion. Wir brauchen zum Beispiel unauffällige Beobachtungsposten in der Umgebung, von denen aus wir notfalls eingreifen können. Dann brauchen wir eine Legende für dieses Mädchen mit dem großen Zopf, falls der Hartl Peter einige Fragen stellt. Ostler, Sie ziehen sich mit Nicole zurück und bringen ihr die wichtigsten zehn bayrischen Sätze bei.«

»Gerne, Chef. Der wichtigste Satz wird sein: I muass aufs Heisl.«

»Imousaffsheissl«, sagte Nicole.

»Nein, Frau Schwattke, das ei ist weicher: Imuassaufsheisl.«

»I mousoffshaissl«

»Nicht schlecht, aber das mou nicht wie ein Hundegebell, mou, mou, wou wou, das klingt ja schon fast niederbayrisch, das ou leicht und locker, wie eine Gams im Gebirge umherspringt, oberbayrisch-alpenländisch eben.«

»I mouass uffs Hiasl?«

»Sie werden das schaffen, Nicole«, sagte Jennerwein. »Und schminken Sie sich die roten Bäckchen wieder ab. So kann Sie kein Mensch ernst nehmen.«

24

Die Gondel der Eckbauerbahn, die den dazugehörigen Berg mit Touristen belieferte, um diese nach der Abfütterung wieder ins Tal zu entsorgen, war beim Hinauffahren prallvoll. Beim Herunterfahren hingegen war die Gondel leer gewesen, bis auf zwei Männer im legeren Bergsteiger-Outfit. Es waren keine Hochgebirgstouristen oder Extremkletterer, aber auch keine Flachlandtiroler. Irgendetwas dazwischen vermutlich – und diese absolute Unauffälligkeit wäre nur einem absoluten Profi aufgefallen.

»Dr. Patzelt, Sie haben Mist gebaut«, sagte der eine zum anderen, ohne ihn anzusehen.

»Ja, das gebe ich zu«, sagte der andere, und seine Stirn legte sich in Falten. »Es ging rasend schnell. Und ich war nicht vorbereitet darauf.«

»Na, dann schildern Sie mir mal, wie das genau abgelaufen ist.«

»Als der Typ reinkam, war ich überzeugt davon, dass es ein ziemlich großer Fisch war, der da angebissen hat. Die Freude darüber hat mich vielleicht unvorsichtig gemacht. Mittel- oder Osteuropäer, gut gekleidet, wenn auch etwas nachlässig. Einsneunzig groß, dunkelhaarig, ovales Gesicht. Ruhiges, fast schüchternes Auftreten, er hat gehinkt, und ich habe ihm sein Hinken abgenommen.«

Sie gondelten über sanft geschwungene Matten, die da und dort von Nadelhölzern durchbrochen waren. Man hörte millionenfaches Geläute von kleinen Glocken, das immer stärker wurde. Es schwoll an, und es kribbelte in den Ohren. Sie beugten sich nach unten – eine Herde von fünfzig Schafen machte sich über das fette Grün her.

»Er war wortkarg, rückte mit keinen Details heraus. Und die Masche mit der Heiserkeit, der chronischen Laryngitis, die habe ich ihm auch abgekauft. Es tut mir leid, aber er hat es einfach überzeugend gebracht. Er war zu gut.«

»Er hat Sie an die Wand gespielt, Dr. Patzelt.«

Der BKA-Einsatzleiter seufzte. Vielleicht sollte die Polizei in der Grundausbildung auch noch Schauspielunterricht anbieten. Acht bis neun Uhr: Kampftraining. Neun bis zehn Uhr: Rollenstudium Hamlet, *Ach, schmölze doch dies allzu feste Fleisch.*

»Warum haben Sie ihn nicht gleich als Erstes gefragt, wie er zu der Adresse in der Kurklinik Reuschel gekommen ist?«

»Ich glaube nicht, dass er mir das verraten hätte.«

Patzelt schilderte dem Einsatzleiter in kurzen Worten den Ablauf des Überfalls. Und er beschönigte nichts.

»Sie haben jedenfalls verdammtes Glück gehabt.«

»Ich weiß. Was war das übrigens für eine Injektion? Haben Sie die Substanz schon untersucht?«

»Es war Thiopental.«

»Jessas! Das Zeug, mit dem die Giftspritzen in Ohio gefüllt werden?«

»Genau das Zeug. Allerdings führt es in der geringen Dosierung, die Sie abbekommen haben, noch nicht zum Tod.«

»Wieso wusste er Bescheid? Wie könnte er auf unsere Spur gekommen sein?«

Der Einsatzleiter zog die Stirn in Falten.

»Dass wir die Falle in der Kurklinik aufgebaut haben, wussten nur Sie, ich, Dr. Rosenberger –«

»– und Dombrowski! Sie müssen es ihm unter Folter abgepresst haben.«

»Hoffen wir, dass er bald gefunden wird.«

»Haben Sie Vertrauen zu diesem Jennerwein?«

»Er arbeitet mit ungewöhnlichen Methoden. Aber er ist ein guter Mann. Einer, der niemals aufgibt. So einer ist bei diesen Gegnern nötig. Ich glaube fest daran, dass er Dombrowski findet.«

Der Einsatzleiter überlegte kurz. Dann entschloss er sich dazu, Dr. Patzelt nichts davon zu sagen, dass Fred Weißenborn ebenfalls nicht mehr zu den vereinbarten Treffen kam. Man konnte nie wissen. Der Einsatzleiter traute niemandem mehr. Dass Dr. Patzelt den Angriff eines Profikillers überlebt hatte, war zwar ein Riesenglück, aber schon sehr ungewöhnlich. Irgendetwas an der Geschichte war faul.

Die Gondel war unten angekommen, zwei Wanderer stiegen aus, keine Extrembergsteiger und keine Flachlandtiroler. Irgendetwas dazwischen halt.

»Schade, dass wir Sie von dem Fall abziehen müssen, Dr. Patzelt. Die Kombination aus einem leibhaftigen Arzt und einem BKA-Mann ist selten. Aber Sie sind nun mal enttarnt.«

»Ich werde den Ort noch heute Nacht verlassen.«

»Grüßen Sie Rosi von mir. Wollen wir noch in eine Kneipe gehen? Ich gebe einen aus.«

»Ja gerne. Ich muss mir dort dringend die Hände waschen. Seit diesem Job in der Kurklinik habe ich mir das angewöhnt.«

»Gewöhnen Sie sich das wieder ab. Es kann zur Sucht werden.«

»Ach, eines noch: Habe ich es eigentlich geschafft, den Klingelknopf unter dem Tisch zu drücken?«

»Wir haben das Signal jedenfalls gehört.«

Zum Einstieg hieß die Kneipe, und sie tranken dort unauffällig zwei oder drei Bier. Ihr Heimweg führte sie über die Calgarystraße, die Chamonix-Straße und die Sapporostraße, den geländegängigen Pickup-Truck, der ihnen auf der Innsbrucker Straße entgegenkam, beachteten sie nicht. Er hatte das Nummernschild des Kurorts, doch es saßen keine Einheimischen drin. Der Pickup fuhr ortsauswärts, die Musik aus dem CD-Player klang nach Balkanpunk oder Russenrock, nach finnischem Tango oder einfach nur nach falscher Geschwindigkeit. Die Fahrerin sang lauthals mit.

»Liebe Nadja«, rief eine Frau aus dem überdachten Laderaum nach vorn. »Stell bitte die Musik leiser. Das ist ja nicht zum Aushalten!«

»Und jetzt zu dir, Boris«, sagte die lärmempfindliche Frau zu ihrem Gegenüber hinten im Laderaum. »Fünftausend Milligramm Thiopental habe ich gesagt, nicht fünfhundert! Hörst du schlecht? Mit was für Idioten umgebe ich mich!«

»Wenn ich ehrlich sein soll, Wanda: Ich hätte es besser gefunden, ihn zu erschießen.«

»Gerade läuft alles wie geschmiert, wir haben so gute Informationen von diesem Dombrowski – und du versaust alles.«

»Fünfhundert, fünftausend – Er ist bestimmt tot, glaub mir, Wanda.«

»Hast du dich überzeugt?«

»Kein Puls, kein Pupillenreflex, kein Atem, nichts. Für eine tausendprozentige Untersuchung war keine Zeit mehr. Es klopfte an der Tür, ich habe ihn schnell unter den Tisch geschoben. An der Tür stand eine ältere Dame, sie wollte zu Dr. Patzelt, ich habe sie abgewimmelt, dann bin ich abgehauen. Aber er ist hundertprozentig tot.«

Wanda blickte immer noch skeptisch.

»Wie dem auch sei. Das Wichtigste ist, dass ab sofort keiner unserer Kunden bei diesem Dr. Patzelt in die Falle tappt. Unsere anderen Geschäfte sind davon ja nicht betroffen, die lassen wir weiterlaufen wie bisher. – Verdammt nochmal, Nadja, stell die Musik da vorne leiser.«

»Nur dies eine Lied noch, Wanda«, sagte die Fahrerin – und da röhrte sie auch schon los, das neue Sternchen am Himmel des finnisch-russischen Punks, Zvetlana II., genannt Ivan, die Schreckliche.

25

Im Gegensatz zu Nicole Schwattke aus Recklinghausen hatten Ignaz und Ursel Grasegger keinerlei Probleme mit dem knorzigen, fast schon tirolerischen Oberlanddialekt, den man seit zweitausend Jahren hier im Loisachtal sprach, den man vermutlich schon gesprochen hatte, als Hannibal mit seinen Elefanten hier durchgekommen war.

»Ja, wo kommts denn Es her!?«, rief die Drohner Walburga, und sie konnten im selben Föhn-Slang antworten. Sie erzählten ihr alles haarklein. Dass sie lange in Italien gelebt hätten, in einem abgelegenen Dorf, in einer schönen Villa mit Blick auf die Reisfelder der Po-Ebene, dass ihnen das aber auf Dauer nicht getaugt hätte, das Heimweh hätte sie heimgetrieben, die Sehnsucht nach der unverwechselbaren Bergkulisse, die Sehnsucht nach den eiweißreichen kulinarischen Spezialitäten des Oberlandes. Die Sehnsucht nach Knöcherlsülze, Farchanter Wurstsalat, Topfennudeln, Eiergerstelsuppe, paniertem Wammerl, Eadepfeschweafalan –

»Hörts auf damit!«, sagte die Drohner Walburga. »Da kriegt man ja direkt Appetit!«

»Italien ist schön und gut«, sagte Ursel, »aber es ist halt zu flach und zu trocken für unsereins.«

»Und zu ölig«, ergänzte Ignaz. »Wenn du seit Generationen Butter gewöhnt bist, verträgst du kein Öl mehr.«

Die Zanner Resl, eine leibhaftige G'sundbeterin, die mit großem Erfolg Warzen wegbetete, kam dazu.

»Und wo wohnt ihr jetzt? Euer Haus ist doch damals abgebrannt!«

»Ja, wenn wir das Haus noch hätten!«, seufzte Ursel. »Aber wir hätten es ja sowieso nicht mehr halten können. Als Bestatter dürfen wir nicht mehr arbeiten, wir haben Berufsverbot. Wenn wir die Kinder nicht hätten!«

»Und was machen eure Kinder?«

»Der Bub, der Philipp, der ist jetzt vierundzwanzig. Er arbeitet in der Computerbranche.«

»Und die Lisa?«

»Die ist siebzehn, die geht noch in die Schule, in der Schweiz.«

»So, in eine Schweizer Schule! Das wird ja nicht gerade billig sein.«

Frau Neuner vom gleichnamigen Andenkenladen, eine elegant gekleidete Dame mit kunstvoll geflochtenem Werdenfelser Dutt, unterbrach kurz die Grabpflege und sah auf.

»Die Schweizer Schulen sind halt nun mal die besten.«

Die Ankunft der Graseggers hatte sich schnell herumgesprochen. Immer mehr Einwohner des Kurorts scharten sich um die Heimkehrer und begrüßten sie neugierig und ehrfurchtsvoll.

»Und wo genau wohnt ihr jetzt?«

»Am Bergfuß vom Kramerspitz. Ganz in der Nähe von unserem alten Haus.«

»Und von was lebt ihr?«

Rechtsanwalt Goldacker, der bisher geduldig schweigend dabeigestanden hatte, räusperte sich heftig. Er wollte nicht, dass seine Mandanten hier eine falsche Antwort gaben.

»Ersparnisse«, soufflierte er.

»Ersparnisse«, sagte Ursel fröhlich.

»So, Ersparnisse!«, sagte die Holzner Rosl spitz. Die Graseggers verabschiedeten sich gutgelaunt. Ihre anfängliche Nervosität war vollkommen verflogen.

»Halten Sie sich etwas zurück«, sagte Goldacker, als sie wieder alleine waren.

»Glauben Sie uns denn nicht?«, fragte Ignaz. »Wir haben Ihnen doch unsere Vermögensverhältnisse offengelegt.«

Goldacker antwortete nicht darauf. Er sah auf die Uhr.

»Ja, dann bis morgen. Ach eines noch, jetzt würde es mich doch interessieren: Was hatte jetzt dieser – wie hieß er noch – Reininger Sepp – was hat der für eine Möglichkeit gefunden, um das Geld – wie soll ich sagen – genau zu terminieren?«

»Da müssten Sie aber draufkommen, Herr Rechtsanwalt!«

»Nein, tut mir leid. In den Papierkorb –? Nein, vielleicht in den Ofen, in den Kamin –«

»Viel einfacher. Wir sind Bestatter, überlegen Sie einmal.«

»Ah! Jetzt verstehe ich!«

»Er hat einen Sarg gekauft bei uns. Zu Lebzeiten. Das ist nichts Besonderes, das machen viele. Wir haben ein riesengroßes Sarglager –«

»– gehabt!«, warf Ignaz ein.

»– gehabt, ja, und da kann so ein Sarg schon einmal zehn, zwanzig Jahre stehen, bis er zu seinem endgültigen Einsatz kommt. Der Reininger Sepp hat sich also den Sarg gekauft, er hat alle paar Monate bei uns vorbeigeschaut und ein bisserl geratscht mit uns. Dann hat er gefragt, ob er sich seine letzte Ruhestätte anschauen kann. Alleine.«

»Das ist auch noch nichts Besonderes. Das machen auch viele. Das hat etwas Meditatives, etwas Philosophisches.«

»Und so hat er es dann getrickst, der Reininger Sepp. Er hat die zwei- oder auch dreihunderttausend Euro in die Abdeckung zwischen Außenholz und Innenfurnier verteilt. Und wenn er wieder was gehabt hat, ist er zu uns gekommen. Er hat bei uns hinten im Holzschupfen die beste und sicherste Bank der Welt gehabt. Keine Kontogebühren, keine Freistellungsanträge, kein Bankencrash, nichts.«

»Hören Sie, ich will die Details solcher Geschichten gar nicht so genau wissen. Das ist sicher ein Verstoß gegen das Steuerrecht. Aber eines interessiert mich doch: Wie haben Sie das erfahren?«

Ursel Grasegger gluckste.

»Der Ignaz schaut sich die Hölzer von den vorbestellten Särgen regelmäßig an.«

»Freilich tue ich das. Wegen der Holzwürmer. Das wäre doch peinlich, wenn der aufgebahrte Sarg während der Begräbnisfeier plötzlich auseinanderfällt!«

»Und bei der Suche nach Holzwürmern hat er dann das ganze Geld entdeckt.«

»Da ist mir klargeworden, warum der Reininger Sepp sich seinen Sarg gar so oft angeschaut hat.«

»Was ich besonders schön gefunden habe«, sagte Ursel mit einem liebevollen Seitenblick auf ihren Gatten, »dass der Ignaz mir das nicht verschwiegen hat. Dass er das ganze Geheimnis mit mir geteilt hat.«

»Vielleicht habe ich ja nur das halbe Geheimnis mit dir geteilt«, sagte Ignaz neckisch. »Vielleicht war es ja viel mehr Geld.«

Ursel lächelte.

»Es ist jedenfalls jetzt unter der Erde?«, sagte Goldacker, eine Spur zu interessiert.

»Nein, Herr Advokat. Dieser Sarg ist doch zusammen mit unserem Haus verbrannt, bei dem Feuer, das wir vor drei Jahren legen mussten, um Spuren zu beseitigen.«

Rechtsanwalt Goldacker schluckte. Saubere Mandanten hatte er da an Land gezogen. Aber Philipp, der vierundzwanzigjährige Sohn der Graseggers, den er noch nie gesehen hatte, überwies das Anwaltshonorar regelmäßig und pünktlich. Und das hatte er durch einen Privatdetektiv überprüfen lassen: Es war legales, zurückverfolgbares Geld.

»Ja, dann wünsche ich Ihnen noch einen schönen Abend!«, sagte Goldacker und verschwand.

Als die Graseggers zu Hause waren, warfen sie die Schuhe weit von sich und setzten sich auf die Terrasse. Heimat! *Hoamatel!* Im Werdenfelser Tal! Die lang entbehrte Kulisse! Blaugrau wuchsen die Berge vor ihnen empor, und sie saßen schweigend da und saugten die lange vermisste Pracht genüsslich ein.

»Ich möchte nie mehr weggehen von hier«, sagte Ignaz, als der Abend schon dämmerte. »Ich möchte nichts mehr riskieren.«

Ursel seufzte.

»Aber du hast doch das Risiko am meisten mögen.«

»Das mag ich immer noch. Aber ich möchte nicht noch einmal überstürzt abhauen müssen. Und momentan wüsste ich auch nicht, wohin.«

»Wir haben uns doch dazu entschlossen, eine bürgerliche Existenz aufzubauen, und das machen wir auch. Wir sind nicht mehr auf der Flucht.«

»Glaubst du, dass unser Telefon abgehört wird?«

»Da bin ich mir ganz sicher. Das hat aber einen Vorteil: Wenn wirklich jemand aus Italien anruft, dann können die Kieberer mithören, wie wir die Freunde abwimmeln. Das ist der Beweis für unsere guten Absichten.«

»Die italienischen Freunde werden aber nicht anrufen. Die werden, wenn schon, persönlich vorbeikommen.«

»Die kommen nicht vorbei. Das ist auch für die viel zu riskant.«

Sie schwiegen wieder. Es wurde langsam dunkel. Der Mond –

»Aber sag einmal, was ist denn das für eine Sache: Ein Wilderer und ein Jäger, ein Duell hoch droben auf der Alm – wie vor hundert Jahren! In der Zeitung stehen seitenlange Berichte darüber. Und das komplette Team der Mordkommission IV ist im Ort, um den Fall zu untersuchen.«

Ignaz Grasegger griff nach einem panierten Wammerl und biss nachdenklich hinein.

»Schon komisch, ja. Hast du den Jennerwein gesehen? Der war ganz schön nervös.«

»Mir scheint, der hat sich überhaupt nicht gefreut, uns zu sehen.«

Wieder langes, dauerhaftes Schweigen. Der Mond, das angebissene Schmalzbrot, hing zwischen zwei dünnen Ahornbaumzweigen. Ignaz, der Hardcore-Volksmusikliebhaber, warf eine CD mit den Herbratzederdorfer Dirndln und dem Obermugginger Viergesang ein. ♫ *As Gamserlschiassn is mei Freid* sangen sie, danach ♫ *Hörst du das Pfeifen vom Murmeltier droben …*, und Ignaz kannte die meisten Texte auswendig.

»Wegen uns war der Jennerwein sicherlich nicht nervös. Da stimmt doch was nicht.«

»Das kann uns aber eigentlich egal sein. Wir machen jeden Tag einen Spaziergang aufs Revier und lassen uns unsere Unterschrift geben. Ich bin langsam zu alt fürs Kriminelle.«

»Du hast recht. Wir mischen uns da nicht ein. Nicht mehr. Der Goldacker vertritt uns gut, wir sind sozusagen in Rente gegangen, und als Hobby bauen wir uns eine bürgerliche Existenz auf.«

Langsam dämmerte es. Rechtsanwalt Goldacker war nicht nach Hause gegangen. Rechtsanwalt Goldacker schlenderte nochmals über den Friedhof. Lange musste er nicht suchen, da fand er das Grab vom Reininger Sepp. Er studierte die Grabtafel. Sein schwaches StGB-§§-263-ff-Juristenherz schlug schneller. Er hatte es sich schon gedacht, aber hier stand es in Marmor gemeißelt: Der Reininger Sepp war zwei Jahre *vor* dem verheerenden Feuer auf dem Grasegger-Anwesen gestorben und hier beerdigt worden. Der Sarg war natürlich nicht verbrannt. Der Rechtsanwalt, sonst eben nicht religiös, bückte sich und tauchte die Finger in den Weihwasserkessel. Die haben mich angelogen, dachte er. Denen kann man kein Stück über den Weg trauen.

Auf der nächtlichen Terrasse der Graseggers gab es – ja, zu dieser Tageszeit! – Weißwürste. Das hatten sich die beiden gegenseitig versprochen, als sie fern der Heimat die Via Francigena hinuntergewandert waren. Es waren keine schlichten Weißwürste, es waren ganz besondere Weißwürste, nach einem Rezept von Onkel Ludwig aus Grainau. Ursel nahm eine Weißwurst aus der Steingutschüssel, biss hinein und saugte ein Stück heraus. Sie schloss die Augen und lehnte sich zurück, als ob sie an einem Joint gezogen hätte.

»Daran hab ich oft denken müssen.«

»Sollen wir es wieder rausholen?«, fragte Ignaz.

»Was rausholen?«

»Na, was schon! Das terminierte Geld.«

»Warum?«

»Die wollen den Euro wieder abschaffen.«

»Dann täten wir sauber dasitzen.«

»Sicherheitshalber sollten wir das Geld rausholen.«

»Und gleich in Gold umtauschen.«

»Aber wer tauscht *uns* zwei Millionen Euro in Gold um?«

»Die Kreissparkasse jedenfalls nicht.«

26

Unkonzentriert nahm Veronika Holzmayer das Rezept entgegen. Die Kundin verlangte nach Rohypnol. Sie starrte dabei auf ein rot-schwarzes Plakat, das die Polizei in der Apotheke aufgehängt hatte: *Keine Macht den Drogen!* Die Kundin schien keinen Zusammenhang zwischen ihrem wöchentlichen Einkauf und dem Plakat herzustellen. Nachdem sie gegangen war, schweiften Veronika Holzmayers Gedanken ab, hin zu ihrem Geliebten, dem Mühlriedl Rudi. Den hatte sie das letzte Mal vor drei Tagen gesehen, als sie beide in das Bürohäuschen des alten Heilinger Herbert gegangen waren. Sie hatten die Tür geöffnet, sie hatten geglaubt, Stimmen zu hören, und der Drang, hineinzugehen, war nicht mehr zu unterdrücken gewesen. Sie hörten ein hohles Stöhnen, vermischt mit unverständlichem Gewisper. Es folgte ein schauderhaft langgezogener Schrei, wie das schmerzverzerrte Aufheulen eines Gefolterten. Die Hände der Holzmayerin verkrampften sich um die beiden Dosen Pfefferspray, der Mühlriedl Rudi hatte das Stichmesser mit der Gravur *Gsund samma!* schon blankgezogen. Solcherart gerüstet tappten sie den Gang entlang, dann stiegen sie, unendlich langsam und vorsichtig, die knarzende Treppe hoch. Ein heiseres Gekrächze, ein scheppernedes Lachen, und wieder ein Schauder der Nebenniere, die literweise Adrenalin produzierte und den Körper mit dem köstlichen Stoff überschwemmte. Sie waren jetzt oben an der Treppe angekommen. Konnte man es wagen, einen Blick durch die Tür zu werfen? Vorsichtig traten sie in den Raum. Die Pfeffervroni hatte die beiden Spraydosen doppelläufig hochgehoben, mit ausgestreckten Armen war sie bereit, die komplette russische Gangsterbande niederzusprühen. Was noch übrig war, würde der Rudi mit seinem Taschenfeitel erledigen, ein Prachtstück vom Flohmarkt: Gesamtlänge geöffnet 18,3 cm, davon 8,5 cm Klingenlänge, der absolute Klassiker unter den (nach WaffG § 42 a gerade noch legalen) Brotzeitmessern. Doña Quixota trat einen Schritt vor, Sancho Pansa folgte. Beide schreckten zurück, im Raum hatte sich etwas bewegt, ein Riesenkörper war hochgeflattert, dazu hörten sie wütendes Vogelgeschrei. Ein Gekrächze und Gekreische im mondlichtdurchfluteten Raum, dann absolute Stille. Beide ließen ihre furchterregenden Waffen sinken. Was war das gewesen? Ein Uhu? Eine Eule? Ein paar Fledermäuse, die da durch das geöffnete Fenster hinausgeflogen waren? Oder war es bloß ein Rabe gewesen? Nevermore! Sie starrten in den halbdunklen Raum. Es war kein Mensch zu sehen, kein Russe, kein Glatzkopf, kein Garnichts. Das Stöhnen und Heulen kam von draußen, in der löchrigen Dachrinne hatten sich die Windstöße verfangen. Die beiden waren erleichtert, aber auch ein bisschen enttäuscht. Sie sahen sich um. Viele Stühle, Lampen, Regale. Ein alter Zahnarztsessel, der aussah, als würden die angeschlossenen Geräte sogar noch funktionieren. Nichts Besonderes für einen Schrottplatz.

Sie verstauten ihr Waffenarsenal und setzten sich auf zwei zerschlissene Stühle. Sie atmeten durch.

»Ich glaube, es ist an der Zeit, dass wir die Sache von damals melden«, sagte der Mühlriedl Rudi erschöpft.

»Anonym.«

»Was denn sonst! Wir rufen von einer Telefonzelle aus an.«

»Gibt es überhaupt noch Telefonzellen?«

»Wir klauen ein Handy und verstellen die Stimme.«

»Wir schreiben eine anonyme Mail.«

»Eine anonyme Mail!«, spottete der Rudi. »Das ist ja schon

ein Widerspruch in sich. Nein, wir müssen einen Brief schreiben. Ich fahre nächste Woche in die Stadt. Ich kaufe ein Päckchen Schreibmaschinenpapier. Ich streife Einmalhandschuhe über und ziehe ein Blatt heraus.«

»Vergiss es. Man hinterlässt trotzdem immer Spuren.«

»Ich gehe in ein Internet-Café und schreibe den Brief dort.«

»Vergiss es.«

Es war eine heiße Sommernacht mit Sternengekicher und Grillengesängen. Doch anstatt sich dem naheliegenden Liebesspiel hinzugeben, rückten sie zusammen und besprachen, wie man der Polizei eine anonyme und nicht zurückverfolgbare Nachricht zukommen lassen könnte. Dann hatten sie die zündende Idee. Die Holzmayerin wickelte ihren Seidenschal um die Hand und fingerte aus der Schublade des Heilinger'schen Büros Briefpapier heraus. Sie schrieben den Brief auf einer Schreibmaschine, die so alt war, dass sie noch eine Extrataste für das Kürzel S. M. (»Seine Majestät«) hatte. Sie feilten am Text des Briefes und stritten um Formulierungen, bis der Morgen graute. Endlich war die Zeugenaussage fertig.

»Schade um meinen Seidenschal«, sagte Veronika Holzmayer. »Der war von meiner Oma.«

»Ja, dann vielleicht – bis irgendwann einmal«, sagte der Mühlriedl Rudi.

27

»Imuassaufsheissl! Imuassaufsheissl!«, murmelte das halbwüchsige Mädchen auf der Straße, so leise, dass es die Passanten nicht hörten. Die beiden Buben, die neben ihr gingen, hörten es. Sie waren beide einen Kopf kleiner als das Mädchen mit dem Zopf und der Zahnspange. Der eine von ihnen stupste sie an.

»Aua! Das hat weh getan!«

»Das Lied nicht zu laut singen!«

»Jaja, natürlich.«

»Und nicht zu *richtig*. Es gibt mehr Geld, wenn man es falsch singt. Das mögen sie, die Erwachsenen. Das kenn ich vom Dreikönigsingen, vom Karfreitagsratschen –«

»Ihr seid ja richtige Sammelprofis.«

»Freilich. Fürs Rote Kreuz haben wir auch schon gesammelt. Für die katholische Jugend. Für den kommunistischen Kampfbund – Nein, war ein Spaß. Aber überall ist es das Gleiche: Wenn man falsch singt, gibt es am meisten Geld.«

»Aufgepasst«, sagte das Mädchen mit dem lustig im Wind baumelnden Zopf. »Wir sind gleich da.«

»Nur gut durchschnaufen, Frau Nicole, dann packen wir das schon.«

Die beiden Buben von Polizeiobermeister Ostler waren also doch mitgegangen. Zwei Stunden war darüber diskutiert worden. Schließlich hatte man sich auf eine Lösung geeinigt, die im Protokoll vermutlich fehlen würde, die aber die Sicherheit von Tim und Wolfi Ostler gewährleistete. Die drei sollten beim

Hartl klingeln und das übliche Liedchen draußen vor der Tür singen, so dass der Hartl (oder wer auch immer öffnete) gar nicht dazu kam, sie hereinzubitten. Die Buben sollten dann um die mildtätige Gabe bitten und sofort wieder verschwinden. Nicole sollte daraufhin ihr gut einstudiertes *Imuassaufsheisl* aufsagen. Sie würde hereingebeten werden, sie würde sich ein wenig umsehen, ein wenig fotografieren, eine Schnupperprobe für den Mantrailer Fritz mitnehmen. Auf der Terrasse des gegenüberliegenden Cafés saß Papa Ostler persönlich. Mama Ostler wusste nichts von alledem. Nebenan im Trachtenladen Sennleiner taten Becker und Jennerwein so, als würden sie sich neu einkleiden. Alle waren hervorragend bewaffnet. Alles war gut vorbereitet.

»Und noch einmal«, sagte das Mädchen mit dem Zopf. »Ihr geht auf gar keinen Fall mit rein. Auf gar keinen Fall! Ihr liefert mich ab, und was auch immer passiert, ihr verschwindet wieder. Und jetzt reden wir von was anderem.«

»Da vorne ist das Hartl-Haus!«, rief Tim und zeigte hin. »An der Stelle, wo das Haus steht, genau da soll ja der Kurort gegründet worden sein.«

»Das wusste ich nicht!«

»Haben Sie das in Geschichte nicht gelernt, Frau Nicole?«, sagte Wolfi. »Hannibal. Zweiter Punischer Krieg –«

»218 vor Christus bis 201 vor Christus«, ergänzte Tim eifrig und parodierte dabei wohl seinen Geschichtslehrer.

»218 zieht Hannibal von Spanien und Frankreich herauf, dann überschreitet er mit seinem Heer –«

»Halt, jetzt weiß ich auch was!«, sagte Nicole. »Das waren 38 000 Mann, 8000 Reiter und 30 Elefanten, stimmts?«

»Stimmt genau«, sagte Tim. »Er überschreitet die verschneiten Alpen bei Mittenwald.«

»Aber dort«, warf Wolfi ein und zeigte nach vorn, »dort an der Stelle, wo das Hartl-Haus jetzt steht, da sind ein paar Karthager sitzengeblieben und haben unseren Kurort gegründet.«

Das Hartl-Anwesen lag wirklich zentral im Ort, zentraler ging es nicht. Gleich hinter dem Haus wuchtete sich die barocke Pfarrkirche St. Martin hoch, und ein paar uralte Bäume umwucherten diese Orgie aus Holz, Schindeln und Heimatkunde. Das Hartl-Haus hatte einen breiten Balkon, auf dem jodelten an Festtagen die Ortsgrößen des Volkstrachtenvereins, und der Bürgermeister warf Weißwürste unters Volk. Nein, so freigebig war er nun auch wieder nicht, der Bürgermeister, aber er hielt von dort aus seine jährliche Neujahrsansprache, zu der gejodelt wurde auf Teufel komm raus. Unter dem Balkon breitete sich ein geräumiger Dorfplatz aus, auf dem sicherlich tausend Menschen Platz fanden. *Freunde! Römer! Mitbürger!* hätte man von dort oben herunterrufen können, wenn man Brutus gewesen wäre. (War der Bürgermeister aber nicht, er fühlte sich mehr als Cäsar.) Über diesen Dorfplatz schritten die drei Feuergeldsinger gerade, sie hielten ihre Klingeldosen von sich weggestreckt, als wären es Waffen. Die Buben trugen zusätzlich zwei kleine, schwach glimmende Fackeln. Das Trio bot ein mehr oder weniger feierliches Bild, und deswegen wurden sie auch schon fotografiert. Na Klasse, dachte Nicole, erst mein Mann, jetzt ich – das gibt einen Dia-Abend! Sie klingelte an der Tür, die beiden Buben blieben dicht hinter ihr. Sie konnte hören, dass sich im Inneren des Anwesens etwas rührte. Schritte, Getrampel, Schüsse, fallende Körper, Todesschreie, gebellte Befehle, schwerer Artilleriebeschuss –

»Es kommt jemand«, sagte sie, halb ins Mikrophon, halb zu Tim und Wolfi. Im Inneren des Anwesens schlurfte und fluchte es immer noch, sie klingelte nochmals. Jetzt drehte sich ein verrosteter Schlüssel im Schloss. Auf ein Kopfnicken Nicoles hin begann das kleine Häuflein zu singen:

♫ Grüß Gott, heit is Johannitag,
und jeder, der das Feuer mag,
das droben lodernd brennen soll,
der mach die Büchse hier uns voll!
Der ma-hach die Bü-hü-hüch-se hier
uns vo-ho-ho-holl!

Die Tür öffnete sich und zwei uralte, misstrauische Augen blitzten auf.

»Grüß Gott, Herr Hartl«, sagte Tim mit seiner frischen Knabenstimme. »Wir kommen zum Feuersingen und bitten um eine milde Gabe.«

»Feuersingen? Kommts rein«, sagte der grimmige Hartl.

»Danke schön, wir müssen aber gleich weiter«, sagten die beiden Buben unisono und fort waren sie. Der erste Teil des Plans hatte schon mal gut geklappt.

»Es gibt Schmalznudeln!«, rief der Hartl Peter den Fackelläufern nach.

»Die Buben müssen weiter«, schüchterte Nicole fast unhörbar.

»Hast du Hunger?«

»Jou freili.«

Nicole Schwattke wusste, dass das ou in Jou etwas zu dunkel war für den Werdenfelser Dialekt, dass es schon fast oberpfälzisch klang, aber der Hartl hatte sich schon umgedreht und schlurfte in den Gang. Bevor sie ihm folgte, sah sie aus den Augenwinkeln, dass Tim und Wolfi schon an der nächsten Haustür standen, dort klingelten und das Lied erneut anstimmten:

♫ Grüß Gott, heit is Johannitag,
und jeder, der das Feuer mag …

Diese Aktion war nicht ausgemacht, aber die Ostler-Buben hatten offenbar die Gabe, zu improvisieren. Das hatten sie von ihrem Vater geerbt, der ihr immer ein wenig wendiger erschienen war als Polizeiobermeister Hölleisen. Und die Zusatzaktion hatte ihren Vorteil: Wenn der Hartl noch einmal hinaussah aus seiner Festung, dann war der ganze Fake mit dem Feuersingen noch glaubhafter. Brave Hilfssheriffs, dachte Nicole, der sehnlichste Wunsch der Buben, eine neue Spielkonsole, sollte ihnen unbedingt erfüllt werden.

»Da hinein, Madel«, grunzte der Hartl.

Sie betraten eine geräumige Bauernstube mit altem Gebälk, wurmstichigen Sparren und einem wunderbar schiefen Boden. Auf dem Tisch stand ein riesiger Holzteller mit unendlich vielen Schmalznudeln.

»Hock dich hin!«, befahl der Hartl Peter. Nicole achtete peinlich darauf, ihn nicht im Rücken zu haben, sie drückte sich an der Wand entlang und setzte sich auf die Holzbank. Das wirkte schüchtern, das passte zum Gesamtbild des gehemmten Mädchens mit der Zahnspange, das fiel nicht auf. Der Hartl setzte sich dazu. Er kramte in der Hosentasche und holte ein paar Münzen heraus, die er über den Tisch schob.

»Das Feuergeld. Teil es mit den Buben. Und jetzt iss!«

Nicole biss in die Schmalznudel. Sie schmeckte herrlich. Sie hatte etwa zwanzigtausend Kalorien, aber sie schmeckte herrlich.

»Soso, ihr lasst also die alten Bräuche wieder aufleben!«, sagte der Hartl. »Ich hab schon zwanzig Jahre keine Feuersinger mehr gesehen.«

Nicole nickte und schaute auf den Tisch. Ab und zu warf sie kleine, verstohlene Blicke zum Hartl Peter hin. Lag da etwas Beobachtendes, Lauerndes in seinem Blick?

»Der Volkstrachtenverein!«, murmelte sie.

»Ja, der Volkstrachtenverein, der pflegt die alten Bräuche. Schmeckts?«

»Freilich!«

»Und wem g'herscht na du?«

Diese Frage hatte sie befürchtet. Aber sie hatte kommen müssen. Und nun folgte der schwierigste Teil der Operation. Noch vorgestern hätte Nicole diese Frage gar nicht verstanden, jetzt wusste sie, dank Ostler, dass es die Frage nach der familiären Herkunft war. *Wem g'herscht na du?* hieß so viel wie: Aus welchem Clan stammst du, wer ist dein Vater, wie ist dein Hausname?

»Am Hoaraga Xari!«

Für eine Westfälin war das eine Spitzenleistung, es war Weltrekord in In-fremden-Zungen sprechen. Jetzt kam es drauf an, ob er das schluckte.

»Hat der Hoaraga seine Wiesen am Anger-Hölzl schon verkauft?« Keine Ahnung von einem Anger-Hölzl. Sie griff stattdessen zu Plan B.

»I muass aufs Häusl«, sagte sie unvermittelt, sie verzog das Gesicht dabei, sie blickte verzweifelt, und fast traten ihr echte Tränen in die Augen. Der Hartl musterte sie. Das *muass* war ihr ihrer Ansicht nach gut gelungen. Sie kam langsam in Fahrt.

»Gradeaus und die erste Tür rechts«, sagte er. Er nahm eine Schmalznudel und biss hinein.

»Dankschee«, sagte Nicole. »Bin glei wieda da.«

Geschafft. Nicole stand auf, achtete wieder darauf, den Hartl nicht im Rücken zu haben, verließ den Raum, ging den Gang entlang, zügig an der beschriebenen Toilettentür vorbei, lief eine Holztreppe hinunter. Wie bei solchen Polizeiaktionen üblich, hatten sie natürlich vorher den bauamtlichen Grundriss sämtlicher Ebenen des Hauses genau studiert. Es war zwar ein Plan aus dem Jahre 1929 gewesen, einen neueren gab es nicht, und man konnte natürlich nicht wissen, ob inzwischen umgebaut worden war. Aber ein Anhaltspunkt war es schon. Nicole zückte ihr Smartphone und fotografierte.

»Ich bin jetzt im Keller«, flüsterte sie ins Mikrophon, das unter ihrem Kopftuch versteckt war. Sie gab das Planquadrat an, hatte jetzt vor, sich in einen Raum nach dem anderen zu verlaufen. Sie hoffte, dass der Hartl oben eine besonders fette, wohlschmeckende Schmalznudel erwischt hatte. Auf dem Boden lag ein schmutziger Lumpen. Sie schnitt mit einer Nagelschere ein Futzelchen ab und steckte es in die Beweissicherungstüte. Dann kam sie an einer Art Flaschenlager vorbei, einem Regal mit einer chaotischen Ansammlung von Röhren und Kolben, wahrscheinlich uraltes Gerümpel, um Bier zu brauen. Sie fotografierte es. Sie betrat zwei weitere Räume, die mit Plunder aller Art vollgestopft waren, nichts wies auf Folterkeller oder Waffenlager hin. Trotzdem fotografierte sie alles. Sie öffnete eine Tür und kam in den nächsten Raum. Nach Luft schnappend wich sie zurück, denn hier schlug ihr ein beißender Geruch entgegen. Unwillkürlich griff sie zur Dienstwaffe, obwohl die wohl kaum geeignet gewesen wäre, diesen bestialischen Gestank zu bekämpfen. Sie schnupperte. Er war der Geruch von Fleisch, von nasser Haut, von frischem Blut. Sie streifte einen Einmal-Handschuh über, knipste den Lichtschalter an. Noch einmal wich sie zurück. Ein halbes Dutzend gehäutete Schweine hingen an Haken von der Decke, sauber nebeneinander aufgereiht, vermutlich zum Räuchern. Sie nahm die Hand von der Walther. Sie entspannte sich. Sie fotografierte die schaurige Speisekammer.

»Der räuchert hier Schweine im Keller«, sprach sie ins Mikrophon, und sie sah Becker vor sich, wie er diese Nachricht belustigt aufnahm.

Nach dem Plan, den ihnen das Bauamt zur Verfügung gestellt hatte, gab es noch einen letzten Raum. Es war das Ende einer Schmalznudel-Länge, es war auch das Ende eines Toilettenbesuchs einer Vierzehnjährigen. Sie trat hinein. Er war dunkel, und der Lichtschalter funktionierte nicht. Sie schaltete ihre kleine Taschenlampe an und leuchtete quer durch den Raum. Er war leer. Er war feuchtkalt. Sie durchquerte den Raum. Auf ihrem Plan war der Raum größer gewesen. Sie berührte die gegenüberliegende Wand mit den Fingerspitzen. Sie war eiskalt und feucht. Nicole hörte Wasser rauschen. Ein Frösteln kroch an ihr hoch.

28

Nicht unweit vom Hartl-Hof, ebenfalls ziemlich zentral im Kurort gelegen, thronte die alteingesessene Metzgerei Kallinger, von der es hieß, dass es dort bayernweit den besten Leberkäse gäbe, darüber hinaus weltweit die besten Weißwürste, wenigstens hatte sich dieser Ruf aus den Achtzigerjahren gehalten, und das ist ja auch schon eine Leistung. Der Metzger Kallinger hatte im Laden eine kleine Imbissecke eingerichtet, die zum Treffpunkt für die Ratschkathln und Gerüchteköche im Ort geworden war. Drüben in der Bäckerei Krusti nahm man einen Kaffee und eine Semmel – hier beim Kallinger genoss man den heißen Leberkäs'.

»Früher«, rief ein Gymnasiallehrer für Latein und Geschichte und stieß mit dem Plastikgäbelchen in die dampfende Masse, »früher, da durfte nur der Adel das Hochwild schießen.«

Er tauchte den Leberkäs' in einen Kübel mit extrascharfem Senf. »Das hat die einfache Bevölkerung erzürnt«, fuhr er fort. »So sind im Voralpenland die ersten Wilderer aufgetaucht. Der Laimdrachsler Beppi aus Lenggries, der Kohlbrenner Hiasl aus Ehrwald –«

»Jetzt, wo bald Ferien sind, Herr Oberstudienrat«, rief die Metzgerin hinter der Theke hervor, »da könnten Sie doch ein Buch darüber schreiben.«

»Die ganze Zeitung ist voll mit der depperten Geschichte auf der Schröttelkopf-Alm«, schimpfte der Kottesrieder Loisl, ein Kaminkehrer und ehemaliger Eishockey-Spieler. Er blätterte kopfschüttelnd das Lokalblatt durch. »Da liest man ja nichts anderes mehr! Wildern, Wildern, Wildern.«

»Dann lies halt hinten die Todesanzeigen«, schlug seine Frau, die Kottesrieder Rosalinde vor. »Da kommt nichts vom Wildern vor.«

»Weiß mans«, murrte der Kottesrieder.

Als Franz Hölleisen die Metzgerei betrat, wurde er allerseits freundlich begrüßt. Er war ein bekannter und beliebter Polizist im Ort, darüber hinaus eine geachtete Respektsperson. Heute aber gab es Getuschel in der Metzgerei, als er auftauchte.

»Habt ihr ihn jetzt endlich gefangen, den Wildschütz?«, fragte ihn der Schreiner Beppi und biss in seine Leberkäsesemmel.

»Oder ist er euch gar ausgekommen?«, fügte die Hartmannsdorfer Traudi hinzu. »So einer ist ja nicht leicht zu fassen.«

»Wir verfolgen bereits mehrere Spuren«, sagte Franz Hölleisen ruhig.

»♫ *Ja, so ein Wildschütz springt / hollareidi / über Berg und Tal …*«, sang die Seiff Martina, und die ganze Metzgerei stimmte mit ein. Nur die elegant gekleidete Frau Neuner mit dem kunstvoll geflochtenen Dutt, die aus ihrem Andenkenladen zur Brotzeit herübergekommen war, murmelte halblaut:

»Lasst doch den armen Polizisten in Ruhe – der tut sein Möglichstes!«

Als sich die freche Meute wieder beruhigt hatte, sagte Hölleisen:

»Nach den neuesten Erkenntnissen hat er sich irgendwo im Ort versteckt. Vermutlich hat er Helfer.« Er blickte einen nach dem anderen an. »Wir ziehen die Schlinge gerade zu«, sagte er nach dieser Kunstpause.

»Dann schau doch einmal bei dir zu Hause in deinem Hasenstall nach, Hölli«, sagte der Presstaler Martin, »Vielleicht wildert er da schon.« Schallendes Gelächter in der Metzgerei Kallinger.

»Ja, wir sind nahe dran«, sagte Hölleisen ungerührt. »Wir haben schon einige Hinweise aus der Bevölkerung bekommen. Und eine Belohnung ist auch ausgesetzt.«

»Was, Belohnung? Wie hoch ist denn die Belohnung?«

Hölleisen erfand spontan den *Verband pensionierter Jäger e. V.*, der Hinweise, die zur Ergreifung des Mordbuben führten, mit einer Summe von tausend Euro belohnte. Mit tausend Euro war die Meute zufrieden. War das riskant gewesen? Hölleisen überlegte. Aber nein, da es ja keinen echten Wilderer gab, konnte er alle möglichen Belohnungen versprechen. Eine homöopathisch kleine Dosis Scham stieg aber doch in ihm auf. Das schlechte Gewissen, dass er seine Mitbürger derart beschwindelte, verschwand jedoch gleich wieder, die übergeordneten Interessen des Gemeinwohls wogen schwerer. Hölleisen schaute durch die große Fensterscheibe über den Dorfplatz hinüber zum Hartl-Hof. Es war der perfekte Beobachtungsplatz, den er sich hier gewählt hatte.

»Ich möchte ein Stück Leberkäse«, sagte Franz Hölleisen. Wenn er hier richtiggehend Brotzeit machte, fiel es gar nicht auf, dass er sich mitten in einem Einsatz befand.

»Wir im Norden haben auch unsere Wilderer!«, traute sich ein flachsblonder Kurgast mitten in die Diskussion hineinzurufen.

»Das glaubst du doch selber nicht!«

»Doch! Den Klaus Störtebeker! Den Seeräuber! Der hat doch damals –«

Der Rest ging im lokalpatriotischen Gegröle unter.

»Was wird dann bei euch droben gewildert?«, prustete der Schreiner Beppi.

»Vielleicht Kieler Sprotten!«, setzte die Hartmannsdorfer Traudi nach.

Frau Neuner mischte sich ein. »Jetzt macht mal halblang! Man kann ja nicht mal in Ruhe seine Putenwiener verzehren!«

Gemeinderat Toni Harrigl, der Kämpfer für Recht und Ordnung, stürmte herein.

»Der Wilderer, das sage ich euch, der ist schon längst über alle Berge! Der hockt drüben in Tirol und lacht über die bayrische Polizei.«

Harrigl war ein alter Intimfeind von Kommissar Jennerwein. Er nutzte jede Gelegenheit, ihn anzugreifen. Jetzt stellte er sich in die Schlange der Leberkäsejunkies.

»Was bekommen Sie, Herr Harrigl?«, fragte die Metzgerin, über die Köpfe von sechs Normalsterblichen hinweg. »Eine Diätleberkäse-Semmel, wie immer?«

»Nein, nein, lassen Sie nur«, erwiderte Harrigl. »Ich warte wie alle anderen auch, ich möchte nicht bevorzugt behandelt werden.«

»So ist es recht, Harrigl«, sagte der Schreiner Beppi mit einem Augenzwinkern. »Jetzt hast du schon wieder ein paar Wählerstimmen dazugewonnen.«

»Ich hätte ihm eh keine Semmel gegeben, wenn er wirklich ja gesagt hätte!«, sagte die Metzgerin trocken. Harrigl hatte nicht nur Freunde in der Bevölkerung.

»Und dann diese Graseggers!«, polterte er weiter. »Anstatt dass solche Gesetzesbrecher eingesperrt werden bis an ihr Lebensende, stehen sie auf der Straße und geben Autogramme!«

Die Seiff Martina trat zu Franz Hölleisen und stupste ihn an.

»Ganz unter uns, Hölli«, raunte sie verschwörerisch, »das wart doch ihr von der Polizei, die die Graseggers in den Kurort zurückgeholt haben, stimmts?«

»Nein, wozu denn, die sind ganz von alleine gekommen. Wir haben wirklich was anderes zu tun.«

Hölleisen biss in die zweite Leberkäsesemmel, die er sich gekauft hatte, und warf einen Blick aus dem Fenster. Der Hartl-Hof lag ruhig und friedlich da.

»Es heißt, dass es einer aus dem Ort ist«, sagte die Hartmannsdorfer Traudi.

»Was, einer von uns soll es sein?«, setzte der Presstaler Martin nach. »Das glaubst du doch selber nicht.«

»Ja, ich habe auch schon einen Verdacht.«

Die Hartmannsdorfer Traudi flüsterte dem Presstaler Martin etwas ins Ohr. Der Presstaler Martin verschluckte sich.

»Ja, ein Buch über das Wildern, das wäre schon was«, murmelte der Geschichtslehrer des Werdenfels-Gymnasiums und notierte sich den ersten Satz auf der Serviette: »Schon die alten Römer kannten das Wildern. Wie sie es bezeichneten, ist nicht überliefert, aber Tacitus schrieb in seinem berühmten …«

Franz Hölleisen spürte den Vibrationsalarm seines Mobiltelefons. Er holte es aus der Hosentasche und warf einen Blick auf das Display. Dort erfuhr er, dass Nicole jetzt zehn Minuten im Haus war, und dass sie sich schon zwei Minuten nicht mehr gemeldet hatte.

»Zahlen bitte!«

»Neun zwanzig, Hölli.«

»Ich möchte eine Quittung.«

»Eine Quittung wegen vier Leberkäsesemmeln?«

»Ja freilich, die kann ich bei unserer Versorgungsabteilung absetzen.«

»Bist du denn im Dienst, Hölli?«

»Ein Polizist ist quasi immer im Dienst. Und vergiss die gesonderte Mehrwertsteuer nicht.«

»Hoi, Alter!«, schrie die Kallingerin nach hinten zu ihrem Mann, der gerade eine Ladung frische Weißwürste in den Kessel warf. »Was haben denn Leberkäsesemmeln für eine Mehrwertsteuer?«

»Ich glaube neunzehn Prozent!«, schrie der Kallinger nach vorn. »Weil es Luxusgüter sind.«

Schallendes Gelächter in der Metzgerei. Hölleisen legte einen Zehner auf den Tresen und ging hinaus.

29

»Was machst denn du da!«

Nicole hatte den stockdunklen Raum mit den tropfnassen Wänden mit ihrer kleinen Taschenlampe hastig abgesucht, sie war schließlich auf eine niedrige, unauffällig gestrichene Eisentüre gestoßen. Daneben stand eine kleine abgewetzte Kommode, und Nicole hatte gleich das Gefühl, dass diese Kommode normalerweise immer vor der Tür stand, um diese vor den Blicken neugieriger Recklinghäuser Kriminalkommissarinnen zu verbergen. Sicherlich hatte jemand die Kommode weggerückt und nur vergessen, sie wieder an ihren alten Platz zu schieben. Sie atmete schwerer, sie spürte, wie sich kleine Tröpfchen von Angstschweiß auf ihrer Stirn bildeten. Waren hinter dieser Tür die beiden BKA-Leute zu finden? Nicole blickte auf die Uhr. Die vereinbarten zehn Minuten waren um, eigentlich sollte sie jetzt den Rückzug antreten. Aber wohin diese Eisentüre führte, das wollte sie unbedingt noch wissen. Sie kniete sich auf den Boden und drückte die Klinke herunter. Natürlich war die Tür verschlossen. Doch das alte Doppelbart-Schloss bot ihrer Nagelfeile sicher keinen Widerstand. Sie zog ein Täschchen unter dem Kleid hervor, ein Werkzeugtäschchen mit den wichtigsten Überlebensrequisiten in nassfeuchten Hartl-Kellern, sie öffnete den Klettverschluss, nahm eine flache Feile heraus und setzte sie am Türblatt an. Nicole seufzte. In diesem Fall gab es keine Schlossöffnungs-App, hier musste altwestfälisch manuell gearbeitet werden. Sie zog das Mikro unter dem Kopftuch heraus.

»Kleine kniehohe Eisentür an der Westwand. Ich versuche sie zu öffnen –«

Ein Schatten füllte den Eingang hinter ihr, eine dunkle, knarzige Stimme ertönte.

»Was machst denn du da!«

Sie hatte sein Kommen nicht bemerkt, der Hartl Peter hatte sich lautlos herangeschlichen. Hatte er gehört, was sie ins Mikro gesprochen hatte? Er stand fünf Meter von ihr entfernt in der gegenüberliegenden Tür, sie kniete mit dem Rücken zu ihm vor der kleinen Eisentür. Ein Mikro hing ihr ins Gesicht, in der linken Hand hielt die die sperrangelweit geöffnete Werkzeugtasche, mit der rechten hatte sie die Feile gerade tief seitlich in das altertümliche Schlossblatt geführt. Sie hatte ein Problem. Sie zog die Feile schnell heraus, warf sie in die Tasche und verschloss sie. Um das Kleid anzuheben und die Tasche wieder in ihrem Hüftgürtel zu verstauen, war keine Zeit mehr.

»Imuassaufsheissl!«, krähte sie, rüttelte dabei an der Klinke und schob die Werkzeugtasche schnell unter die Kommode neben der Tür. Dann drehte sie sich um, im Umdrehen schlug sie eine Hand vors Gesicht, als wäre ihr das Gesagte unglaublich peinlich, dabei drückte sie das Mikrophon wieder unter ihr Kopftuch.

»Das Häusl ist woanders.«

Sollte sie es wagen? Sollte sie ihn ganz kleinmädchenhaft neugierig fragen, wohin diese Tür führte? Aber der Hartl Peter kam ihr zuvor.

»Das ist nicht die Häusl-Tür, das ist die Türe, wo wir die bösen Kinder hineinsperren.«

Er lachte dröhnend über den altväterlichen Scherz. Sie riss die Augen auf, zeigte ein erschrockenes Gesicht und begann zu heulen. Es funktionierte.

»Nein, war ein Spaß«, sagte der Hartl beruhigend, »schau her, das ist eine ganz normale Tür. Da kommen keine Kinder hinein, auch keine bösen.«

Er fingerte einen großen Schlüsselbund aus der Hosentasche, bückte sich und sperrte die Tür auf. Dann holte er seine eigene, riesige Taschenlampe aus der anderen Hosentasche und leuchtete hinein. Das war kein weiterer Raum, wie Nicole angenommen hatte, denn in einem Meter Abstand konnte sie eine unverputzte Mauer erkennen. In die Mauer war eine Art Bullauge eingelassen, eine dicke Sichtscheibe aus grobgeschliffenem, schlierigen Glas. Hinter dem Glas erkannte man Wasser. Trübes, schmutziges, langsam dahinfließendes Wasser, das kleine Äste und Laub vorbeiführte.

»Das ist der Mühlbach, den kennst du doch. Der kleine Bach, der an der Kirche vorbeifließt. Bei uns geht er unterirdisch weiter. Und weil er uns den ganzen Keller feucht gemacht hat, haben wir eine Mauer eingezogen.«

Nicole hörte zu weinen auf.

»Aber du musst ja aufs Häusl. Komm mit.«

Der Hartl stapfte voran. Sie stapfte ihm nach. Verdammt, die Werkzeugtasche! Aber ihr fiel keine Ausrede ein, warum sie zurückgehen sollte. Egal, die kleine Tasche würde nicht sofort bemerkt werden. Und wenn, war vielleicht kein Zusammenhang mehr zu ihrem Besuch herzustellen. Das ungleiche Paar stapfte nun einträchtig zurück, vorbei an der Schweineräucherei und der Bierschwarzbrennerei. Sie kamen an keinem Waffenlager vorbei, an keinen Gefängniszellen, in denen zwei verschwundene BKA-Beamte auf Strohpritschen lagen und auf ihre Hinrichtung warteten.

»Ah! Meine Uhr ist stehengeblieben! Genau auf drei!«

Das war eine Nachricht für die Truppe draußen. War die Uhr auf eins stehengeblieben, bedeutete das: Keinerlei Gefahr, ich bleibe, zehn bedeutete: Sofortiger Zugriff! Drei hieß: Abwarten, Schmalznudeln essen.

In der Toilette zog sie die Tür hinter sich zu. Sie ordnete ihr

Kopftuch, dachte kurz daran, zurückzugehen und das Werkzeugtäschchen zu holen, verwarf es aber wieder. Sie blätterte einige Zeitungen durch, die am Boden aufgestapelt waren. *Nobelpreis für Winston Churchill* las sie da und *Volkswagen senkt die Preise für VW Käfer von 4400 DM auf 4200 DM*. Die Zeitung war aus dem Jahr 1953. Sie betätigte die Spülung und ging zurück ins Wohnzimmer.

»Magst noch eine Schmalznudel?«

Warum nicht. Was sollte jetzt noch schiefgehen. Schweigend mampften sie die urbayrische Mehlspeise. Nicole wurde kühn. Sie deutete mit dem Finger nach oben.

»Euer schöner Balkon, wo der Bürgermeister immer redet – darf ich da einmal rauf?«

»Freilich. Geh nur.«

Das durfte doch nicht wahr sein! Da hatten sie so einen Vorbereitungsaufwand getrieben, hatten gestern den ganzen Nachmittag geplant und spekuliert, und jetzt ließ er sie ganz alleine im Haus herumspazieren. Nicole stand auf und ging mit der halben Schmalznudel in der Hand die Treppe hinauf. Sie nahm wieder ein paar Schnupperproben für Fritz, sie schoss einige Fotos für Becker, und bald stand sie auf dem berühmten Balkon. Man hatte von hier aus einen wunderbaren Blick über den ganzen Dorfplatz, und selbst die Ur-Westfälin Nicole konnte verstehen, dass einem hier oben die Lust zu jodeln ankam. Doch sie jodelte nicht.

Drüben vor der Ladentür der Metzgerei Kallinger stand Hölleisen, er biss gerade in eine Leberkäsesemmel und versuchte den heruntertropfenden Senf aufzufangen. Auf der Terrasse des gegenüberliegenden Cafés saß Papa Ostler und studierte die Zeitung, wobei er in regelmäßigen Abständen aufblickte und über das Gelesene nachzusinnen schien. Nicole beugte sich vor. Nebenan im Trachtenladen Sennleiner durchforsteten Jennerwein und Becker die Kleiderständer, sie taten so, als suchten sie geeignete Lederhosen für den nächsten Trachtenball aus. Dabei blieben sie immer in der Nähe des Fensters. Nicole musste fast laut auflachen. Es stach sofort ins Auge, dass diese beiden keine Liebhaber alpiner Mode, sondern Polizisten in Zivil waren. Sowohl Hölleisen wie auch Ostler, Becker und Jennerwein waren auf dem Sprung.

»Hallo, hier auf dem Balkon bin ich!«

Mit einer unwillkürlichen Bewegung blickten alle hoch, und sie glaubte die Erleichterung bis hier oben zu spüren.

»Ich sage noch Tschüs, dann geh ich raus.«

Tschüs sollte sie vielleicht gerade nicht sagen. Sie trat den Rückweg an. Sie ging wieder hinunter in die Stube, um sich zu verabschieden. Doch das Zimmer war leer, keine Spur vom Hartl Peter, dem wilden Werdenfelser Rebellen. Sollte sie die Gelegenheit nutzen und noch einmal in den Keller gehen, um die Werkzeugtasche zu holen? Nein, das war zu riskant. Sie hatte alles, was sie brauchte: Fünf Tütchen mit Geruchsproben und hundert Fotos für Hansjochen Becker.

»Auf Wiedersehen und Dank'schön!«, rief sie noch laut, in eine undefinierte Richtung. Wahrscheinlich war in diesem Haus noch nie solch ein künstliches Bayrisch gesprochen worden. Sie öffnete die Eingangstür und trat ins Freie. Sie atmete durch. Geschafft. Sicherheitshalber machte sie ein paar Umwege, um zum Polizeirevier zu kommen. Touristen fotografierten sie, Einheimische warfen Münzen in ihre Rasselbüchse. Ein Japaner fragte sie, ob denn das, was sie trug, die Original Werdenfelser Tracht war.

»Jou freili«, antwortete sie und lief weiter.

Auf dem Revier waren alle Mitstreiter schon versammelt. Nicole Schwattke berichtete kurz von ihrem Streifzug durchs Haus.

Sie bemerkte, dass sich ein klein bisschen Enttäuschung auf den Gesichtern breitmachte.

»Ich fürchte, die Aktion ist ergebnislos verlaufen«, sagte Nicole. »Dieser Hartl Peter ist zwar ziemlich bärbeißig, aber ich glaube nicht, dass er der Typ ist, zwei ausgebildete BKA-Leute in die Falle zu locken und festzuhalten.«

»Ich will erst die Bilder auswerten, die Sie gemacht haben«, warf Becker ein. »Dann kann ich mir einen richtigen Eindruck von diesem Hartl machen.«

»Schade«, sagte Nicole. »Ich habe fast im ganzen Haus fotografiert. Nur von dieser komischen Schutzwand mit dem Bullauge gibt es leider keine Bilder.«

»Öffnen Sie bitte die Tütchen mit den Geruchsproben, Nicole«, sagte Jennerwein.

Sie riss ein Tütchen nach dem anderen auf. Fritz lag faul unter dem Tisch des Besprechungszimmers, er zeigte keinerlei Regung. Er drehte nicht einmal den Kopf in Richtung des Geraschels.

»Und jetzt mal die Gegenprobe«, sagte Maria. »Ein Fuzzelchen von Dombrowskis Pullover.«

Sie öffnete eines der Tütchen, die sie von der Hundetrainerin bekommen hatte. Mit einem eigenartig knurrenden Gejaule sprang der Hund auf und lief auf Maria zu. Er schien außerordentlich erregt zu sein. Dann bellte er mehrmals. Er beruhigte sich erst wieder, als ihm Maria ein Stück der *1a Hundekekse* gab.

»Es wäre auch zu schön gewesen«, sagte Stengele

»Und wo habt ihr auf einmal so viel Geld her?«, fragte Mama Ostler mit einer bösen Vorahnung.

»Wir kommen gerade vom Feuergeldsingen.«

»Das gibt es doch schon fünfzig Jahre nicht mehr.«

»Wir haben den alten Brauch wieder aufleben lassen.«

»Da stimmt doch was nicht. Tim! Wolfi! Ihr lügt mich doch nicht an?«

»Nein, in dem Fall einmal nicht, Mama.«

»Na gut, wenn das so ist, dann geht ihr jetzt zur Bergwacht rüber und liefert das Geld ab.«

»Aber wir haben eher gedacht –«

»Was habt ihr gedacht?«

»Ist schon gut. Wir liefern es ab.«

»Wer war denn das?«, fragte die Hartl-Bäuerin ihren Mann.

»Eine Fotografin«, sagte der Hartl Peter.

»Und? Hast du sie überall fotografieren lassen?«

»Überall nicht«, sagte der Hartl.

30

Er zündete ein weiteres Streichholz an und ließ es vollständig abbrennen, bis seine Finger schmerzten. Er konnte nicht glauben, was er dort sah. Es war eine Szene wie aus einem schrecklichen Albtraum. Für einen Moment vergaß er sogar seine pulsierenden Kopfschmerzen, der Anblick war einfach zu schockierend. In dieser Ausbuchtung der tunnelartigen Höhle war an der gegenüberliegenden Wand eine Ansammlung menschlicher Knochen zu erkennen. Im schwachen Schein des Streichholzes erkannte er, dass es vollständige Skelette waren, die zum Teil noch in Resten von Kleidung steckten, es war eine Grabstätte des Grauens. Die ebenfalls herumliegenden Taschen, Beutel und Rucksäcke waren erstaunlich gut erhalten. Das Streichholz erlosch wieder, er zündete ein neues an. Er trat ein paar Schritte näher. Es musste sich um fünfzehn oder zwanzig Körper handeln, sie waren alle vollständig skelettiert, und er konnte einige Gegenstände dazwischen erkennen. Ein Teil fiel ihm sofort ins Auge: Ein Schulranzen, vielleicht war es auch ein Tornister oder ein altertümlicher Rucksack. Außen baumelte Kochgeschirr, eine Pfanne und eine Tasse aus Aluminium. Dann entdeckte er das Holz. Er sah, dass es ein brüchiger, trockener Baumstamm war. Beherzt griff er in den Knochenhaufen und zog ihn heraus. Krachend fiel ein Skelett zur Seite. Er betrachtete das Stück Holz, er befühlte es. Es war staubtrocken. Konnte er es wagen, damit Feuer zu machen? Er sah sich um. Die Höhle war geräumig genug. Und wenn das Feuer aus irgendeinem Grund wirklich um sich griff, konnte er es mit Wasser löschen. Er hielt das Streichholz an den Baumstamm, er fing sofort Feuer, bald loderten helle Flammen. Er rieb sich die Hände. Nun konnte er sich ein wenig aufwärmen.

Es sind 18 Skelette, die meisten auf den ersten Blick vollständig. Vielleicht ein Grab oder eine Krypta. Fast jedes Skelett hat eine Tasche, einen Tornister, einen Sack oder ähnliches dabei – vielleicht Grabbeigaben. Habe mich noch nicht überwinden können, die Taschen zu untersuchen. Einer trägt einen Anzug aus festem Stoff, aus grobem Leinen. Den Knöpfen nach zu urteilen, ist es eine Militäruniform.

Er ließ den Stift sinken. Bei einem der Skelette hatte er ein besonders beunruhigendes Detail entdeckt. Das obere Drittel des Schädels fehlte. Der Schnitt war sauber und scharfkantig, chirurgisch präzise ausgeführt worden.

31

Hansjochen Becker drehte das Notebook herum, damit alle auf den Bildschirm sehen konnten.

»Kommissarin Schwattke hat ja fleißig fotografiert, und ich habe ihre schönsten Schnappschüsse herausgepickt.«

Ein Bild mit sechs an der Decke hängenden Tierkadavern erschien.

»In diesem Raum schlug mir schon von draußen ein ätzender, süßlicher Gestank entgegen«, sagte Nicole. »Im ersten Augenblick befürchtete ich das Schlimmste, aber dann habe ich gesehen, dass bei Hartls wohl Schweine geräuchert werden.«

»Das mit dem Räuchern ist richtig«, sagte Becker. »Was wir hier allerdings sehen, meine Damen und Herren, sind sechs ausgewachsene Exemplare des *Capreolus capreolus*, im Volksmund auch Reh oder Trughirsch genannt. Und übrigens, Nicole: Schweine häutet man nicht. Wo soll denn sonst die krosse Kruste herkommen!«

»Ich höre wohl nicht richtig«, warf Maria Schmalfuß ein. »Wir fingieren hier mit viel Mühe ein Wilderer-Drama – und der Hartl Peter ist ein echter Wilderer?«

»Das ist nicht gesagt«, entgegnete Jennerwein. »Er kann das Wildbret auch legal erworben haben. Räuchern ist nicht verboten. – Aber was um Gottes willen ist denn das für eine Höllenmaschine?«

Auf dem nächsten Bild war eine Ansammlung von Apparaturen, miteinander verbundenen Gläsern und losen Drähten zu sehen.

»Vielleicht ist der Hartl ein Aktionskünstler, und das ist eine Installation für die nächste *documenta* in Kassel?«, scherzte Maria. Niemand lachte.

»Das sieht mir eher nach einem Schnapsbrennkessel aus«, sagte Hölleisen.

»Nein, eine Schnapsbrennerei ist das auch nicht«, sagte Ostler nachdenklich. »Irgendwo habe ich diese Anordnung von Geräten und Flaschen schon einmal gesehen. Aber in anderem Zusammenhang.«

»Meine Herrschaften, wir müssen uns auf unsere eigentliche Aufgabe konzentrieren«, sagte Jennerwein mit großer Dringlichkeit. »Die Zeit läuft uns davon. Becker, haben Sie noch etwas Auffälliges auf den Bildern entdeckt?«

»Kommissarin Schwattke hat jeden Quadratmeter Wand, Boden und Decke abgelichtet. Ich habe mir alles mehrmals angeschaut. Ich kann weder geheime Gänge noch doppelte Böden erkennen. Das einzig Auffällige ist diese sonderbare Eisentür.«

»Konzentrieren wir uns auf diesen unterirdischen Wasserstrom«, sagte Jennerwein. »Nach den Plänen, die uns das Wasserwirtschaftsamt sowie das Bauamt gegeben haben, fließt kein Bach in der Nähe des Hartl-Hofs, weder über- noch unterirdisch.«

»Aber ich habe mich nicht getäuscht«, sagte Nicole. »Ich habe das Wasser fließen sehen.«

»Es gibt jedenfalls Hohlräume, von denen wir nichts wissen, die hier nicht eingezeichnet sind und die man von außen nicht erkennen kann. Hohlräume, die durchaus als Versteck dienen können. Und wegen dieser Hohlräume müssen wir wissen, wie der Bach wirklich verläuft.«

»Ich vermute, dass es eine Abzweigung gibt«, sagte Stengele und deutete auf die Karte. »Der Mühlbach fließt an der Kirche vorbei, verläuft ein kurzes Stück unterirdisch, taucht dann da drüben wieder auf.«

»Warum verläuft er überhaupt unterirdisch?«, fragte Maria.

»Es gab in den letzten Jahren immer wieder heftige Hochwasser im Ort«, sagte Ostler. »Dabei ist auch dieser kleine Bach ziemlich angeschwollen und hat viel Schaden verursacht. Deswegen hat er ein unterirdisches Bett bekommen.«

Jennerwein stand auf.

»Ich würde vorschlagen, wir gehen mal schnell zur Kirche hinüber und machen uns persönlich ein Bild.«

»Und Sie glauben im Ernst, dass der Wilderer Kirchenasyl bei uns beantragt hat?«, sagte der Pfarrer und lachte schallend. Hochwürden Hammer war ein gemütlich aussehender Mann, den sie in der Sakristei bei seinen Messvorbereitungen angetroffen hatten.

»Also ganz ehrlich«, sagte er, »wenn ich Wilderer wäre, würde ich mir nicht die Kirche mitten im Ort auswählen.«

»Vielleicht sind Sie ja der Wilderer«, sagte Maria.

Hammer lachte wieder herzhaft. Hubertus Jennerwein blickte sich um. Er war schon Jahrzehnte nicht mehr in der Pfarrkirche St. Martin gewesen, in dieser über und über mit goldenen Putten und Engeln verzierten Barockkirche. Sein erster Blick fiel auf die Empore, auf der bei Gottesdiensten der Kirchenchor oder das Orchester Platz fand. Er selbst hatte nie im Kirchenchor gesungen. Er war in seinem Leben noch nie auf dieser Empore gewesen. Das hatte seinen Grund. Seine Großmutter hatte ihm damals erzählt, dass dort oben der Teufel säße, um sich diejenigen Kinder herauszugreifen, die zu spät in die Kirche kamen. Er würde sie auf die Empore hochziehen und mit ihnen dann für immer und ewig in die Hölle verschwinden.

»Aber da stimmt doch was nicht!«, hatte er damals als Fünfjähriger widersprochen.

»Warum soll da was nicht stimmen?«

»Der Teufel müsste doch eine große Freude daran haben, dass die Kinder zu spät zur Heiligen Messe kommen.«

»Hat er ja auch.«

»Ja schon, aber dann müsste der Teufel doch von der Empore aus eher Beifall klatschen und das Kind wieder hinausschicken und ihm sagen, dass es noch später – vielleicht sogar gar nicht mehr kommen soll.«

»Da schau her: Fünf Jahre ist er alt, der gottlose Bub – und will *mir* etwas vom Teufel erzählen!«

Maria ließ nicht locker. Sie versuchte es jetzt mit Charme.

»Hochwürden, nur eine theoretische Frage: Wo würden Sie denn jemanden verstecken, wenn er Kirchenasyl beantragen würde?«

»Nun ja, wir haben eigentlich keinen Platz für so etwas«, erwiderte Pfarrer Hammer lächelnd. »Vielleicht würde ich ihn auf den Glockenstuhl schicken. Oder auf die Empore, hinter die Kirchenorgel. Aber in dieser Kirche ist das meines Wissens noch nicht vorgekommen.«

»Und wenn es vorgekommen wäre, dann würden Sie es ausgerechnet uns, den Vertretern der Staatsmacht, kaum verraten, stimmts?«

Und abermals lachte der gemütliche Priester dröhnend.

»Was ist eigentlich mit dem Bach, der an der Kirchmauer vorbeifließt?«, fragte Jennerwein.

Das Lachen Hammers verstummte

»Ich weiß, worauf Sie hinauswollen«, sagte er zögernd. »Dann sollte ich Ihnen wohl unseren Keller zeigen. Kommen Sie mit.«

Die Beamten folgten dem Pfarrer. In der Sakristei führte eine Treppe nach unten in ein überraschend geräumiges Untergeschoss. Schon wieder ein Keller, dachte Nicole.

»Die Kirche selbst ist fast dreihundert Jahre alt. 1730 war die Grundsteinlegung. Der Keller wurde allerdings erst später ausgebaut.«

Nicole zog die Augenbrauen hoch. Der Pfarrer bemerkte das. Er wurde verlegen.

»Wir bekamen Probleme mit dem Wasser des Baches«, sagte er fast entschuldigend. »Wir haben ihn in eine Röhre gesperrt und führen ihn unterirdisch durch.«

Er öffnete eine weitere Tür, und hier war eine meterdicke Betonröhre zu sehen, diesmal ohne Bullauge.

»Führt der Bach am Hartl-Hof vorbei?«

»Nein, nicht dass ich wüsste. Der Mühlbach kommt hundert Meter weiter, in der Nähe des Kurparks wieder an die Oberfläche.«

»Ich will mir die Röhre genauer ansehen«, sagte Becker. »Gibt es einen Einstieg? Oder wenigstens eine Öffnung?«

»Natürlich, natürlich!«, sagte Hochwürden Hammer, viel zu schnell, viel zu beflissen. Die Ermittler blickten einander unauffällig an: Dieser Pfarrer war hochnervös. Er hatte etwas zu verbergen. Der Pfarrer zeigte auf eine Stelle auf der Oberseite der Röhre, hier war ein Deckel von einem halben Meter Durchmesser eingelassen.

»Ich habe mich nie darum gekümmert. Ich glaube, der TÜV kommt alle fünf Jahre und überprüft das.«

Jennerwein fragte gar nicht erst, wer denn einen Schlüssel zu diesem Raum hatte. Die Türschlösser im ganzen Kirchengebäude waren so altertümlich, dass man sie mit einer Werbebroschüre vom Getränkemarkt aufwedeln konnte. Becker zog eine Rohrzange heraus und öffnete damit den Deckel. Jeder, auch Pfarrer Hammer, warf einen Blick ins Innere der Röhre. Eine trübe, bräunliche Flüssigkeit schwappte an die Betonwände. Der faulige Geruch nahm einem den Atem.

»Und Sie meinen, dass der Wilderer durch diese Röhre verschwunden ist?«, fragte Hammer skeptisch. »Dann war er sicher von knabenhafter Gestalt.«

»Wann ist der TÜV das letzte Mal dagewesen?«, fragte Becker.

»Die letzten zwei Jahre nicht. Warum fragen Sie?«

»Dieser Deckel hier ist regelmäßig geöffnet worden. Wenn er

vor zwei Jahren das letzte Mal geöffnet worden wäre, dann ließe er sich nicht so leicht drehen. Und sehen Sie sich die Kratzspuren am Rand an: Die sind ganz frisch.«

»Sind Sie sicher?«, fragte Jennerwein.

»Ganz sicher.«

»Haben Sie eine Ahnung, Herr Pfarrer, wer da –«

»Keine Ahnung.«

Das kam wie aus der Pistole geschossen. Hochwürden war ein schlechter Lügner. Sie stiegen wieder hoch. Plötzlich krähte ein Hahn. Und er krähte ein zweites Mal.

»Mein Klingelton«, sagte der Pfarrer entschuldigend und zog sein Handy hervor. »Markus, 14,30 – Sie wissen schon.«

»Und wer von uns soll da reinkriechen?«, fragte Maria, als der Pfarrer sich entfernt hatte. Alle hatten noch das asthmatische Gegurgel des eingesperrten Mühlbachs im Ohr.

»Ich weiß schon jemanden«, sagte Becker. »Gisela wird es machen. Gisela wartet auf diesen Einsatz. Was sage ich: Sie brennt darauf.«

Gisela wurde immer dann geholt, wenn es etwas zu tun gab, was sonst niemand machen wollte. Sie zählte zweiunddreißig Jahre, war einssiebzig groß, sportlich, seit neuestem brünett. Sie war ursprünglich Amerikanerin, hatte lange fürs FBI gearbeitet – was genau, das wusste niemand so recht. Sie war dann ausgemustert worden, weil es neuere, bessere Giselas gab. So ist das eben mit den Giselas. Die bayrische Polizei hatte sich ihrer erbarmt und sie ausgelöst. Sie war ein Schnäppchen gewesen, sie kostete nicht viel mehr als ein Mittelklassewagen, und ihre Anschaffung hatte sich mehr als gelohnt. Gisela war ein Dummy, ihr Inneres quoll über von technischen Messgeräten, und sie war Beckers ganzer Stolz. Er hatte sie weiterentwickelt, er hatte endlos an ihr herumgebastelt. Sie überlebte Kugelhagel aus Maschinenpistolen, Stürze aus großer Höhe, Autocrashs und Explosionen.

»Das wird ihr erster Einsatz unter Wasser werden«, sagte Becker. »Sie wird durch die Röhre schwimmen, sie wird uns Abzweigungen melden, sie wird Proben nehmen, und sie wird fleißig fotografieren und filmen. Und wenn sie angegriffen wird, wird sie sich zu wehren wissen.«

»Ich bin nicht beleidigt, dass ich nicht hinuntergeschickt werde«, sagte Nicole und deutete auf die hellbraune Brühe.

»Gisela wird das hinbekommen«, sagte Becker. »Wir verfolgen ihre Bewegungen auf dem Bildschirm.«

»Als nun der Wolkenbruch kam«, zitierte Jennerwein, *»und die Wassermassen heranfluteten, als die Stürme tobten und an dem Haus rüttelten, da stürzte es nicht ein, denn es war auf Fels gebaut.* Das ist Matthäus 7, 24. In diesem Fall wäre es kein Fels, sondern noch stabileres Material: Glaube.«

»Ganz schön bibelfest, Chef.«

»Gelernt ist gelernt.«

Hansjochen Becker, Hubertus Jennerwein und Nicole Schwattke besprachen die weitere Vorgehensweise, sie telefonierten mit der technischen Abteilung, es stellte sich heraus, dass Gisela heute Abend schon einsatzbereit sein konnte. Maria hatte sich etwas abgesondert und schlenderte zusammen mit dem Hund wie beiläufig zu Pfarrer Hammer.

»Ist es für Sie in Ordnung, dass wir den Keller Ihrer Kirche für ein paar Stunden blockieren?«

»Natürlich, es ist doch ein offizieller Polizeieinsatz.«

»Ich würde Sie trotzdem bitten, Diskretion walten zu lassen, bis wir die Untersuchungen abgeschlossen haben.«

Hammer nickte. Er ließ sich jetzt nicht mehr anmerken, dass er nervös war. Vielleicht hatte ihn ja auch das Telefongespräch beruhigt. Fritz schnupperte in der Sakristei herum, im Kirchenschiff und auf der Empore. So viel Weihrauch hatte er wohl noch nie eingeatmet. Er verhielt sich jedoch ruhig.

»Wie läuft es eigentlich mit unserem Wildschütz, Becker?«, fragte Jennerwein, als sie den Kirchhof verlassen hatten.

»Sehr gut! Ihre Idee ist voll aufgegangen. Wir bekommen jede Menge Informationen.«

»Gerade eben war wieder eine interessante dabei«, sagte Stengele. »Da wird doch das neue Hotel gebaut. Ein Luxushotel für die Geldigen. Es sind ausländische Investoren, die Anlage ist riesig, die Tunnel, die gegraben wurden, sind unübersichtlich. Ich werde da mal vorbeischauen. Vielleicht kann ich Fritz mitnehmen.«

»Becker, lassen Sie den Wilderer trotzdem mal wieder im Ort erscheinen«, sagte Jennerwein. »Sein letzter Auftritt ist schon zwei Tage her, das Interesse der Bevölkerung sollte nicht erlahmen.«

»Wie wäre es, wenn Nicoles Mann just zu der Zeit durch den Ort läuft, wenn wir den Mühlbach mit Gisela untersuchen?«

»Chapeau, Becker.«

Jennerwein war schon als Kind ausgesprochen hartnäckig gewesen.

»Traut sich denn der Teufel überhaupt in die Kirche hinein?«, hatte er damals seine Oma gefragt. »Da drinnen wimmelt es doch nur so von Kreuzen!«

»Vielleicht geht er rein ohne hinzuschauen!«

»Steht er nicht eher draußen vor der Kirchentür, vielleicht sogar vor der Kirchhofsmauer und hält die Kinder dort vom Kirchgang ab?«

»Vielleicht klingelt er schon in aller Früh bei den Kindern. Dann überredet er sie, nicht in die Kirche zu gehen.«

Seitdem musste Jennerwein oft an diese Geschichte denken, wenn es an der Tür klingelte.

32

Die Familienzusammenführung mit seiner Frau hatte sich Schnäuzelchen ganz anders vorgestellt, aber ganz anders. Auf jeden Fall gemütlicher. Jetzt lief er schon seit zehn Minuten mit geschwärztem Gesicht über die Kuhweiden am Rande des Kurorts, und die ungewohnte Wilderertracht kniff ihn an allen Ecken und Enden.

Nicoles Ehemann – und niemand anderer als er war Schnäuzelchen – war gut in Form, er war einmal ein ausgezeichneter Langstreckenläufer gewesen, über die 5000-Meter-Distanz hatte ihm im Polizeisportverein niemand etwas vormachen können, er war bei allen Wettbewerben unter neunzehn Minuten geblieben. Nicht zuletzt wegen seiner läuferischen Fähigkeiten war er für diesen verdeckten Auftrag ausgewählt worden. Als Einsatzort hatte sich das Polizeiteam auf die viel beradelten und gerne bewanderten Wege geeinigt, die zum beliebten Ausflugsziel Riessersee führten. Während Nicole vermutlich noch gemütlich im Auto saß, trabte Schnäuzelchen die Ochsenangerstraße hinunter. Damit man seinen Weg zur Pension Panoramablick, in der er wohnte, nicht zurückverfolgen konnte, hatte er sich über einige Umwege hierher geschlichen, sich hinter einem Heuschober umgekleidet, um dann erst seinen Schaulauf zu starten. Als er in die St.-Martin-Straße einbog, blieben auch schon die ersten Passanten stehen. Sie nahmen ihre Kinder an der Hand, vielleicht befürchteten sie, gleich Zeuge einer wilden Schießerei zu werden. In der Raiffeisenstraße erhöhte er das Tempo. Vor ihm auf dem

Fußweg sah er einen kräftigen Mann mit Pferdeschwanz, der noch unschlüssig zu sein schien, ob er sich ihm in den Weg stellen sollte. Es war ein Türstehertyp, dazu passte auch der unruhig hechelnde Schäferhund, den er an der Leine hielt. Schnäuzelchen verlangsamte das Tempo etwas. Mist! Auf der Straße kam ihm ein Lieferwagen entgegen, er musste auf dem Fußweg bleiben. Der Türsteher trat ihm einen Schritt entgegen, er war noch zehn Meter von ihm entfernt. Was sollte er jetzt tun? Er wollte es natürlich auf keinen Fall auf ein Handgemenge oder gar einen Kampf ankommen lassen. In solch einem Fall war vereinbart worden, sich geschlagen zu geben und an die Polizei ausliefern zu lassen. Damit wäre das Wildererdrama natürlich beendet gewesen. Der Türsteher da vorne wuchs. Und er bekam ein grimmiges Gesicht. Vom Sportlertyp war er eher Hammerwerfer oder Gewichtheber, dachte Schnäuzelchen, vielleicht Mittelgewichtsboxer oder Kampfsportler – der legendäre *Kran von Mittenwald* vielleicht? Doch jetzt trat der Pferdeschwanz einen Schritt zurück, er zog seinen Schäferhund aus dem Weg und machte ihm Platz.

»Viel Glück!«, rief er. Schnäuzelchen bedankte sich mit dem Daumen nach oben. Das war Werdenfelser Lebensart! Eine Grundsympathie der Bevölkerung für alle Wilderer, Freibeuter, Quertreiber, Revoluzzer und Rebellen. Er konnte sich noch gut an eine Episode erinnern, als er in Tegernsee stationiert war. Die Polizei musste eine richterlich angeordnete Haussuchung bei einem ortsbekannten Wilderer durchführen. Im Haus waren die Wände über und über mit Hirschgeweihen und Krickerln bedeckt gewesen.

»Habe ich alles auf dem Flohmarkt gekauft!«

Natürlich, was sonst! Draußen im Garten weideten junge Gemsen. Eine davon war so klein, dass der Wilderer sie mit dem Milchfläschchen aufziehen musste.

»Die Eltern der Kitze sind bei einem Autounfall ums Leben

gekommen!« Na klar! Beim Rückweg war das Polizeiauto mit Eiern und Steinen beworfen worden.

Schnäuzelchen wechselte die Straßenseite. Da vorne kreuzte die Innsbrucker Straße. Jetzt war es so weit. Das silberglitzernde Blaulichtmonster schoss heran, stellte sich quer und versuchte ihm den Weg abzuschneiden. Polizeiobermeister Ostler saß am Steuer, Nicole riss die Tür auf und sprang mit gezogener Dienstpistole heraus.

»Halt, bleiben Sie stehen«, rief sie. Er blieb nicht stehen, und die Verfolgungsjagd begann. Sie musste achtgeben, dass sie ihn nicht einholte, sie war eine gute Kurzstreckenläuferin. Sie wollten die Innsbrucker Straße entlanglaufen, dann weiter auf der Koppelstraße, die ortsauswärts führte. Der Plan sah vor, dass ihm Nicole ein paar hundert Meter nachrannte, dann erschöpft sitzen blieb. Er sollte in Richtung Herrschlbauer-Wiese laufen, die etwas unterhalb der Straße lag. An einer nicht einsehbaren Stelle sollte ihn Ostler mit dem Polizeiwagen einsammeln. Noch lief Nicole hinter ihm und hielt brav Abstand. Sie war noch nicht so außer Atem wie er, sie hätte ihn leicht einholen können.

Komisch, dachte sich der Rothe Heiner, der Jugendtrainer der Leichtathletikgemeinschaft Werdenfels, der gemütlich auf der Gartenbank saß und ein Pfeifchen Koriander rauchte, komisch, die Polizistin hat so eine gute Sprinttechnik und kommt ihm nicht hinterher. Nicoles Mann hatte noch etwa sechs- oder siebenhundert Meter zu laufen. Nicole schrie in gewissen Abständen *Halt, stehenbleiben!*, einmal schoss sie sogar in die Luft, das fand er etwas zu dramatisch, aber so war es ausgemacht. Vor ihm lag schon die Herrschlbauer-Wiese, gleich musste er den Fußweg nehmen, der hinunterführte. Und dann geschah etwas ganz und gar Unerwartetes. Ein Pick-up, ein Truck, irgendein großer Ami-Schlitten jedenfalls überholte ihn und bremste mit kreischenden Reifen, sein erster Blick fiel auf das Nummernschild: Es war abgeklebt. Der Pick-up blieb stehen und verwehrte ihm so den Weg nach unten in den Hohlweg. Es war ein amerikanischer Chevrolet mit einer offenen Ladefläche, wie es viele im Landkreis gab. Was war das für ein Knallkopf? Vielleicht ein zugekiffter GI, der auf die Idee gekommen war, die deutsche Polizei zu unterstützen? Schnäuzelchen überlegte. Sollte er auf das freie Feld hinauslaufen? Da würde ihm bald die Puste ausgehen, das wusste er. Er blieb stehen und stützte sich mit den Händen auf den Oberschenkeln auf.

»Spring rauf, Dummkopf!«

Das war eine schrille Frauenstimme, er schaute hoch, und er sah, dass ihm die Fahrerin des Pick-ups winkte. Mist, jetzt musste er das Spiel mitmachen! Er nahm Anlauf und sprang mit einem Satz auf die Ladefläche des Chevrolet. Er war vollkommen außer Atem. In fünfzig Meter Entfernung stand Nicole, mit der Dienstwaffe in der Hand. Sie stützte sich ebenfalls mit den Händen auf den Oberschenkeln auf. Fast wäre er wieder von der Ladefläche gerutscht, so ruckartig startete die Irre da vorne durch. Die Reifen drehten durch, er selbst konnte sich gerade noch mit der Hand an einem Bügel im Inneren des Laderaums festhalten. Das Gesicht Nicoles wurde immer kleiner, sie schoss noch einmal in die Luft, dann war sie verschwunden. Es war eine Wahnsinnsfahrerin, die ihn da aufgelesen hatte. Sie bretterte die Straße ortsauswärts, ihm wurde langsam übel. Wieder herunterzuspringen hatte keinen Sinn mehr, dazu hatte der Wagen viel zu viel Fahrt aufgenommen. Er stützte sich mit den Füßen so gut es ging ab, er spreizte sich ein, um von dieser Teufelin nicht abgeschüttelt zu werden. Hatte er vorher nicht noch eine Gestalt auf dem Beifahrersitz gesehen? Egal. Jetzt kam eine Steigung. Das musste die Straße sein, die zum Riessersee hinaufführte. Der Jeep legte sich in die Kurven. Es hatte gar keinen Sinn, etwas nach vorne zu schreien. Und eines war klar: Da oben am See war

Endstation, da führte keine Straße weiter nach oben – außer die Wahnsinnige nahm den Bergweg.

»Vielleicht ist er uns nützlich!«, schrie die Wahnsinnige nach rechts, und die Frau auf dem Beifahrersitz schrie zurück.

»Was willst du mit ihm? So eine spontane Aktion können wir jetzt gar nicht brauchen!«

Der Motor heulte auf, Wanda musste noch lauter schreien.

»Wir lassen ihn laufen, Nadja, wir sind genug Leute. Er hat unser Gesicht nicht gesehen, wir können ihn einfach gehen lassen.«

»Wir könnten ihn aber auch zu Dombrowski bringen.«

»Ich habe Nein gesagt. Und jetzt ist Schluss mit dem Unsinn. Solche Alleingänge dürfen nicht mehr passieren, verdammt nochmal!«

Schnäuzelchen hatte richtig befürchtet. Die Wahnsinnige nahm den Bergweg. Nach dem Parkplatz des Hotels Riessersee ging es hinauf. Was heißt hinauf – die ersten Meter kam es Nicoles Mann vor, als würde er mit einer Schnur senkrecht nach oben gezogen. Der Wagen musste ein paar PS mehr haben als ein schlichter Dienst-BMW der bayrischen Polizei. Die Reifen des Chevrolet griffen gut, sie gewannen an Höhe, er wagte nicht, von der Ladefläche aus hinunterzuschauen. Er drehte sich auf den Bauch, und ließ so den Ritt auf den Katzenstein über sich ergehen.

»... du noch ... da?« schrie die Frau da vorne nach hinten. »Halt ... fest ... Gleich ... Ziel!«

Was hatten die vor? Er war unbewaffnet, er trug nichts bei sich, was darauf hingedeutet hätte, dass er Polizeibeamter war. Das war einerseits gut so, andererseits – Der Motorenlärm ließ etwas nach. Sie waren auf ein weniger steiles Wegstück gekommen, endlich hielt der Wagen. Der Motor erstarb, eine Handbremse wurde gezogen. Plötzlich Bergesstille, Bienengesumme und fernes Glockengeläute. Autotüren wurden aufgerissen und wieder zugeschlagen. Eilige Schritte auf Kies. Ein Knacken, das man hört, wenn ein Sturmgewehr entsichert wird. Dann wurde alles schwarz.

33

In der Lounge einer Event-Agentur, bestes Viertel, fünfzehnter Stock, mit Blick auf die Alpen. Event-Manager in Maßanzügen und stylischen Neil-Barrett-Hemden mit aufgemalten Fake-Krawatten sitzen um einen spiegelblanken Tisch. Es werden Canapés und Fingerfood gereicht. Einer fällt ein wenig aus dem Rahmen. Er trägt einen gezwirbelten Schnurrbart, hat jedoch ebenfalls ein aufgeschlagenes Notebook vor sich, auf das er angestrengt starrt. Ein Ober geht mit einer Vorspeisenplatte herum.

Ober Gamsfleischpflanzln auf Bananenblättern? Zweierlei Kaviar in Erdbeer-Sorbet?

Alle lehnen ab. Nur der Mann mit dem gezwirbelten Schnurrbart nimmt sich ein Gamsfleischpflanzl. Einer der Event-Manager greift vorsichtig zum Telefon.

Event-Manager Ich kann mich auch täuschen. Aber ich glaube, er sitzt hier bei uns.

Nach ein paar Sekunden erscheint draußen ein Hubschrauber, der sich dem großen Fenster bedrohlich nähert.

Stimme aus dem Lautsprecher Dies ist ein Polizeieinsatz. Geben Sie auf, Sie haben keine Chance mehr!

Die Event-Manager laufen kreischend weg. Der Mann mit dem Schnurrbart bleibt als Einziger sitzen.

Wilderer Den Düwel ook, dat war knapp!

34

Oliver Krapf saß in einem überfüllten Zug, er war fast pleite, er hatte Hunger, er hatte sich seit seinem zehnten Geburtstag nicht mehr gewaschen – doch all dem schenkte er keine große Beachtung. Er war auf dem Heimweg. Er war Odysseus kurz vor Ithaka, ein verschärfter Odysseus allerdings, einer, der eventuelle Sirenen draußen auf den Wiesen und Feldern gar nicht gesehen hätte, der ihr klagendes κομμ κραπζ! (»Komm, Krapf!«) gar nicht gehört hätte, sondern stur heimwärts gefahren wäre, hin zu seinem Schreibtisch, ins Land der digitalen Herrlichkeit. freu_grins2.0-Hallelujanochmal! Straßburg flog vorbei. Die Münze mit der Post abzuschicken war ein cleverer Schachzug gewesen. Langsam wurde er lockerer. Er war jetzt ein schwerreicher Junge. Mit dem Geld würde er eine Computerfirma gründen und die geilsten Informatiker der Welt engagieren, zum Beispiel Bhash Bhatkhande aus Indien! Oder den Superhacker G_H aus Kalifornien, ja, den auf jeden Fall. Er würde für sie alle eine Villa mit Garten mieten. Zum Frühstück würde er mit der neuesten Ausgabe der firmeneigenen Zeitschrift *Krapf's* erscheinen, er würde das Hochglanzmagazin locker auf den Tisch werfen und die neuesten Projekte in Gang bringen. Hi, folks! Sucht mir bis zum Mittagessen einen Grund für Schicht 8 des ISO/OSI-Modells, entwickelt am Nachmittag eine elegante Spracherkennungs-Software.

Er schlenderte den langen Zug zweimal auf und ab, jetzt schon vollständig gelockert. Und weil Krapf ein hübscher Knabe war, nickten ihm ein paar Mädchen sirenenhaft aufmunternd zu. Er beachtete sie überhaupt nicht. Natürlich nicht, so kurz vor Ithaka hatte es Odysseus auch eilig gehabt.

Endlich fuhr der Zug in den heimatlichen Bahnhof ein. Er musste sich zwingen, nicht gleich loszuspurten, um noch schneller an seinem heimatlichen Rechner zu sitzen. Was war das bloß für eine abartige Idee gewesen: eine Reise ohne digitale Unterstützung zu machen! Wie wenn Columbus damals mit einem Schlauchboot losgefahren wäre. Er sprang aus dem Zug. Er sprang aus der S-Bahn. Er riss den Briefkasten auf. Natürlich war die Münze noch nicht angekommen. Er stürmte hinauf in seine Schülerbude, die ihm seine Eltern gemietet hatten. Schon seit ein paar Monaten wohnte er allein, darüber war er jetzt sehr froh. Er konnte gleich loslegen, ohne von neugierigen Altvorderen mit bistjagarnichtbraungeworden-Sprüchen gestört zu werden. Er fuhr den Rechner hoch, setzte inzwischen eine SMS ab: *Hi Tina, es geht mir gut. Bitte nichts an meine Eltern, OK? Gr. O.* Er schickte die SMS ab, dann fiel ihm ein, dass Tina wegen der Digital-Askese nichts dabei hatte, womit sie eine SMS empfangen konnte. Wo sie wohl sein mochte? Sein Display blinkte auf. *Mir gehts auch gut*, simste Tina zurück, *sind gerade am Strand von Casablanca.* Also doch, dachte Krapf. Tina, du kleines Biest.

Die Programme waren hochgefahren, und jetzt konnte man den wahren, den echten, den authentischen Krapf sehen, den Krapf, der quasi mit dem Rechner verwuchs, der eine selbstverständliche Einheit mit ihm bildete, der hineinkroch in die unendlichen Weiten des unbegrenzten Informationsmeeres, eine Art Zentaur: halb Mensch, halb stierköpfige Maschine. Er prüfte es nochmals nach: Der Graf von Aragon, Großherzog von Navarra, hatte um 1790 Besitzungen in der Grafschaft Baden gehabt, das stimmte. Im März 1790 wurden ein paar Hundert alemannisch-spanische Silber-Escudos geprägt. Es gab heutzutage nur noch ein knappes

Dutzend von ihnen auf der Welt, und jeder Einzelne von ihnen war von unbezahlbarem Wert. Oliver Krapf lehnte sich zurück und überlegte. Wenn das wirklich so war, dann konnte er es ohnehin nicht mehr verheimlichen. Dann musste er den Wert offiziell und für alle sichtbar schätzen lassen. Wo aber sollte er hingehen? In ein Briefmarken- oder Münzengeschäft im Bahnhofsviertel? In eine Bank? Ein Auktionshaus – das war vielleicht das Richtige. Die hatten Münzgutachter, das waren weisungsgebundene Bürofuzzis und keine spanischen Brustbeutelschneider. Er verbrachte die nächste Stunde damit, ein Auktionshaus mit einer großen Münzabteilung zu suchen. In Frankfurt, in der Stadt des Geldes, fand er eines, wo sonst. Er vereinbarte einen Termin für den nächsten Tag, um 13.00 Uhr. Der Zug nach Frankfurt ging um 9.15 Uhr, er hoffte, dass die Münze bis dahin schon mit der Post gekommen war. Oliver Krapf schlief diese Nacht schlecht.

Er schlief gar nicht. Nach zwei Sekunden Bettruhe sprang er wieder auf und setzte sich an seinen Arbeitsplatz. Bis zum Morgengrauen gab er Unmengen von Buchstaben- und Zahlenkombinationen in den Rechner ein: LUKM, LUKA, LUKAA, LOKM, LOKA, LOKII, LOKIII, LOAIII, LUV??, LOV!!, LOVEII. Das meiste ergab überhaupt keinen erkennbaren Sinn, aber mehrstellige Zeichenkombinationen in den Computer zu tippen war eine wunderbare Möglichkeit, eine schlaflose Nacht zu überbrücken. Ein paar Kombinationen ergaben sogar Sinn und führten zu Ergebnissen. LOKM etwa war der Titel einer unveröffentlichten Jethro-Tull-Scheibe. LDMIII war eine römische Zahl. LDMII.1 war ein interessanter Artikel im weltweit anerkannten *Lexikon des Mittelalters*. Brachte ihn das irgendwie weiter? Nein, überhaupt nicht. Bis zum Morgengrauen hockte er vorm Rechner, blass und zittrig, um Viertel nach neun saß er im Zug nach Frankfurt, diesmal mit einer brennenden Münze in der Tasche. War das Ganze nicht eine Nummer zu groß für ihn? Sein Mobiltelefon summte. SMS von Tina: *Wir hängen noch ein paar Tage dran.* Seine Antwort: *Schön für euch.* Er hatte vor, bei seiner Bank ein Schließfach zu mieten und die Münze dort zu deponieren. Wie viele Mitarbeiter würde er anwerben, um die weltweit operierende Softewarefirma aufzubauen? Wie würde er seine Firma überhaupt nennen? Krapf's? Das hörte sich ja an wie eine Bäckerei. Er fand, sein Firmenname musste etwas mit einer Münze zu tun haben. Crapf's Coin Cooperation? Oder Coin & Abel Cooperation Crapf? Der Auktionsheini mit der lilablassblauen Krawatte empfing ihn höflich, wenn auch leicht herablassend. Krapf folgte ihm in ein Büro mit Blick auf den Main, an den Wänden hingen vergrößerte Fotos von brüchigen Münzen.

»Sie haben per E-Mail angedeutet, dass Sie im Besitz eines spanisch-alemannischen Silber-Escudos sind?«

Herablassendes Lächeln plus eine Spur Nervosität. Krapf nickte.

»Haben Sie ihn bei sich?«

Krapf öffnete sein Hemd und fingerte nach seinem Brustbeutel, der Krawattenknüpfer streifte Plastikhandschuhe über, setzte sich eine Uhrmacherlupe auf, stellte ein silbernes Schälchen auf den Tisch, so etwas wie eine OP-Nierenschale aus Edelstahl, nur nicht so blutig. Er bedeutete Krapf, dem künftigen Chef der Weltfirma Coin & Abel, die Münze dort hineinzulegen. Der Lupengucker mit dem lilablassblauen Schlips warf einen Blick darauf. Krapf war zu jung, um Blicke zu interpretieren, (so richtig kann man das auch erst mit hundertzwanzig), es schien ihm, dass der Numismatiker erstarrt war. Er schwieg jedenfalls und blickte regungslos geradeaus. Was mochte das bedeuten? Hatte er eben gesehen, dass der Silber-Escudo noch wesentlich wertvoller war als ursprünglich angenommen? War der zerkratzte Silberling so unendlich kostbar, dass er sich nicht nur eine eigene

Firma leisten, sondern dass er bei Apple als Mehrheitsteilhaber einsteigen konnte? Der Schlipsträger räusperte sich.

»Herr Krapf, das ist leider kein Silber-Escudo.«

Krapf wunderte sich über seine eigene Reaktion. Er war nicht ganz furchtbar enttäuscht, galaktisch frustriert. Irgendwie fühlte er sich sogar erleichtert.

»Kein Silber-Escudo, so. Ich bin von meinem – äh – spanischen Händler darüber informiert worden, dass es ein Escudo ist.«

Krapf hatte den Eindruck, dass ihn die lilablassblaue Krawatte mitleidig anblickte

»Hoffentlich haben Sie nicht allzu viel dafür bezahlt, Herr Krapf. Die Münze hat lediglich die Prägung von einem Escudo. Das war in der Zeit um 1790 ziemlich Mode, aus einem relativ wertlosen Material und in anderer Größe eine berühmte Münze zu kopieren und als Ziermünze zu verwenden.«

»Was meinen Sie mit Ziermünze?«

»Was Sie mir gebracht haben, ist keine Münze des Zahlungsverkehrs. Es ist Schmuck.«

»Hä? Schmuck?«

»Schmuck, wie ihn Frauen tragen, Herr Krapf.«

Und dafür war er in den engen Gassen Màlagas fast hopsgegangen.

»Was für Schmuck?«

Krapf klang wieder heiser.

»Das ist nicht mein Gebiet. Sie müssen sich an einen Volkskundler, einen Brauchtumsforscher oder so jemanden wenden. Versuchen Sie es einmal an der Universität.«

Der Gutachter nahm die Münze aus dem Silberschälchen und schob sie Krapf hin.

»Haben Sie die Inschrift auf der Rückseite schon bemerkt?«, fragte er.

Krapf nickte. Jetzt war es auch schon egal.

»Ja, habe ich. Es ist irgendetwas Biblisches. Lukas IV oder so. Es geschah in jenen Tagen, Mariaundjosef, Sie wissen schon.«

Die Krawatte nickte.

»Wenn man es umgekehrt hält, könnte man es auch als Matthäus VII, 24 lesen.«

»Matthäus VII, 24?«

»Als nun der Wolkenbruch kam und die Wassermassen heranfluteten, als die Stürme tobten und an dem Haus rüttelten, da stürzte es nicht ein, denn es war auf Fels gebaut.«

Krapf packte die Münze ein, verabschiedete sich höflich und fuhr wieder heim.

Dreitausend Kilometer weiter südlich, nicht weit von Fès, am Strand von Casablanca, saßen vier junge Menschen: Dirk, die Mathe-Niete, Fuzzy, der eventuelle Mediziner, Flo, der Kreative mit den unscharfen Zukunftsplänen – und die sommersprossige Tina. Sie blickten hinaus aufs Meer, und Flo malte mit den Zehenspitzen Zeichen in den Sand.

»Was bedeutet denn das?«, fragte Dirk.

»Das ist das Graffiti-Zeichen für einen Hoax«, sagte Flo, der im Leistungskurs Kunst ziemlich abgeräumt hatte.

»Ein Hoax, aha.«

»Ja, ein *Ätsch!*, eine Ente, ein Rübenreiben – mit zwei Zeigefingern. Der Unterstrich darf natürlich nicht fehlen, sonst heißt es etwas anderes.«

»Und was heißt es dann?«

»Hab ich vergessen, ich bin kein verdammter BubbleWriter auf Eisenbahnwaggons.«

»Ich weiß, du bist Kupferstecher. Du verzierst ja sogar Münzen.«

Flo war der Snob unter ihnen. Hatte er doch ein kleines Reise-Set für Kaltnadelradierungen eingesteckt.

»Garantiert nicht digital«, hatte er stolz erklärt. »Albrecht-Dürerisch eben.«

Tina dachte an Oliver. Auch sie malte Zeichen in den Sand. Ihre Zeichen sahen aus wie eine Gruppe von drei nebeneinanderstehenden Palmen, vielleicht auch wie die Silhouette von New York oder Landshut. Nach einem einzigen Wellengang glich das Gestrichel der Unterschrift eines Allgemeinarztes, nach der zweiten Welle musste man an die Spur eines hastig wegkriechenden Sandwurms denken, erst nach der dritten Welle war jede Zeichenhaftigkeit verschwunden.

35

Als Schnäuzelchen wieder zu sich kam, lag er auf einer herrlichen Wiese. Dotterblumen blühten, Grashüpfer tranken aus gewölbten Löwenzahnblättern und kleine Erdspinnen saugten unvorsichtige Käfer aus. Schnäuzelchens Schädel brummte, er befühlte eine riesige Beule, aber sonst schien ihm nichts zu fehlen. Er richtete sich auf. Von ferne erklang spitzblecherne Blasmusik. Da war wohl die Beerdigung eines alten Kameraden im Gange. ♫ *… einen bessern findst du nit. Die Trommel schlug zum Streite, er ging an meiner Seite …* Er blickte sich sorgfältig um. Er war mutterseelenallein. Er musste eine Weile im hohen Gras herumkriechen, bis er fand, was er suchte. Und da lag es auch schon, das kleine eckige Ding, das er vorher geistesgegenwärtig weggeworfen hatte, als der Pick-up die Fahrt verlangsamt hatte. Er war sich sicher, dass er während seiner Ohnmacht durchsucht worden war. Und dieses Mobiltelefon hätte ihn ganz bestimmt verraten.

Die Blechmusik dort unten schepperte weiter, und der Wind trug wiederum ein paar Fetzen herauf: ♫ *… Eine Kugel kam geflogen. Gilt's mir oder gilt es dir? …* Er sah sich um, ob ihn auch wirklich niemand beobachtete. Dann tippte er eine Nachricht ein und schickte die SMS an Nicole. Er hatte verdammtes Glück gehabt, das wusste er. Er war sich zwar nicht ganz sicher, ob die Chevrolet-Fahrer nicht doch irgendwelche gelangweilte Outdoor-Eventler waren, die sich im Stil von *True Lies* als Geheimagenten wichtig machen wollten. Solche Trittbrettfahrer hatte es schon öfters gegeben. Andererseits war er durch einen Handkantenschlag an den Hals professionell außer Gefecht gesetzt worden. Laien schlagen auf den Hinterkopf, Profis ziehen die Arteria carotis vor. Und das Klacken des Sturmgewehrs hatte sich ebenfalls nicht nach der Sendung mit der Maus angehört. Er versuchte sich zu konzentrieren. Verdammt nochmal, hatte er nun den Namen Dombrowski gehört oder nicht, als die Frauen sich etwas zugeschrien hatten? Das konnte auch wunschhafte Einbildung gewesen sein: Dem Ängstlichen raschelt alles, dem Jäger ist alles Hase. Schade, dass er keine Gelegenheit gehabt hatte, nach einem Versteck zu fragen, das war ja der eigentliche Grund gewesen, warum er auf den Wagen gesprungen und sich auf dieses Abenteuer eingelassen hatte. Dann hätte sich schon herausgestellt, ob diese Leute Wichtigtuer oder ernsthafte Verbrecher waren. Sollte er telefonieren? Nein, lieber nicht, die Gefahr, dass er doch beobachtet wurde, war zu groß.

Er beschloss, noch eine Weile auszurasten und sich dann an den Abstieg zu machen. Er schloss die Augen und versuchte zu rekapitulieren. Er hatte auf dem Bauch gelegen. Dann war der Schlag gekommen. Ein schneller, dumpfer Schmerz. Alles um ihn herum war schwarz geworden. Im Wegsinken hatte er noch Stimmen gehört. Es waren zwei Frauenstimmen. Und eine Männerstimme. Aber wo kam dieser Mann auf einmal her?

36

Sehr geehrter Herr POM Hölleisen,
leider müssen wir Ihnen mitteilen, dass Ihr Ersuchen um Kostenausgleich wegen »Sonderausgaben im laufenden Einsatz« abschlägig zu bescheiden ist. Sie berufen sich auf einen Artikel des BayRKG (Bayrisches Reisekostengesetz), nach dem solche Sonderausgaben von der Abt. V (Abteilung Versorgung) zu erstatten wären. In Ihrem Fall ist allerdings entgegenzuhalten, dass ein Verzehr mehrerer Leberkäsesemmeln während eines Einsatzes den privaten Verzehr zu Hause ersetzt, ihm sozusagen vorgreift. Sie argumentieren nun so, dass Sie am Tag des Einsatzes gerade vom häuslichen Mittagessen gekommen und (Zitat) »eh schon satt« gewesen wären, dass Sie also die Leberkäsesemmeln (Zitat) »hineingezwungen« hätten und deshalb auf Kostenausgleich beharren. Dem ist entgegenzuhalten, dass sich dieser sicherlich unfreiwillige nachmittägliche Verzehr so auf das darauffolgende Abendessen ausgewirkt hat, dass Sie hier weniger (vielleicht sogar gar keinen) Hunger mehr hatten, sich also dieses mehr oder weniger erspart haben und so amtsseitig wieder von einer Verköstigung aus privaten Gründen auszugehen ist. (Etwas anderes wäre es gewesen, wenn Ihnen zum Beispiel wegen der dienstlich verzehrten Leberkäsesemmeln schlecht geworden wäre und Sie in einer Drogerie einen pflanzlichen Magentee hätten kaufen müssen. In diesem Fall hätte allerdings nur der Magentee selbst, nicht jedoch die verursachenden

Leberkäsesemmeln als Sondernutzung angegeben werden können.)
Gegen diesen Bescheid können Sie innerhalb von vier Wochen Einspruch erheben.
Franz Himpsel, Sachbearbeiter

»Was machst du denn da?«, fragte Johann Ostler seinen Kollegen Hölleisen hinter dem Schreibtisch hervor.

»Ich führe einen E-Mail-Wechsel mit unserer Versorgungsabteilung«, antwortete dieser schmunzelnd. »Das gibt eine Riesengaudi – diesen Briefwechsel will ich bei der nächsten Polizeifaschingsfeier vorlesen.«

»Bist du nicht recht gescheit!«, sagte Ostler kopfschüttelnd. »Wir haben momentan für sowas überhaupt keine Zeit, Hölli. Wenn der Jennerwein davon erfährt, der steigt uns aufs Dach! Und zwar vollkommen zu Recht.«

»Mensch, das mach ich doch nebenbei. Sei nicht gar so grantig, ein bisschen Spaß bringt Schwung in die Ermittlungen.«

»Hör auf!«, rief Ostler. »Schau, was wir hier haben, das ist eine brisante Mail, um die sollten wir uns sofort kümmern.«

»Lass hören.«

Johann Ostler zog ein Blatt aus dem Drucker, setzte die Brille auf und las vor.

Grüß Gott!
Mein Name ist Heiner Rothe und ich bin seit meiner Jugend aktiver Leichtathlet. Ich habe den Wilderer beobachtet, wie er der armen Polizistin ausgekommen ist. Ich habe ihn bloß ein paar Meter laufen sehen, das Gesicht hat man ja nicht erkennen können, aber der Laufstil ist mir aufgefallen. Es war der typische Tritt eines Langstrecklers! Armarbeit, Körperhaltung, Laufrhythmus – alles hat auf einen 5000-Meter-Läufer hingedeutet, und zwar

auf einen erfahrenen. Ich will mich natürlich nicht in Ihre Ermittlungsarbeit einmischen, aber allzu viele 5000-Meter-Läufer gibt es ja nicht. Laut einer Statistik des Deutschen Leichtathletik-Verbands treiben nur zwei- oder dreitausend Menschen in Deutschland dieses schöne Vergnügen. Darüber hinaus hat jeder Läufer seinen eigenen, persönlichen, unverwechselbaren Laufstil. Der Emil Zátopek, der Tscheche, ist zum Beispiel geeiert und geschlingert, dass es eine Freude war. Und irgendetwas ist mir auch bei diesem Läufer bekannt vorgekommen. Und dann habe ich es plötzlich gewusst: Bei den Bayerischen Meisterschaften 1995 in Schweinfurt, da ist beim 5000-Meter-Finale einer mitgelaufen, der hat einen solchen Laufstil gehabt. Meiner Ansicht nach ist der Wilderer genau dieser Mann! Er hat damals Platz acht belegt. Ich habe in den Listen von 1995 nachgeschaut: Florian Beerschnauz hat der geheißen. Ich weiß nicht, was aus ihm geworden ist, aber Sie können doch eine Raster-Fahndung machen, oder? Ich hoffe, das mit der Belohnung von tausend Euro, das gilt noch.
Mit vielen Grüßen – Heiner Rothe

»So eine blöde Geschichte!«, rief Hölleisen. »Was machen wir jetzt? Der verpatzt uns zum Schluss noch alles.«

»Wir müssen ihn hinhalten. Er darf diese Vermutung bis zum Abschluss des Falls nicht an die Presse weitergeben oder im Ort herumerzählen. Der Heiner Rothe, das ist so einer, der nicht lockerlässt.«

»Kennst du ihn denn?«

»Ja freilich. Ich war auch einmal im Sportverein. Das ist aber lange her. Vielleicht geh ich einmal ganz inoffiziell zu ihm hin und rede mit ihm. Ich erzähle etwas von laufenden Ermittlungen, gebotener Schweigepflicht, ansonstigem Verlust der bürgerlichen Ehrenrechte –«

»Übertreib es nicht, Ostler.«

Johann Ostler kam nach einer Stunde wieder.

»Und?«

»Alles paletti. Ich habe ihm gesagt, wenn er nicht dicht hält, ist die Belohnung futsch.«

Hölleisen nickte anerkennend.

»Sehr gut hast du das gemacht, Ostler.«

»Und hier auf dem Revier? Ich sehe es an deinem zufriedenen Grinsen! Durchbruch?«

»Das kann man so sagen«, erwiderte Hölleisen. »Wir haben einen anonymen Brief bekommen. Ich wollte ihn gerade zu Becker bringen, vielleicht findet er brauchbare Spuren.«

Die beiden Männer beugten sich über das Schriftstück, das in einer Klarsichtfolie steckte.

HERBERT HEILINGER
Schrott aller Art – Autoteile – Wertstoffe

S hr g hrt r H rr J nn rw in,
das was Si j tzt l s n, hat mit d m H iling r H rb rt nichts zu tun, wir hab n bloß auf s in Bri fpapi r g schri b n. Wir, das sind zw i unb scholt n Bürg r d s Ort s, di am 4. Mai in n Spazi rgang auf d m Schrottplatz g macht hab n.
Wir hab n in V rbr ch n b obacht t

»Mühsam ist das schon«, sagte Ostler, »einen Brief zu lesen, bei dem alle e-s fehlen. Vielleicht ersetzen wir die Leerzeichen einfach durch den Buchstaben e?«

»Sehr witzig, das ist kein Computerausdruck von einer Mail, der Brief ist auf einer Schreibmaschine geschrieben worden.«

»Schreibmaschine? Wer macht denn so was?«

»Laut Poststempel ist der Brief gestern hier im Ort eingeworfen worden. Und schau, wie das Papier aussieht: Wie in Säure getaucht. Vielleicht sollten damit Fingerabdrücke, Schweißspuren, alles Biologische eben vernichtet werden.«

»So ein Aufwand, um die Spuren zu verwischen!«, sagte Ostler kopfschüttelnd. »Wer kann das sein? Einer, der etwas mit unserem Fall zu tun hat?«

»Ich weiß nicht so recht.«

»Ein Spaßvogel? Einer, der eine falsche Fährte legen will? Einer der üblichen Irren, die einfach nur mitmischen wollen?«

»Ein Liebespaar?«

»Keine schlechte Idee, Hölli! Ein Liebespaar könnte es sein. Eines, das sich heimlich trifft, das sowieso schon ein schlechtes Gewissen hat und sich jetzt an seine staatsbürgerlichen Pflichten erinnert, weil es etwas Kriminelles gesehen haben will. Fallen dir aktuelle Fremdgänger ein, Hölli? Du hörst doch so einiges im Ort.«

Hölleisen überlegte.

»Der Praxmeier Schorsch, der von der Dachdeckerei, der soll schon seit Jahren mit der Zootz Gretel –«

»Und was sollen wir da jetzt machen? Wenn wir da anrufen, wird er das doch abstreiten.«

»Ich schreibe erst mal eine Liste zusammen mit solchen Kandidaten und ihren dazugehörigen Kandidatinnen. Schaden kann es nicht.«

Franz Hölleisen hatte nach kurzer Zeit schon eine riesige Fremdgängerliste des Kurortes aufgestellt, mit vielen Anmerkungen, Durchstreichungen, Überschreibungen und Querverweisen.

»Chancenlos«, sagte Hölleisen und warf den Stift hin. »Die Liste lässt sich noch ewig fortsetzen.«

»Lies den Brief einmal weiter«, sagte Ostler, »er wird immer unverständlicher. Ich glaube fast, das ist irgendeine Art von Verschlüsselung.«

> Zw i russisch, j d falls slawisch spr ch d G stalt si d aufg taucht u d hab i dritt zusamm g schlag , si hab ih i s Auto v rfracht t u d si d damit w gg fahr . D r B wusst-los hatt i Bra dst ll am Arm.

»Jetzt ist das n auch noch weg!«, rief Hölleisen. »Aber *zusamm g schlag*? Ostler, bei Körperverletzung, da müssen wir unbedingt eingreifen.«

»Zeigen Sie den Brief mal her«, rief Nicole Schwattke, die hereingekommen war.

»Zuallererst einmal: Wie geht es denn nun Ihrem Mann, Nicole?«, fragte Hölleisen.

»Schnäuzelchen? Es scheint ihm gutzugehen, ich habe gerade eine SMS von ihm bekommen. Die Entführer oder wer das auch immer war, die haben ihn im Wald abgesetzt und sind dann abgehauen.«

»Sollen wir Ihren Mann nicht holen?«

»Jennerwein ist strikt dagegen. Er will nicht, dass seine Tarnung auffliegt. Der ›Wilderer‹ wird seinem Namen alle Ehre machen und zu Fuß herunterkommen. Wenn er in seiner Unterkunft ist, wird er sich wieder melden.«

»Wird er das ohne Hilfe schaffen?«

»Er ist doch ein waschechter Bayer, er wird folglich in den Bergen zurechtkommen.«

Jennerwein kam herein, sein Blick mahnte zur Eile.

»Sie haben etwas Interessantes entdeckt?«

»Lesen Sie mal diesen Brief, Chef«, sagte Franz Hölleisen. Jennerwein kniff die Augen zusammen:

> i r d r Schläg r hat imm r wi d r 'sawtsch k' od r so äh lich g sagt. Das Opf r hatt i Glatz , auf d r i Marki ru g war, u d hatt i grü iPod umg hä gt. M hr kö wir icht sag .

»Wir fahren gleich raus«, sagte Ostler, als Jennerwein fertig gelesen hatte.

»Nein, Sie fahren da nicht raus«, sagte er bestimmt.

»Warum nicht?«

Jennerwein zögerte, alle bemerkten es.

»Was die beobachtet haben, hat offenbar mit dem Fall zu tun, wegen dem das BKA hier operiert, und nichts mit unseren beiden Verschwundenen. Der Schrottplatz Heilinger, das ist genau der Ort, den wir laut Anweisung von Dr. Rosenberger meiden sollen. Er ist tabu für unsere Ermittlungen. Es ist sinnlos, Dombrowski und Weißenborn dort zu suchen. Die BKA-ler haben jeden Quadratzentimeter auf diesem Areal abgesucht, mehrmals und mit den modernsten Methoden. Wenn wir da hingehen, dann gefährden wir deren Operation.«

»Und wir sollen diese Informationen am besten sofort wieder vergessen, Chef?«

»Schnellstmöglich.«

»Was machen wir mit dem Brief?«

»Geben Sie her, ich leite ihn an den BKA-Einsatzleiter weiter, der soll der Sache nachgehen. Außerdem brauche ich jetzt alle. Wir haben in den nächsten Stunden zwei wichtige Aktionen vor. Erstens wird Gisela bald auf Tauchfahrt gehen, Becker hat das perfekt vorbereitet. Zweitens: Maria Schmalfuß und Ludwig Stengele besichtigen eine Großbaustelle und suchen dort nach Unregelmäßigkeiten. Nicole, sobald Ihr Mann mit Ihnen Kontakt aufnimmt, will ich sofort darüber informiert werden.«

Die Liste der heimatlichen Fremdgänger und Fremdgängerinnen blieb unbeachtet auf dem Schreibtisch liegen.

37

So wie man in Paris von jedem Cafétischchen aus den Eiffelturm sehen kann, in Rom von jeder Trattoria aus das Kolosseum, so gibt es im Kurort kaum eine Perspektive, bei der sich nicht irgendeine Bergwand, eine Skiabfahrt oder eine Sprungschanze ins Bild schiebt. Das Gebirgige ist so allgegenwärtig, dass man ihm unentrinnbar ausgeliefert ist. Wenn hingegen der Kieler die See, die Möven und den Horizont satt hat, dann dreht er sich einfach um und blickt landeinwärts. Der Werdenfelser hingegen müsste schon den Kopf demütig zu Boden senken, um seine wuchtige Heimat um sich herum ganz und gar zu vergessen. Und selbst dann blickt er auf seine nagelneuen blitzblanken Haferlschuhe, in denen sich die Wettersteinwände spiegeln.

Ignaz und Ursel Grasegger hatten gar nicht das Bedürfnis, sich abzuwenden, ihre Terrasse im neu bezogenen Haus gab den Blick frei auf das vollständige Alpenpanorama. Momentan hatte Ignaz allerdings keinen rechten Blick für die Herrlichkeiten, er kniete auf dem Boden und installierte kleine Störsender an die Holzverstrebungen des Balkons. Drinnen am Herd stand Ursel vor einem halben Dutzend köchelnder und brodelnder Tiegel. In einer gusseisernen Pfanne röstelte *Hoba*, in einem Sudtopf schwammen *Schuchsen* und andere Topfennudeln, in einer riesigen Kasserolle brutzelten gefüllte und panierte Wammerlrollen. Diese klassische Arbeitsteilung zwischen Technik draußen und Küche drinnen konnte bei solch einem gutbürgerlichen Ehepaar wie den Graseggers nicht weiter verwundern, zudem war die Arbeitsteilung in diesem Fall sinnvoll: Ursel, einer alten Wirtsfamilie entstammend, produzierte die besten panierten Wammerl landauf landab, Ignaz hingegen war der beste Wanzenaufspürer und -vernichter in ganz Nord- und Mittelitalien gewesen. Als beide mit ihrer Arbeit fertig waren, klatschte Ursel drei Mal in die Hände, das war das Zeichen zu einem festlich-üppigen Bauernmahl. Und jetzt hatten sie wieder einen Blick fürs Montane. Sie aßen das erste Mal seit Jahren wieder im Angesicht der heimatlichen Berge. Sie prosteten sich zu. Unwirklich, wie ferne Mahner an eine vergangene Zeit hoben sich die beiden Waxensteine vom wolkenlosen Himmel ab. Sie schimmerten bläulich gefleckt, eigentlich zeigten sie sich heute reichlich hässlich, wie zwei überdimensionale Eckzähne eines Urtieres, eines Rhinozerosdrachen zum Beispiel, zerbissen und roh, zersplittert und grausam in den Himmel gereckt. Nicht zufällig lag unterhalb der beiden Waxensteine das Höllental, der Sommersitz des Teufels, sein Castelgandolfo, wenn der Vergleich gestattet ist.

»Hast du Wanzen gefunden?«, fragte Ursel.

»Nein. Und wenn welche da sind, habe ich ihnen den guten Empfang gründlich vermasselt.«

»Wir können also frei reden?«, fragte sie.

Statt einer Antwort kreuzte Ignaz Daumen und Ringfinger der linken Hand. Das war das Zeichen. Sie konnten frei reden. Ein *Ja* ohne dieses Zeichen bedeutete *nein*.

»Ich habe mir überlegt, dass wir einige Geschäfte von hier aus lenken könnten«, begann Ursel. Sie war unschlüssig, welche der Köstlichkeiten sie sich zuerst greifen sollte. Ihre Hände kreisten und flatterten über den Tellern wie wählerische Falken über einer mausgefüllten Sommerwiese.

»Wie stellst du dir das vor?«, antwortete Ignaz mit vollem Mund. »Und *was* für Geschäfte überhaupt?«

»Wir könnten eine Art Informationsbüro aufmachen.« Sie

hatte sich entschieden und griff sich ein Topfenkrapferl, das sie nach einem Spezialrezept ihrer Großmutter zubereitet hatte. »Wir haben spezielle Kunden, die Informationen über andere Kunden brauchen – wir vermitteln diese Informationen.«

»Wie willst du das machen? Wir können nicht mehr so wie früher in der Weltgeschichte herumfahren. Wir müssen uns täglich auf dem Revier melden. Beide. Wahrscheinlich die nächsten Jahre. Hast du das vergessen?«

»Wir fahren ja auch nicht in der Weltgeschichte herum – wir arbeiten zu Hause, am Computer.«

»Ursel, mit diesen Sachen kennen wir uns zu wenig aus.«

»Wir könnten die Kinder einspannen. Die kennen sich aus.«

»Du willst die Kinder mit hineinziehen?«

»Wir brauchen bloß eine Einführung von unserem Philipp, wie wir eine absolut geschützte Internetverbindung aufbauen können.«

»Vergiss es, Ursel. Wir steigen da nicht mehr ein. Und außerdem, so viel weiß ich auch: Eine absolut geschützte Internetverbindung, die gibt es gar nicht. Und wenn es so was gibt, dann sind wir zu alt dafür.«

Jetzt gab es aber etwas, wofür sie nicht zu alt waren, nämlich Hollerküchlein und Hasenöhrl, Kalbsbackerl und eine sogenannte Fastensuppe, die ihrem Namen allerdings keine Ehre machte, dazu ein *Umbertumb*, also »um und um« mit Honig-Nuss-Soße umgebenes Obst. Die beiden schmausten noch eine Weile in den stillen Abendhimmel hinein, wie sie es auch früher gemacht hatten, als sie noch gut im Geschäft waren. Ignaz legte eine CD mit zithergestützten Dreigesängen beißend schriller Volkssängerinnen ein. Ursel holte eine Taube aus dem Schlag und fütterte sie mit einigen Erbsen, Maiskörnern und mit Anisöl angefeuchtetem Weizen – das machte die Atemwege frei. ♫ *Du bist mei Freid aufd Nacht* … sangen die Hobauer

Deandln, Ursel entrollte feines Seidenpapier und schrieb ein paar Zeilen darauf.

> יחn9 %t? zu&4+t}°n, w94ӜKf hӜKњשb n b+ß&6 uf ?
> 9 n B4 f9-_pتp9 4ظf g ?%4 f9 b n… W94 f, dض? ?°9nd
> zw~ 9 unb ?%olt n ؏؏Büك4fg 4 f d = ?

Vorsichtig rollte Ursel den Brief zusammen und bestückte die Taube mit der verschlüsselten Botschaft. Sie gab ihr so etwas wie einen Klaps, und das Tier flog in die Abendsonne.

»Ich tät am liebsten mitfliegen«, sagte Ursel. »Ich habe schon wieder Heimweh.«

»Heimweh? Wir sind doch hier daheim.«

»Ich weiß gar nicht mehr, wo ich wirklich daheim bin.«

»Hast du einen Gruß von mir dazugeschrieben?«, fragte Ignaz.

»Freilich habe ich das.«

Die Taube nahm Kurs nach Süd-Südost, sie überquerte das verschlafene Grainau, ließ das Zugspitzmassiv links liegen, stieg auf hundertfünfzig Meter Höhe und flog bald über österreichischem Staatsgebiet. Vor ihr bäumte sich der Patscherkofel auf, dann die Zillertaler Alpen und das Eisacktal, in dem noch rätoromanisch und kervisch geredet wurde, in dem die Welt also noch in Ordnung war. Die Taube stieg noch höher. Bergsteiger winkten ihr, ein Gamsjäger legte auf sie an, ließ das Gewehr aber dann doch wieder sinken. Ein romantisch veranlagter Hüttenwirt in Bozen zog den Hut und verneigte sich. In einem Gewirr von grünen Auen und Weinbergen ließ sie sich nach unten fallen, sie landete auf einem Feld, um nach ein paar Körnern zu picken.

»Mogsch a Cöca Cöla?«, hörte sie einen Südtiroler Feldarbeiter zu der Bäuerin sagen.

»Woll«, erwiderte diese.

Die Taube flog weiter. Südlich von Rovereto durchschnitt sie einen scharfen Regenguss, rechts sah sie den Gardasee vorbeiziehen, und vollkommen erschöpft, aber glücklich kam sie in Toreggio an.

Es lohnt sich nicht, im Atlas nachzuschlagen, wo Toreggio liegt. Man wird es nicht finden, denn offiziell existiert eine Ansiedlung mit diesem Namen nicht. Es gibt einen kleinen Flecken irgendwo in Norditalien, und ein Ortsteil – ach was, Ortsteil! – ein paar Häuser davon heißen so. Toreggio steht deswegen auch in keinem Lexikon, und es ist ganz und gar davon abzuraten, danach zu googeln. Denn abgesehen davon, dass man keine Suchergebnisse bekommt, lenkt man die Aufmerksamkeit gewisser italienischer Familien auf sich, auch heute noch. Ignaz und Ursel Grasegger hingegen kannten Toreggio in- und auswendig, sie hatten die letzten drei Jahre dort gelebt. Die Taube steuerte die Via Francigena an, dort lag die Villa Nobile. Die Taube landete auf einem der Dachbalken, und kaum hatte sie sich gesetzt, da griff auch schon eine Hand nach ihr und löste ihr den Gummiring.

»Ignaz und Ursel haben geschrieben«, rief Giacinta hinunter ins Haus. Padrone Spalanzani saß vor einem Teller Nudeln. Was heißt Nudeln – es waren die feinsten Pappardelle all'aretina, die man sich denken konnte. Padrone Spalanzani ließ auch sonst kein Klischee aus. Zu den Pappardelle all'aretina hörte er italienische Opernarien, vor der Tür warteten Leibwächter in viel zu engen schwarzen Anzügen, und er selbst sprach so heiser wie der Pate persönlich.

»Was schreiben sie?«, fragte er. »Wie geht es ihnen?«

»Gut geht es ihnen«, sagte Giacinta, die den Brief kurz überflogen hatte. »Sie müssen sich jeden Tag auf dem Revier melden.«

»Und?«

»Sie fragen, ob wir von der Familie irgendwelche Aktivitäten im Kurort laufen haben. Oder in nächster Zeit planen.«

»Nein, um Gottes willen, ganz bestimmt nicht! Davon wüsste ich«, heiserte Padrone Spalanzani. »Wie kommen sie denn darauf! Schreib ihnen, dass der Kurort für uns langfristig abgebrannt ist.«

Mit einer winzigen Feder malte die junge Giacinta ein paar Zeichen auf Seidenpapier. Sie ging wieder hinauf und bestückte das Botenröhrchen einer anderen Taube damit. Sie gab ihr einen leichten Klaps. Die Taube flog in Richtung Alpen. Die Abenddämmerung brach herein.

38

Ein paar hundert Kilometer weiter nördlich parkte Johann Ostler das Polizeiauto direkt am Ufer der Loisach. Er hatte eine Stelle gewählt, bei der es von der Autotür bis zum Wasser nur ein halber Meter war. Und er hatte darauf geachtet, dass die Stelle schwer einzusehen war. Die Hintertür wurde leise aufgedrückt. Ostler vergewisserte sich, ob sie auch wirklich unbeobachtet waren, ob in dieser lauschigen Nacht nicht Spaziergänger auf der Uferpromenade vorbeikamen. Die Autotür öffnete sich weiter. Ein Frauenkörper glitt heraus – und war auch schon im Wasser verschwunden.

»Machs gut, Gisela«, sagte Becker leise.

Sie warteten noch eine Weile im Polizeiauto, dann fuhren sie leise davon.

Gisela trug einen schicken einteiligen Badeanzug, dazu eine geblümte Bademütze, unter denen die Entfernungsmesser und Steuerungselemente verborgen waren. Gisela hatte sicherlich schon gefährlichere Aufträge erlebt. Sie war in einem Konzertsaal vom Balkon gestoßen worden, sie war mit Skiern von einer Skischanze gesprungen und unter schweren Beschuss geraten – einen schwimmenden Einsatz hatte sie jedoch noch nie gehabt. Das größte Problem war es gewesen, ihre empfindlichen Sensoren vor Nässe zu schützen, sie hatte einen fleischfarbenen Neoprenanzug bekommen, und darüber eben den Badeanzug.

Giselas Aufgabe war es heute, sich durch den unterirdisch verlaufenden Teil des Mühlbachs treiben zu lassen. Sie sollte dort sämtliche Abzweigungen aufspüren und alles, was ihr vor die Linse kam, fotografieren und filmen. Sie sollte auch ab und zu Wasserproben nehmen. Nach zwei Stunden wäre ihr Job erledigt und sie könnte wieder auftauchen. Becker würde sie wieder in Empfang nehmen.

»So, die Aufnahme läuft«, sagte Becker im Auto, »Gisela hat die Loisach gerade verlassen, sie ist den Mühlbach ein kleines Stück flussabwärts geschwommen, gleich wird sie zu dem Rohr des unterirdischen Mühlbachs kommen und dort verschwinden. Das Gitter ist ja schon auf. Ich werde es hinter ihr wieder schließen.«

»Beeilen Sie sich, Becker«, sagte Ostler. »Lassen Sie uns dann rasch aufs Revier fahren. Ich freue mich schon auf den Kinoabend mit Gisela.«

Gisela musste keine Schwimmzüge machen, sie wurde von der leichten Strömung getrieben. Ein kleiner Motor trieb sie zusätzlich an. Das Betonrohr hatte einen Durchmesser von einem Meter zwanzig, wenn keine größeren Hindernisse auftauchten, konnte sie sich mühelos durchschlängeln. Ihre zugegebenermaßen etwas plumpen Finger tasteten die Wand nach Besonderheiten ab, zum Beispiel nach Seitenabzweigungen und verdächtigen Löchern und Nischen. Alle zehn Meter nahm sie eine Wasserprobe. Sie ließ sich Zeit. Sie konnte sich das leisten. Sie musste im Gegensatz zu einem Kampftaucher keine Atemnöte und Dekompressionstraumata befürchten. Sie hatte nicht einmal eine Lunge aus Stahl. Sie hatte gar keine.

»Gerade ist sie unter dem Restaurant *Alpenglück*«, sagte Jennerwein im Videoraum des Reviers. »Mal sehen, ob die Vertreter der Spitzengastronomie unerlaubte Abwässer einleiten.«

Der Sichtschirm zeigte genau das, was Gisela auch sah, das war allerdings momentan nicht sonderlich viel, denn die Mühlbach-Brühe wurde immer trüber.

»Einem Polizeitaucher hätten wir das jedenfalls nicht zumuten können«, sagte der hereinkommende Becker und blickte interessiert auf den Sichtschirm. Auf einem zweiten Bildschirm konnte man Giselas Positionen mit dem Funksignal verfolgen.

»Jetzt kommt der spannende Augenblick«, sagte Becker. »Sie ist kurz vor der Kirche, sie müsste bald zu der Abzweigung kommen.«

Die Beamten starrten auf den Schirm. Verwundert schüttelten sie den Kopf: Gisela schwamm weiter.

»Kann sie eine Abzweigung übersehen haben?«

»Ausgeschlossen. Sie spürt jede Materialveränderung auf. Es gibt nur eine Möglichkeit: Unter der Kirche fließt ein anderes Gewässer, der Mühlbach ist es nicht! Der Pfarrer hat uns angelogen.«

»Ist das endlich unser Versteck?«, rief Jennerwein aufgeregt. »Den Pfarrer werde ich mir gleich nochmal vorknöpfen.«

»Jetzt, sehen Sie! Sie schwimmt in Richtung Hartl-Hof.«

Die trübe Brühe behinderte nicht nur Giselas Sicht, sondern auch die der Ermittler im Videoraum. Doch jetzt wurde es etwas heller. Das Wasser klarte auf.

»Du, Peter!«

Die Hartl Bäuerin kam atemlos die Treppe heraufgestürmt.

»Was ist denn?«

»Drunten im Keller, in der Röhre, da ist grade eine Frau mit Badeanzug und Badekappe vorbeigeschwommen!«

»Ich glaube, du hast zu viel von dem Selbstgebrannten erwischt.«

Die nächste halbe Stunde saß Becker allein vor dem Sichtschirm. Die Suppe, die unter dem Kurort hindurchfloss, war so undurchsichtig geworden, dass die anderen den Spaß am Abendfilm verloren hatten. Es verging eine weitere halbe Stunde, dann waren draußen im Gang Stimmen zu vernehmen. Jennerwein und Hölleisen kamen zurück.

»So eine Schweinerei«, rief Hölleisen entrüstet, als sie den Medienraum betraten. »Wie kann ein Pfarrer nur so lügen!«

»Ich habe ja gleich so etwas geahnt«, sagte Ostler schulterzuckend. »Es ist reichlich unwahrscheinlich, dass der Pfarrer etwas mit Dombrowski und Weißenborn zu tun hat. Er ist einer, der hier im Ort aufgewachsen ist, der lange in der Fremde war, schließlich in die Heimat zurückgekommen ist –« Ostler zögerte. »So wie Sie, Chef«, fügte er noch hinzu.

»Ja, so wie ich«, murmelte Jennerwein knapp. Er war hier geboren, er kannte den Ort und seine Bewohner. Und er kannte sie doch nicht so ganz. Jennerwein hatte sich immer noch nicht dazu durchringen können, hier im Kurort eine Wohnung zu beziehen. Er wohnte in einer Pension, in der Pension Edelweiß, wie immer, wenn er hier einen Fall zu bearbeiten hatte. Und er fühlte sich ganz wohl dabei.

»Was hat der Pfarrer denn jetzt von dem Wasser unter der Kirche erzählt?«, fragte Becker.

»Er sagt, dass es ein Brunnen ist, eine Wasserquelle, die schon seit ewigen Zeiten unter der Kirche sprudelt«, sagte Hölleisen.

»Die Kirche hat eine eigene Quelle?«

»Das war früher so üblich. Die Quelle entspringt zehn Meter unter dem Altar – die Kirche hat vielleicht deshalb ihre Position – und versickert dann wieder.«

»Und warum hat der Pfarrer das verschwiegen? Wenn es doch bloß eine Quelle ist.«

»Es ist eine besondere Quelle, sagt er.«

»Eine Heilquelle?«

»Ja, so etwas in der Richtung. Schwefel, Salze, was weiß ich.«

Ostler pfiff durch die Zähne.

»Eine Heilquelle! Dann ist an den Spekulationen doch was dran.«

»Was für Spekulationen?«, fragte Becker.

»Dass der Kurort drauf und dran wäre, den Namenszusatz *Bad* tragen zu können.«

»Und was soll das bringen?«

»Sehr viel: Touristen, Subventionen, Olympiaden.«

»Es ist doch zum Auswachsen!«, sagte Jennerwein ärgerlich. »Wieder etwas, das uns in die Irre führt!«

Becker sah vom Sichtschirm auf.

»Beim Hartl-Hof und bei der Kirche haben wir vielleicht falsch gelegen. Aber eines ist sicher: Wasser spült Spuren weg. Da hilft auch keine feine Hundenase mehr. Wir sollten deshalb die Suche nach wässrigen Milieus nicht aufgeben.«

»Gut«, sagte Jennerwein. »Wir sehen uns alle Versteckmöglichkeiten an, die mit Wasser zu tun haben. Den Mühlbach, die Loisach, die Partnach, die Seen in der Umgebung. Natürlich auch die Freibäder. Die Kanalisation.«

Man sah Jennerwein an, dass er höchst unzufrieden war.

Alle starrten auf den trüben Schirm. Ostler sprang plötzlich auf.

»Jetzt weiß ich, wo ich diese Maschinerie schon einmal gesehen habe! Diesen Mechanismus, den der Hartl unten im Keller stehen hatte. Der mit den Flaschen und Gläsern!«

»Ja, und wo, Johann?«, fragte Hölleisen.

»Wir haben Urlaub in Kambodscha gemacht. Pauschal. Die ganze Familie. In der Nähe von Battambang haben wir mit den Kindern eine längst verlassene Opiumküche besichtigt. Eine Vorrichtung für das Anritzen und Kochen von Mohn, für das Weiterverarbeiten und Veredeln. Der Apparat hat genauso ausgeschaut.«

Alle schüttelten verwundert den Kopf.

»Eine Opiumküche?«

»Beim Hartl-Bauern?«

»Naja«, sagte Hölleisen, »ganz von der Hand zu weisen ist das nicht. Da hat es schon einmal was gegeben, droben am Eibsee, in den Sechzigerjahren. Mein Vater, der auch Gendarm war, hat da ein Feld mit wilden Mohnpflanzen gefunden. Er hat festgestellt, dass sie regelmäßig geerntet worden sind. Schon damals hat die Polizei viel zu wenig Personal gehabt. Deswegen hat man nie rausgefunden, wer das war.«

»Es gab Werdenfelser Mohnbauern?«

»Ja«, sagte Hölleisen junior fast stolz. »Und sie haben sich, ganz werdenfelserisch, nie erwischen lassen.«

»Ein idealer Transportweg«, bestätigte Ostler. »Die Ernte wird zum Mühlbach gebracht. Sie treibt zum Hartl-Hof, der Hartl-Bauer greift sie sich, verarbeitet sie zum fertigen Produkt, steckt alles wieder in die Röhre, vom Mühlbach in die Loisach, von der Loisach in die Isar, die Isar bringt den Stoff nach München, direkt ins Café Schickimicki – keine Spuren.«

»Sakra nochmal«, rief Jennerwein und schlug mit der Hand auf den Tisch. »Wir haben hier unseren Fall zu lösen! Wir sind immer noch nicht weitergekommen – um Opiumküchen und Heilquellen kümmern wir uns später!«

Das hatte gesessen. Niemand sagte etwas. Alle gingen wieder an ihre Arbeit. Sie lasen Zeugenaussagen, studierten Landschaftskarten und beobachteten nymphengleiche Giselas mit farbigen Badekappen.

»Dass Schnäuzelchen sich nicht meldet, macht mir Sorgen«, sagte Nicole Schwattke. »Am liebsten würde ich ihm entgegengehen. Das mache ich natürlich nicht – ich schnappe ein wenig frische Luft.«

»Warum eigentlich Schnäuzelchen«, fragte Becker, als Nicole in der Nacht verschwunden war. »Wegen des Schnauzbartes?«

»Nein«, sagte Jennerwein. »Wegen seines Namens. Er heißt Florian Beerschnauz. Wenn man mit solch einem Namen geschlagen ist –«

Alle schmunzelten.

Sie schmunzelten nicht. Sie blickten ernst und bitter drein. Sie glichen einem Ehepaar, das den Hund spazieren führt und auf die bekannte matrimoniale Art und Weise vor sich hin schweigt. Die Frau war staksig wie eine Bohnenstange, mit ägyptisch dünnspitzer Nase, der Mann war ein sonnengebräunter grobporiger Naturbursche mit eckigem Gang. Das Einzige, was sie verband, war der Polizeidienst und der momentane gemeinsame Einsatz. Jeder, der sie auf der Straße sah, hätte gesagt, die beiden passen nicht zusammen, und sie passten auch nicht zusammen. Aber wer tut das schon.

Ludwig Stengele wies auf die Riesenbaustelle, die sich vor ihnen auftat. »Dort wird ein Luxushotel für die ganz Gespickten hingebaut«, sagte er ärgerlich. »Und für diesen Mist wird eine Schule abgerissen, ein Kindergarten, das alte Krankenhaus und was weiß ich nicht noch alles. Mitten im Ort hauen die so einen Klotz hin, bloß weil ein paar Volldeppen –«

»Inhaltlich teile ich Ihre Meinung, Stengele«, unterbrach ihn Maria naserümpfend. »Wenn wir jedoch ein Ehepaar spielen, bitte ich darum, dass Sie nicht so ordinär schimpfen!«

»Das macht es doch gerade glaubhaft! Kraftausdrücke, Beleidigungen, Mordgedanken. Das sind Unterhaltungen zwischen Ehepaaren.«

»Meinen Sie? Sind Sie eigentlich verhei –«

»Da brauche ich kein Psychologiestudium –«

»Themawechsel. Wie sollen wir denn Ihrer Meinung nach auf der Baustelle vorgehen?«

»Wir gehen einfach rein und sehen uns um.«

»Wie, das geht einfach so?«

»Eine Baustelle ist nicht so gut durchorganisiert, wie man sich das vorstellt. Ein Bautrupp weiß wenig vom anderen. Da kann man sich durchbewegen, ohne aufgehalten zu werden. Auch sind es zumeist ausländische, wenn nicht gar Schwarzarbeiter, auf die man stößt. Die sind froh, dass sie Arbeit haben, und fragen nicht lang, wer da kommt und geht. Und dann kommt noch etwas dazu. Bei solchen Rohbauten wie dem hier gibt es in den Tiefgeschossen viele Bereiche, die man später nicht mehr braucht, die deshalb einfach mit Erde aufgeschüttet werden – oder auch hohl bleiben. Es sind ideale Verstecke.«

Sie setzten ihre Schutzhelme auf und gingen durch die Absperrung, tatsächlich hielt sie niemand auf. Stengele zog einen kompliziert aussehenden Bauplan heraus.

»Hier, sehen Sie, das ist der Grundriss der Tiefgarage. Wir sind etwa hier – dort drüben ist so ein Areal, das gerade zugeschüttet wird. Oder auch nicht. Gehen wir mal da rüber.«

Sie befanden sich jetzt im Untergrund des Gebäudes. Ob es ein Keller oder eine Tiefgarage war, konnte man nicht erkennen. Kleinere Bautrupps arbeiteten an verschiedenen Stellen, sie schienen sich nicht um die Besucher zu kümmern. Maria hielt Fritz an der Leine. Stengele deutete auf einen Pfeiler. Und jetzt geschah etwas, das jeder schon einmal erlebt hat. Der ganze Tag war ruhig und ohne Vorkommnisse, aber dann, Punkt 17. 23 Uhr, geschehen tausend Dinge gleichzeitig. Es schellt an der Türe, der lang erwartete Elektriker ist da. Doch gleichzeitig mit ihm steht auch noch der Nachbar an der Tür. Moment, ich komme gleich – denn jetzt klingelt, das erste Mal an diesem Tag, das Telefon: Es ist ein wichtiger Kunde mit einem wichtigen Auftrag. Der Elektriker zieht die Augenbrauen hoch: Soll ich ein anderes Mal – Der Nachbar ist pikiert, auf der anderen Telefonleitung ist ebenfalls ein Anruf eingegangen, der eines alten Freundes, den man unmöglich abwimmeln kann. Was hat diese Leute dazu getrieben, das alles genau um 17.23 Uhr zu machen? Der Elektriker murrt, der Nachbar ist beleidigt, der Kunde ist sauer, der alte Freund schimpft – und dann klingelt auch noch das Mobiltelefon. Es ist die Mutter, die einem unbedingt, jetzt gleich, unaufschiebbar, etwas Wichtiges mitzuteilen hat.

Fritz zerrte an der Leine. Er bellte und hechelte wie wild. So hatten ihn Ludwig Stengele und Maria Schmalfuß noch nie gesehen: Er musste irgendetwas Sensationelles gerochen haben. Gleichzeitig gab es in dem Bautrupp da vorn eine tumultuöse Szene. Drei der Arbeiter starrten mit schreckgeweiteten Augen in Richtung des verdeckten Ehepaares mit Hund. Sie ließen ihre Schaufeln fallen und starteten einen Sprint, so schnell und wendig, über Schubkarren und aufgestapelte Steine hinweg, dass es Stengele von vorneherein aufgab, sie zu verfolgen. Gleichzeitig kam ein behelmter Bauleiter von der Seite auf sie zu. Darf ich fragen, was Sie hier – Stengele griff schon nach dem Dienstausweis. Im selben Augenblick wurden beide Beamte von hinten grob angerempelt und fast zu Boden gestoßen. Ein Mann stürmte an ihnen vorbei und schrie den weglaufenden Arbeitern etwas nach. Auf Polnisch oder Russisch. Und der Pfeiler, mit dem die drei Bauarbeiter beschäftigt waren, stürzte ein. Die Verschalungen splitterten nach außen weg und schweres Gestein bröckelte nach unten. Dann klingelte auch noch Marias Mobiltelefon. Maria Schmalfuß blickte aufs Display. Es war ihre Mutter.

39

Es war einmal ein alter Mann, der allein in einem kleinen Boot im Golfstrom fischte, und er war jetzt vierundachtzig Tage hintereinander hinausgefahren, ohne einen Fisch zu fangen. Gut, es war nicht gerade der Golfstrom, es war ein kleiner Sturzbach in den Alpen, es waren weniger als vierundachtzig Tage, und es ging auch nicht um einen Riesenfisch, einen kubanischen Marlin, es ging eher um abstrakte Werte wie die geistige Durchdringung eines Wasserwirbels – aber Konrad Finger hatte ebenfalls einen Plan. Er wollte wie der alte Mann den ganz großen Fisch fangen.

Während Gisela gerade aus der trüben Brühe des ruhig dahintreibenden Mühlbachs gefischt wurde, stand Konrad Finger an einem wesentlich wilderen und reißenderen Wasser und blickte sehnsüchtig in die tosenden Wirbel. Nach seinem unfreiwilligen Bad in der Loisach und dem kurzen Krankenhausaufenthalt hatte er nicht etwa aufgegeben mit dem Kajakfahren. Ganz im Gegenteil. Er glaubte, dass allein in den Strudeln und Wirrwalzen des beweglichen Elements das Geheimnis der großen Strömungsformel zu finden war. Konnte man Aktienbewegungen berechnen? Eigentlich nicht, und wenn, dann mit vielen Fehlerquellen. Konnte man Stimmungsschwankungen in der Wirtschaft mathematisch vorhersagen? Nur ungenau, und wenn es darauf ankam, versagten die Zahlen. Konnte man Wasserwirbel messen? Eigentlich unmöglich. Aber: Man konnte sie alle spüren, die Hyperbeln und Akkumulationen bei liquiden Vorgängen. Man konnte den

Verlauf der Kurven voraus*ahnen* – sein Physik-Professor in Stanford hatte das als *gearen* bezeichnet. Pah, Reynolds! Man musste nur eins werden mit den Elementen und Algorithmen, man musste ein Gearhead werden, der die CL / CX2F-Strömungen und den geheimnisvollen Faktor ζ intuitiv begriff. Und natürlich war es auch ein Kick für ihn, da hinunterzufahren. Er hatte sich Simulationssoftware besorgt, er hatte alle möglichen Bücher studiert. Er hatte Wildwassertechniken bei sich zu Hause im Trockenen geübt, er hatte sich also gut vorbereitet auf den bevorstehenden Höllenritt. Er stand am Oberlauf des Flusses, ein paar hohe Felsen ragten auf und bildeten eine Schlucht, durch die sich das Wasser zwängte. Die Gischt spritzte ihm ins Gesicht, er bekam ein paar klatschnasse Ohrfeigen ab. Heftige Güsse und Wasserkaskaden durchdrangen seine Outdoor-Kleidung und durchnässten ihn bis auf die Haut, doch das spornte Finger eher an. Heute noch eine Generalprobe – und bald würde er diese Schlucht mit seinem Wildwasserkajak hinunterfahren. Das war natürlich streng verboten. Das heißt: Es war nicht einmal verboten, aber es verstand sich von selbst. Es war ja auch nicht verboten, in die Steckdose zu greifen. Vor einer Woche hatte er mit den Planungen begonnen. Ein erstes Hindernis stellten die vielen Spaziergänger auf dem befestigten Uferweg dar, er wollte die Abfahrt nicht unter den Augen von unsportlichen Ui-guckmal-Banausen durchführen. Fingers Idee war es, eine mondbeschienene Nachtabfahrt zu wagen. Er hatte schon vor längerer Zeit ein kleines funkgesteuertes Modell eines Wildwasserkajaks gebaut, ein unbemanntes Mini-Kajak, das Ähnlichkeit mit einem plumpen Kinderspielzeug hatte. Er hatte es oben in ruhiges Flachwasser gesetzt, war nach unten gespurtet und hatte es dann oben losstarten lassen. Er hatte eine geschlagene Stunde gewartet, vergeblich. Er hatte den ganzen Wasserlauf abgesucht, ob das suppentellergroße Modell irgendwo hängengeblieben war. Er fand es nicht mehr, es musste an einem Felsen zerschellt und gesunken sein. Was war dem Ding zum Verhängnis geworden? Eine Reynolds-Schleife? Es gab auf diesen paar hundert Metern Dutzende von Reynolds-Schleifen, Harkowikkov-Wirbeln und andere Wasserwalzen – das war ja gerade das Anziehende an dieser Strecke. Konrad Finger setzte ein weiteres Modellboot aus – es verschwand wieder in den Fluten. Vielleicht lag es ja an der geringen Größe. Es ging so nicht. Er musste die Abfahrt selbst machen, Stück für Stück, militärisch etappenweise, nur so konnte er die Strecke erkunden. Darüber hinaus wollte er seine Fahrt genauestens dokumentieren. Er war im Bahnhofsviertel in ein Geschäft gegangen und hatte sich dort zwei Videokameras mit wasserdichtem Gehäuse gekauft. Er hatte Geräte bekommen, die auch für militärische Zwecke eingesetzt wurden. Ob er noch ein Springmesser haben wollte? Ein Nachtsichtgerät? Eine Schulterstütze für allerlei dubiose Schießprügel? Eine Eierhandgranate? Finger hatte verneint. Jetzt positionierte er die zwei Kameras am Ufer.

Er setzte sich in sein Wildwasserkajak und fuhr los. Das erste Teilstück hatte lediglich eine Länge von fünfunddreißig oder vierzig Metern – aber die hatten es in sich. Er hatte sich mit einer Leine an einem großen Felsbrocken gesichert, um notfalls wieder herauszukommen aus den brodelnden Stromschnellen. Das nächste Mal wollte er natürlich frei hinunterfahren, aber jetzt riss ihn gleich nach den ersten zehn Metern ein steiler Niagara nach unten. So schnell er unten war, so schnell wurde er wieder hochgeschleudert, direkt auf einen Felsen zu. Sein Spezialboot, sein mehrfach verstärktes Abenteuerkanu, sechs Monatslöhne in Signalgelb, knallte auf rauzackige Felsen, und das Geräusch war schrecklich anzuhören. Polyethylen meets Kalk, und das Polyethylen gewann mit Ach und Krach. Eine Sekunde schwebte er mit seinem Kajak halb in der Luft, halb lag er immer noch auf dem Stein. Durch eine geschickte Körperdrehung kam er wieder ins Wasser. Und zwei Kameras filmten ihn aus verschiedenen Perspektiven! Finger juchzte auf. Das würde eine Präsentation geben! Einem Mann, der so etwas wagte, dem glaubte man alles. Jetzt eine Drehung. Ein sich überschlagender Strudel riss ihn gefühlte hundert Meter ins Tal, in Wirklichkeit war es bloß ein halber, und gleich kam der Gegenstrudel. Hier war überhaupt kein Steuern und Wenden mehr möglich, es lief nichts so wie im Lehrbuch, hier musste man sich treiben lassen. Man musste ein Gearhead sein. Nach eineinhalb Minuten war die Fahrt zu Ende, und diesmal hatte es keine Zwischenfälle gegeben. Kein Fahrrad, kein Treibholz, kein zerschmetterter Konrad Finger an der harten Uferböschung. Überglücklich stieg er aus dem Boot. Als er zu den Steinen kam, auf die er die Kameras gelegt hatte, erschrak er. Sie waren nicht mehr da! Sie waren sicherlich von Treibholz getroffen und in die Fluten gerissen worden. Mist, dachte er, beim nächsten Mal musste er sie höher legen und besser sichern. Er packte sein Viersterne-Kajak zusammen, löste das Sicherungsseil und machte sich an den Abstieg. Er musste morgen in die Stadt fahren und sich nochmals Kameras kaufen. Und abends würde er die Fahrt auf der Teilstrecke gleich nochmals versuchen.

Konrad Finger war nicht aufgefallen, dass ihn jemand beobachtet hatte. Es war eine ganz in Schwarz gekleidete Figur, die weiter oben, gute zweihundert Meter entfernt stand. Sie war muskulös, sie hob sich gegen den immer dunkler werdenden Abendhimmel ab. Die Figur war bestückt mit einem AK-47-Sturmgewehr, und das Gewehr hatte ein Zielfernrohr. Aber Finger hatte natürlich nur Augen für sein Experiment gehabt. Dem Wanderer ist alles Weg. Dem Flößer ist alles Floß.

»Hier schnüffelt einer rum, Arri«, sagte die Figur zu einer zweiten, die dazugetreten war.

»Das darf doch nicht wahr sein!«

»Erst dachte ich, es ist ein Spinner, der seinen endgültigen Abgang hier durchführen will. Wäre schlimm genug.«

»Aber dann? Komm, red schon, Nadja.«

»Dann hat er Videokameras aufgestellt. Ich dachte, ich sehe nicht recht. Ich habe ihn dauernd mit dem Zielfernrohr im Visier gehabt. Er ist dann ein paar Meter gefahren, hat alles eingepackt und ist abgehauen. Soll ich ihn –«

»Nein, warte. Könnte es einer vom BKA sein?«

»Unmöglich, Arri.«

»Wir müssen ihn im Auge behalten. Wir können es uns nicht leisten, dass so ein Idiot alles auffliegen lässt. – Was ist mit den Aufnahmen?«

»Ich habe die Kameras zerstört.«

»Wenn er weitermacht, müssen wir ihn ausschalten. Solche Komplikationen kann ich momentan überhaupt nicht brauchen. Ich muss jetzt los. Gleich ist eine wichtige Übergabe. Wir machen sie diesmal nicht im Andenkenladen, der Kunde wünscht einen anderen Ort. Die Aktion darf auf keinen Fall gestört werden.«

Arri wählte eine Nummer auf seinem Mobiltelefon, und er sprach etwas hinein, in einer babylonisch anmutenen Mischsprache. Im ersten Augenblick hätte man auf Russisch getippt, weil Begriffe wie *sanschtsch* fielen. Aber es war nicht Russisch. Konrad Finger war ins Fadenkreuz einer internationalen Verbrecherbande geraten, die wissen wollte, wer in der Nähe ihres Verstecks herumschnüffelte. Es war eine Organisation, gegen die die italienische Mafia eine Event-Agentur für Kindergeburtstage war.

40

Frau Dr. Schmalfuß saß in der vierzehnten Reihe. Sie hatte ihren großen Rucksack auf den Boden gestellt und das Programmheft auf den Schoß gelegt. Das spätabendliche Konzert hatte bereits begonnen. Stahlklingende Posaunen blökten, samtige Celli schluchzten auf, Geigen wuselten, sie machten sich über das Hauptthema her wie Ameisen über ein fallengelassenes Honigbrot. ♫ Ridldildldldl! Das Orchester spielte die *Alpensinfonie* von Richard Strauss, die als musikalische Schilderung einer schweißtreibenden Bergtour galt, mit Stationen wie *Nacht, Sonnenaufgang* und *Der Anstieg*. Das Freilichtkonzert war ausverkauft bis auf den letzten Platz, die Zuhörer waren sichtlich ergriffen von dem wuchtigen Werk, das wegen der übergroßen Orchesterbesetzung äußerst selten gespielt wurde. Vorgeschrieben waren eine Wind- sowie eine Donnermaschine, Kuhglockengeläute – und ein zusätzliches Fernorchester hinter der Bühne. Doch bei den jährlich stattfindenden Richard-Strauss-Tagen im Kurort ließ man sich natürlich nicht lumpen. Es gab Zuschüsse, es gab Sponsoren, es gab Gönner. Gut, es war nicht gerade Bayreuth, aber man tat auch in der zweiten kulturellen Bundesliga, was man konnte. Richard Strauss war ein großer Sohn der Marktgemeinde gewesen, er hatte jahrzehntelang im Kurort gelebt, in einer noblen Villa mit unverschämt sauber gepflegtem Garten. Der damals weltberühmte Komponist hatte sich (wie jetzt das Ehepaar Grasegger) am Fuße des Kramerberges niedergelassen, und der unverstellte Blick auf die Alpspitze und die beiden Waxensteine hatte ihn wohl zu der Alpensinfonie angeregt.

Zwischen den einzelnen Episoden gab es fünfhundertfaches Programmheft-Geraschel im Publikum. Man wollte es genau wissen. Man wollte nicht den *Eintritt in den Wald* mit der *Wanderung neben dem Bache* verwechselt haben. Maria hingegen lehnte sich entspannt zurück. Es war das erste Mal, dass sie diese Sinfonie hörte, sie wollte die Klänge einfach nur auf sich wirken lassen. Musikgestütztes Brainstorming. Die Geigen rasten gerade einen unwegsamen Steilhang hinauf, kaum oben angekommen, ging es in atemberaubenden Tempo wieder hinunter. ♫ rrrrrrrrsirr?! Dann eine schier unhörbar leise Stelle, mit einer einsamen, nachtigallenen Piccoloflöte, die sich über den summenden Geigenteppich emporhob. Maria konnte den Wald, das feuchte Moos, die aufschießenden, würzig riechenden Pfifferlinge fast riechen. Sie sah ihn vor sich, den steilen Pfad, der sich jetzt hinaufschlängelte in das unergründlich dichte Tannendickicht. Und schon mahnte eine Wandergruppe von vier frechen Klarinetten zum erneuten Aufstieg, eher zu einem Gewaltmarsch, zu einem Parforceritt, diesmal auf ein weitaus schrofferes Gebirge, auf einen unnahbaren, stolzen Doppelkegel, der sich da majestätisch aufrichtete mit einem klirrenden Bläserensemble aus Trompeten und Posaunen. Richard Strauss, der alte Schelm, hatte sich den Spaß erlaubt, auch in der Partitur das Bergpanorama nachzuzeichnen, das er vom Balkon seiner Villa aus an klaren föhnigen Tagen sehen konnte:

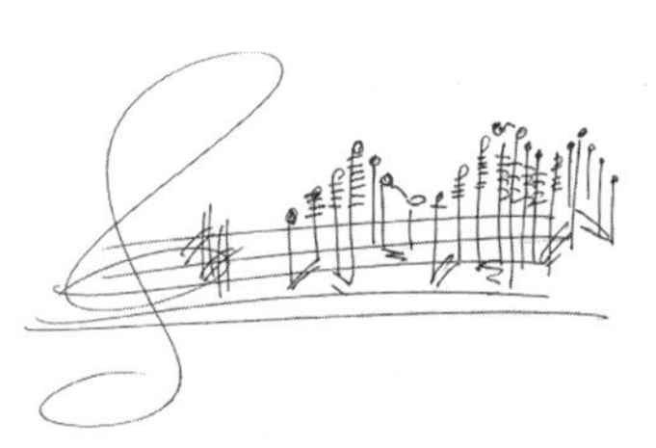

Direkt vor Maria saß ein Paar, das die Köpfe zusammensteckte.
»Angerwiese?«, flüsterte er ihr ins Ohr.

»Freilich!«, gab sie zurück. »Im nächsten Satz geht es zur Neuneralm hinauf.«

»Und dann hinüber zum Eselskopf?«

»Psst!«, kam es von hinten, und die Köpfe fuhren wieder auseinander.

Maria gefiel diese Musik. Sie fand sie inspirierend. Sie dachte über den Stand der Ermittlungen nach. Der Schwung, den sie alle zu Beginn der komplizierten Untersuchungen vor vier Tagen aufgenommen hatten, durfte nicht erlahmen. Dafür fühlte sie sich verantwortlich. Die Stimmung in der Truppe war angespannt, die Gruppendynamik war etwas aus den Fugen geraten, und die Zeit drängte. Diesmal hatten sie nicht den Auftrag bekommen, einen Mord aufzuklären, sondern einen zu verhindern – ♫ WrrratatatataTAMM! Sie linste ins Programmheft: *Auf dem Gletscher* stand da, und sofort sah sie diesen Gletscher vor sich, sogar einen kleinen Ausrutscher, einen winzigen Fehltritt neben die Trittspur, ein bröckliges ♫ slittt! hatte der Meister mit hineinkomponiert. Sie war begeistert. Warum gab es keine Sinfonie, die den Polizeialltag ähnlich farbig schilderte? Erster Satz: Am Tatort (schauriges Gis-Dur). Zweiter Satz: Sektion in der Gerichtsmedizin (con cuore). Dritter Satz: Schleppende Ermittlungen (lentando). Vierter Satz: Eingebung des Kommissars (molto vivace). Fünfter Satz: Finale auf dem Galgenberg (presto, Aufknüpfen des Mörders unter begeistertem Hurra!-Rufen der zehntausendköpfigen Menge.) Aber vielleicht gab es so etwas ja.

»Schritte?«, flüsterte der Mann vor ihr.

»Eilige Schritte über eine sumpfige Wiese!«

»Eine kleine Herde Gemsen, die einen Abhang hinunterläuft?«

»Pssssscht!«

Maria Schmalfuß war natürlich nicht nur wegen der Kunst da. Nach dem misslungenen Auftritt auf der Baustelle konnte sie sich das gar nicht leisten. Stengele war fluchend nach Hause gegangen, sie jedoch hatte noch etwas zu erledigen. Sie hatte den Konzertbesuch mit einer ganz profanen Aktion verbunden. Der nur locker zugeschnürte Rucksack, der zu ihren Füßen stand, zitterte leicht. Fritz atmete heftig, aber geräuschlos, vielleicht schlief er, er verhielt sich jedenfalls ruhig. Es gab sozusagen einen stummgeschalteten Fritz. Vor dem Konzert hatten sie sich den Kurpark vorgenommen, der an das Ortszentrum angrenzte, jetzt gönnten sie sich eine kleine, kulturell gefärbte Pause. Maria blickte dezent auf die Uhr. In anderthalb Stunden begann die Nachtbesprechung. So schön die Musik dort oben auch war – sie hatte vor, das Konzert in der Pause zu verlassen, mit Fritz noch ein bisschen in der Umgebung herumzustreifen und dann zum Revier zurückzukehren. Vorsichtig beugte sie sich zu ihrer Nachbarin.

»Entschuldigung«, flüsterte sie. »Nach welchem Abschnitt ist Pause?«

»In der Alpensinfonie gibt es keine Pause«, flüsterte diese zurück.

»Und wie lange dauert das Stück?«

»Psst!«, zischte der Zischler, und alle hörten es, denn Richard Strauss hatte hier eine furchtbar leise Stelle hinkomponiert.

Sollte sie einfach aufstehen und das Konzert mittendrin verlassen? Nur um pünktlich zur Besprechung kommen? Sie beschloss, das Ende des Stücks abzuwarten. Man kannte sie im Ort. *Polizeipsychologin stört Alpensinfonie!* – das sollte nicht die morgige Schlagzeile in der örtlichen Presse werden. Leise zog sie ihr Mobiltelefon aus dem Rucksack, um eine SMS abzusetzen. Fritz rührte sich nicht. *Komme später*, tippte sie. So langsam und leise sie das auch tat, ihre Nachbarin hatte es bemerkt und warf ihr einen vorwurfsvollen Blick zu: Rucksacktouristin! Auch egal. Maria entspannte sich wieder, doch sie konnte sich nicht mehr so recht auf die Musik konzentrieren, ihre Gedanken schweiften immer wieder ab zu den laufenden Ermittlungen. Adrian Dombrowski, Dr. Rosenbergers bester Beamter. Fred Weißenborn, sein engster Freund. Und auf der anderen Seite Kommissar Jennerwein. Wie würde *sie* sich denn eigentlich fühlen, wenn Hubertus verschwinden würde? Wenn sie in die Lage käme, ihn suchen zu müssen – doch das führte zu weit. Maria konnte der Musik überhaupt nicht mehr folgen. Sie war wahrscheinlich die Einzige hier, aber sie hoffte jetzt, dass sie bald zu Ende war. ♫ RARARRRRRATA! röhrte ein mächtiges Sousaphon, es blitzte und donnerte, dann folgten endlose Schlussakkorde, bei denen es sicher unschicklich war, aufzustehen, noch dazu, wenn man in der Mitte der Reihe saß.

Doch es gab so einen Unschicklichen. Aus den Augenwinkeln konnte Maria eine Gestalt erkennen, die sich durch die Reihen zwängte. Die meisten der Gestörten standen auf, andere drehten die Knie weg. Sollte sie es dem Banausen gleichtun? Die Gestalt war jetzt am Ende der Reihe angekommen, eine zweite Gestalt kam den Gang herunter und stieß fast mit ihr zusammen. Was heißt fast – er stieß mit ihr zusammen. Und jetzt bellte Fritz los, er schlug an wie ein wahrhaftiger Höllenhund, er jaulte auf, und das war kein Erschrecken wie bei dem eingestürzten Pfeiler auf der Baustelle, dieser Mantrailer hatte endlich – endlich! – Witterung aufgenommen, er hatte irgendetwas, was mit Dombrowski oder Weißenborn zu tun hatte, erschnüffelt. Es konnte eine Jacke sein, die einer der beiden getragen hatte, ein Stofffetzen, ein paar Haare – es war jedenfalls eine verdammt heiße Spur. Fritz war nicht mehr zu bändigen, Maria musste handeln. Sie öffnete den Rucksack und ließ den Hund laufen.

Der Mantrailer rumpelte heraus und schoss durch die Stuhlreihe nach außen, die meisten rissen ihre Beine hoch. Fritz jaulte und japste, in wenigen Sekunden war er schon am Gang angelangt. Die Schlussakkorde donnerten immer noch, und Maria fasste den schnellen Entschluss, dem Hund nachzulaufen. Das war sie Hubertus schuldig. Sie sprang auf, stolperte über vorstehende Beine, gelangte aber schließlich zum Gang. Keine Spur von Fritz, keine Spur von den beiden Gestalten.

Das Konzertareal war durch hüfthohe Buchsbäume vom restlichen Kurpark getrennt, Fritz sprang darüber. Er fühlte, dass die Duftquelle nur noch ein paar Meter von ihm entfernt war. Er sprang über eine Blumenrabatte, landete auf weichem Erdboden, dann war er am Ziel. Das Stück Stoff, das diesen Geruch ausströmte, lag vor ihm. Lustvoll biss er sich fest und schüttelte den Fetzen herum. Er ließ kurz los, um ein paar Signale abzusetzen, um sein neues Frauchen herbeizubellen, so wie er es gelernt hatte.

»Stengele, kommen Sie schnell! Wir haben eine Spur!«

Maria steckte das Telefon wieder ein. War da nicht ein Bellen zu hören gewesen? Auf der Bühne war ein langgezogener, leiser Schlussakkord zu hören, ein scheinbarer Rücktrittsakkord vom Schluss. Wieder hörte sie wütendes Gebell aus dem Park. Sie spurtete los. Die gepressten Flüche der Konzertbesucher hörte sie nicht mehr.

Der Hund biss sich erneut in den Stoff fest. Plötzlich verspürte er einen scharfen Stich in der Nase, einen schneidenden Schmerz, der ihn verstummen ließ. Es war das Aus für Fritz. Endgültiger Schlussakkord.

41

Zweiter Tag. Die Kopfschmerzen haben nachgelassen, sauberes Wasser ist genug da, aber der Hunger macht mich fertig. Schwächeanfälle, Schlaflosigkeit, Konzentrationsstörungen, Depressionen. Gegen Durst und Schmerzen kann man noch ankämpfen, dem Hunger ist man machtlos ausgeliefert.

»Sie wissen, dass im Gehirn wichtige Bewegungsmuster gespeichert werden«, hatte der Weißkittel gesagt. »Das kennen Sie vom Autofahren. Vom zweiten Gang auf den dritten schalten – das ist abgelegt, da brauchen Sie nicht mehr groß darüber nachzudenken, das funktioniert immer. Die Bewegungssteuerung ist ein sehr ursprünglicher Bereich im Kleinhirn. Automatisierte motorische Abläufe anzulegen, das war für unsere Vorfahren eminent wichtig. Wenn wir es schaffen, solche Bewegungen zu programmieren, haben wir die perfekte ferngesteuerte Kampfmaschine. Die Hirnforschung ist noch nicht so weit, ich will mir in dieser Disziplin einen Namen machen. So wie das Konrad Lorenz bei der Verhaltensforschung gemacht hat. Ich werde mir *den* Namen machen. Und Sie sind mein Proband. Das Bewegungsmuster, das ich in Ihr extrapyramidales System implantiere, nehme ich aus dem primären motorischen Cortex eines anderen Menschen. Bevor ich Sie mit Details langweile, komme ich gleich zum Ergebnis: Sie holen mit der Faust aus und schlagen zu. Der Witz ist der: Nicht Sie bestimmen, wann und wo und wen Sie schlagen, sondern ich. Ich werde Ihnen das Areal im Gehirn zeigen, das für diese Abläufe zuständig ist –«

Er deutete nicht etwa auf meinen Schädel, er schob einen Rollstuhl in mein Sichtfeld. Darauf saß ein Mann, dem die obere Hälfte der Schädelplatte schon abgenommen worden war. Der Spender! Seine Augen waren geöffnet, er schien mich anzustarren. Ob der Mann noch bei Bewusstsein war, konnte ich nicht erkennen. Das freiliegende Gehirn schien unverletzt zu sein, aber ich bin natürlich auch kein Mediziner. Der Weißkittel stach nun –

Er klappte das Tagebuch zu. Hatte es überhaupt einen Sinn, weiter Aufzeichnungen zu machen? Er war nun schon zwei Tage hier, er machte sich keine großen Hoffnungen, gerettet zu werden. Sie wollten ihn hier verrecken lassen, da war er sich sicher. Er musste nach einer Fluchtmöglichkeit suchen. Gestern Abend hatte er es endlich gewagt, sich an die Schläfen zu fassen, um nach Operationsnarben zu suchen. Geschockt hatte er die Hand zurückgezogen. Rund um das obere Drittel seines geschorenen Schädels ertastete er eine fingerbreite Wölbung nach außen. Er atmete tief durch und untersuchte die Stelle genauer. Das war keine Schwellung, die er da spürte, es war ein Pflaster. Er beschloss, das Pflaster noch einen Tag an Ort und Stelle zu lassen. Irgendwann würde er es abziehen. Dann erst konnte er Gewissheit darüber haben, ob er nun operiert worden war oder nicht. Doch das vordringlichste Problem war sein quälender Hunger, der ihn schwächte und apathisch machte. Die Hungerattacken kamen in unregelmäßigen starken Schüben, er war machtlos gegen sie. In den Taschen und Rucksäcken, die er durchsucht hatte, war natürlich nichts Essbares zu finden gewesen. Wie auch: Nur feste Gegenstände hatten sich über die Zeit gehalten, der Proviant, den die Soldaten im Gepäck aufbewahrt hatten, war sicherlich längst zerfallen.

Ich habe ein kleines Feuer entzündet, das nicht ausgehen darf. Holz ist zwar genug da, es ist Treibholz, das vom Wasser her angeschwemmt wird. Es liegt massenweise am Rand der Höhle. Das Brennmaterial ist nicht das Problem, ich habe jedoch nur noch dreißig Streichhölzer. Inzwischen habe ich alle Tornister mehrmals durchsucht. Keine Streichhölzer, nichts Essbares. Sehr witzig: Viel Kochgeschirr, Teller, Tassen, Besteck. Vollkommen zerschlissene und halb zerfallene Kleidungsstücke. Hemden, Hosen, Mäntel. Wenn es noch kälter wird, kann ich diese Lumpen vielleicht brauchen.

Er war schon ziemlich geübt darin, im Dunkeln zu schreiben. Es kam ihm auch gar nicht mehr darauf an, ein Tagebuch zu führen und Nachrichten zu hinterlassen. Er konnte seine Gedanken einfach besser ordnen, wenn er sie notierte. Auf diese Weise war es leichter für ihn, die ausweglose Situation zu ertragen. Sein Notizbuch war schon fast vollgeschrieben. Bei der Durchsuchung der Tornister hatte er unter anderem nach beschreibbaren Materialien gesucht. Er hatte natürlich keine Ringblöcke mit bunten Kugelschreibern erwartet, aber vielleicht ein paar Briefe oder einzelne Zettel. Umso größer war seine Freude, als er in einem der Rucksäcke ein kleines Büchlein gefunden hatte.

Fester, dunkelbrauner, stockfleckiger Einband. Altertümliche Frakturschrift, kaum lesbar. Ein Roman eines deutschen Schriftstellers, den ich nicht kenne. Der Besitzer muss wohl ein Literaturliebhaber gewesen sein. Bei einem Soldaten hätte ich eine zerlesene und zerfledderte Taschenbuchausgabe erwartet. Es ist jedoch eine bibliophile Kost-

barkeit, vorne ist das Erscheinungsjahr abgedruckt: 1895. Ein handschriftlicher Eintrag in alter deutscher Schrift: Von Philomena für Johannes. Und möge … Den Rest kann ich beim besten Willen nicht entziffern.

Warum hatte ein einfacher Soldat ein solches Buch bei einem Manöver dabei? Er war sich inzwischen ziemlich sicher, dass es ein Trupp Soldaten war, der hier lag. Waffen, Erkennungszeichen und Wertgegenstände hatte man ihnen abgenommen, das alles war vielleicht Plünderern in die Hände gefallen. Einem der Skelette war die Schädeldecke abgenommen worden, er konnte das fehlende Teil nirgends finden. An den restlichen Knochen waren keine sichtbaren Verletzungen zu entdecken.

Aber ich bin natürlich auch kein Mediziner. In der Innentasche eines Militärmantels mit abgetrennten Knöpfen habe ich ein zweites Buch gefunden. Es ist das Gothaer Handbuch für Artilleristen, Erscheinungsdatum 1886, mit vielen umständlichen Zeichnungen von altertümlichen Kanonen, Mörsern und Haubitzen.

Es waren Soldaten aus der Zeit vor dem ersten Weltkrieg. So lange lagen sie schon hier. Entsetzlich lange. Aber konnte das denn sein? Warum hatten sich die Knochen so gut erhalten? Sie mussten doch nach dieser langen Zeit schon längst zu Staub zerfallen sein. Die brennenden Holzscheite, die er hier am Ende der tunnelartigen Höhle entzündet hatte, spiegelten sich im Wasser, die Zünglein tanzten hin und her, sie wühlten die Oberfläche des unterirdischen Sees auf, sie erzeugten spiegelnde Wölbungen nach oben. Das Wasser schwoll an, platzte an einigen Stellen auf. Es war nicht das Wasser selbst, das sich bewegte, das waren Fische. Dicke, fette, lebendige Forellen. Hastig machte er sich daran, aus den Stofffetzen einen Kescher zu bauen.

42

Es war stockdunkel. Schnäuzelchen – der Wilderer – Oberkommissar Florian Beerschnauz – wie auch immer – fluchte. Sein Mobiltelefon hatte hier keinen Empfang, natürlich nicht. Er hatte den Weg, der zur Aule-Alm führt, vermutlich verfehlt. Er steckte hier fest, er musste wieder umkehren. Dazu musste er diesen Steilhang hinuntersteigen, sich dabei von Baum zu Baum hangeln, um nicht abzustürzen. Immer wieder verlor er das Gleichgewicht und rutschte auf dem feuchten Waldboden aus. Er ärgerte sich über die misslungene Aktion. Er hätte sich noch mehr geärgert, wenn er gewusst hätte, dass nur ein paar hundert Meter entfernt von ihm ein Pick-up stand, der mit einem Tarnnetz abgedeckt war.

»Wir müssen den Wagen loswerden«, sagte Arri in befehlsgewohntem Ton. »Wir fahren ihn am besten auf den Schrottplatz.«

»Das mache ich liebend gern«, sagte Boris mit einem süßlichen Unterton, den niemand recht zu deuten wusste.

»Hat die Übergabe geklappt?«, fragte Wanda im selben bellenden Kommandoton wie Arri. Arri und Wanda – zwei Häuptlinge, Boris und Nadja – zwei Indianer, das war rein gruppendynamisch alles andere als optimal, aber diese Operationseinheit hatte, im Gegensatz zur Jennerwein-Truppe, keine moderierende Frau Doktor Schmalfuß mit im Team.

»Natürlich hat die Übergabe geklappt!«, schrie Arri zornig. »Wenn ich etwas plane, dann funktioniert es auch! Ich habe danach den Köter ausgeschaltet, der mir schon längst auf die Nerven gegangen ist.

Ammoniumcarbonat neutralisiert jede Hundenase. Meine Vorfahren waren karelische Jäger.«

»Wo hattest du Ammoniak her?«, fragte Wanda.

»Jeder Toilettenstein enthält Ammoniak«, entgegnete Arri. »Das Vieh können die jedenfalls nicht mehr so schnell einsetzen.«

Arris Ton wurde scharf und eisig.

»Und noch eins: Ich möchte in Zukunft keine Alleingänge mehr sehen. So was wie den misslungenen Angriff auf Dr. Patzelt kommt mir nicht mehr vor.«

»Es war kein Alleingang«, sagte Boris trotzig. »Es war ein unklarer Befehl.«

»Da hast du einen klaren Befehl«, schrie Arri und schlug Boris mit der flachen Hand ins Gesicht, dass dieser durch die Wucht des Schlags zurückwich. Boris senkte den Blick zu Boden und schwieg.

»Und jetzt an die Arbeit! Jeep wegbringen, neues Auto besorgen, nächste Aktion vorbereiten. Dieser Wilderer wird mir richtig sympathisch. Er lenkt die Bullen perfekt von unserem Versteck ab.«

»Ich weiß nicht«, sagte Wanda. »Er schien überhaupt keine Angst zu haben. Das ist nicht normal.«

»So ist das mit den Wilderern.«

»Vielleicht hätten wir ihn auch verschwinden lassen sollen.«

»Schluss jetzt! Der Wilderer wird wohl kaum zur Polizei laufen und versuchen, uns zu identifizieren. Und die Polizei ist weit weg von der Wahrheit. Aber ganz weit weg! Die forschen in die völlig falsche Richtung. Da macht mir der Kajakfahrer mehr Sorgen. Der ist knapp dran an unserem Geheimnis.«

»Er ist doch nur zufällig in die Nähe gekommen, er wird auch wieder verschwinden.«

»Da ist er ja!«

»Wer, der Kajakfahrer?«

»Nein, unser Wilderer! Entweder hat er sich verlaufen, oder er sucht Unterschlupf für die Nacht.«

Zwei Frauen und zwei Männer mit großem Gewaltpotential und einer wackligen Hierarchiestruktur reichten das Präzisionsfernglas herum, um den Wilderer zu beobachten.

43

In der Fußgängerzone des Kurorts. Eine Gruppe von vollständig verschleierten Damen, alle tragen eine große Tüte des Trachtengeschäfts Sennleiner. Die schwarzen Burkas erregen kein besonderes Aufsehen, man ist den Anblick offenbar gewohnt.

Ein Trachtler Da schau hin, der Scheich ist wieder in der Gemeinde!

Ein zweiter Trachtler Schön, die Jugendplattelgruppe hat er ja auch schon gesponsert.

Zwei der verschleierten Damen tuscheln miteinander.

Dschamila Ist das da vorne Fatima?

Basma Nein, Fatima ist gar nicht mitgegangen.

Dschamila Wer ist es dann?

Basma Vielleicht ist es Siham.

Dschamila Siham geht da drüben auf der anderen Seite.

Basma Oder Dschamila.

Dschamila Dschamila bin doch ich.

Basma Dann ist das da vorn keine von uns.

Sie zieht ein Smartphone heraus, wählt eine Nummer und spricht. Nach kurzer Zeit fährt ein Polizeiauto mit quietschenden Reifen in die Fußgängerzone. Zwei Beamte in Zivil springen heraus und stürzen sich auf die Frau. Einer reißt ihr den Gesichtsschleier herunter.

Die Frau Was erlauben Sie sich!

Eine zweite verschleierte Frau Den Düwel ook, dat war knapp!

44

Der kleine Zeiger der Uhr im Besprechungszimmer sprang gerade auf acht, als Johann Ostler die Frühstückssemmeln, die er liebevoll mit Wurst, Käse und Marmelade bestrichen hatte, auf einem großen Teller hereinbrachte. Ludwig Stengele hinkte hinter ihm her und ließ sich missgelaunt auf einem Stuhl nieder. Alle anderen Teammitglieder saßen schon.

»Sind wir jetzt wieder vollständig?«, sagte Jennerwein. »Dann können wir ja die unterbrochene Nachtbesprechung von gestern fortsetzen.«

Er machte eine unwirsche Handbewegung.

»So etwas habe ich ja in meiner ganzen Laufbahn noch nicht erlebt.«

Das Team der Mordkommission IV hatte ihren Chef tatsächlich noch nie so sauer gesehen. Sie hatten jetzt schon mehrere Fälle zusammen gelöst, hatten ihn als zielstrebigen, manchmal verbissen arbeitenden Chef kennengelernt, der nie aufgab. Jetzt aber war er anscheinend kurz davor, die Nerven zu verlieren. Jennerwein starrte auf das Zifferblatt, als käme die Lösung des Falls von dort oben. Rasch löste er den Blick, es schien, als würde er etwas abschütteln.

»So schlimm ist es auch wieder nicht, Chef«, versuchte Ostler zu beruhigen. »Wir haben doch einige Ergebnisse –«

»Dann will ich unsere sogenannten Ergebnisse einmal zusammenfassen: Die Untergrund-Aktion des Ehepaars Stengele/Schmalfuß hat zwar drei Schwarzarbeiter aufgestöbert und einen schweren Fall von Pfusch am Bau aufgedeckt – aber keine Spur von versteckten Hohlräumen, geheimen Zugängen und konspirativen Wohnungen geliefert.«

»Zumindest können wir dieses obskure Luxushotel als Versteck jetzt ausschließen«, sagte Stengele, ein bisschen kleinlaut. Aber nur ein bisschen. Denn hat schon mal jemand einen dauerhaft kleinlauten Allgäuer gesehen?

»Gisela hat ebenfalls ihr Bestes getan«, warf Becker ein. »Aber auch sie ist in der unterirdischen Betonröhre, die durch den Ort verläuft, auf keinerlei Auffälligkeiten gestoßen, die mit unserem Fall zusammenhängen.«

»Auch die aufwendige Tauchaktion ist ein Fehlschlag auf der ganzen Linie«, sagte Jennerwein. »Und um diesen Hartl Peter, den Schwarzbrenner, Wildfleischhehler und Opiumdealer kümmern wir uns später.«

»Die Schmalznudeln waren gut, das muss man ihm lassen«, bemerkte Nicole Schwattke. Sie fing sich einen strengen Blick von Jennerwein ein.

»Illegale Aktionen, wohin man sieht, und wir können nicht eingreifen«, nickte Ludwig Stengele. »Aber das ist nun mal so bei verdeckten Operationen.«

»Des Weiteren«, fuhr Jennerwein fort, »haben wir die mysteriöse Quelle unter der Kirche. Ich habe nochmals mit dem Pfarrer gesprochen. Was heißt gesprochen – in diesem Fall habe *ich* ihm einmal die Beichte abgenommen. Er hat zugegeben, das Rinnsal vor ein paar Jahren entdeckt zu haben. Er hatte vor, die Sache so lange geheimzuhalten, bis er sich ganz sicher war, dass es eine Sulfat-Nitrit-Wasweißich-Heilquelle ist, die eine Chance auf staatliche Anerkennung hat.«

»Dann hätte er es groß vermarkten können«, sagte Ostler zustimmend. »Er hätte die Nutzungsrechte an Hoteliers verkauft, kein Mensch hätte mehr von einer Skischanze und einer Maria

Riesch geredet – sondern nur noch von der Heilquelle und dem Pfarrer Hammer.«

»Ja, dieser Hammer ist ein Fuchs«, sagte Jennerwein. »Aber ein Unterstützer des organisierten Verbrechens ist er nicht.«

»Wieso nicht?«, sagte Nicole frech. »Er ist doch Mitglied der katholischen Kirche!«

Zweiter scharfer Blick von Jennerwein. »Ostler, haben Sie die Hinweise aus der Bevölkerung noch einmal geprüft?«

»Ja, aber auch das hat bisher wenig gebracht«, sagte Ostler unzufrieden. »Gut, wir haben ganz nebenbei zwei oder drei Dutzend Straftaten und Ordnungswidrigkeiten aufgespürt: Illegal beschäftigte Dienstmädchen, Grenzsteinverrückungen, abenteuerliche Schwarzbauten, nicht angemeldeter Waffenbesitz, der sich angeblich noch mit Opas Schützenvereinsmitgliedschaft erklären lässt – und so weiter.«

»Und schließlich und endlich haben wir auch noch einen verletzten Beamten«, sagte Jennerwein und wandte sich Nicole Schwattke zu. »Wie geht es denn Ihrem Mann, Nicole?«

»Er hat eine Riesenbeule, und er hat eine Nacht im Wald hinter sich. Ansonsten geht es ihm gut, er lässt schön grüßen. Er ist schon wieder in der Pension.«

»Konnte er etwas über die geheimnisvollen Entführer sagen?«

»Nein, die bleiben geheimnisvoll. Sie waren maskiert. Es waren zwei Frauen, vielleicht auch noch ein Mann. Er ist sich sicher, dass sie körperlich gut ausgebildet waren: Vielleicht Polizisten, vielleicht Soldaten. Die wenigen Bewegungen, die er mitbekommen hat, waren fließend und kraftvoll.«

»Vielleicht irgendwelche Outdoor-Event-Freaks oder Extremsportler«, warf Ostler ein, »die auf einen abenteuerlichen Kick aus waren?«

»Die Waffen waren jedenfalls echt«, fuhr Nicole fort. »Und er glaubt, dass er bei der Autofahrt den Namen Dombrowski gehört hat. Da ist er sich aber nicht ganz sicher.«

»Nun, das klingt ganz gut. – Ich werde Ihren Mann gleich nochmals befragen«, sagte Jennerwein. »Und jetzt zu Ihnen, Maria. Sie haben uns ja einen reizenden Abend beschert! Über Ihren Alleingang will ich jetzt gar nicht reden. Das nächste Mal möchte ich jedenfalls von solchen Aktionen wissen.«

Maria nickte schuldbewusst.

»Wie geht es Fritz?«

Stengele murmelte etwas von *Sauviech, verrecktes.*

»Er ist mit Ammoniak in Berührung gekommen. Irgendein Schwein muss einen Toilettenstein ins Gras geworfen haben, da hat er die Spur verloren.«

»Wenn er überhaupt eine Spur aufgenommen hat!«, belferte Stengele. »Das bringt doch nichts! Überall, wo sich was rührt, läuft der halt hin.«

»Stengele, Sie sind befangen«, sagte Maria.

Maria hatte Fritz im Kurpark gefunden. Er lag, äußerlich zwar unverletzt, aber doch winselnd in einem Blumenbeet. Der herbeigerufene Stengele wollte ihn von dem Stofffetzen trennen, in den er festgebissen war, er hatte ihn am Nackenfell gepackt – und war in die Allgäuer Wadeln gebissen worden. Natürlich war Stengele befangen.

»Haben Sie einen der beiden Männer erkannt, die das Konzert frühzeitig verlassen haben?«, fragte Jennerwein.

»Nein, leider nicht«, entgegnete Maria. »Ich weiß nicht einmal, ob es Männer waren. Es war schummriges Licht, die Gesichter habe ich nicht gesehen. Und die Sicht war mir durch andere Zuhörer verdeckt.«

»Gut«, sagte Jennerwein energisch. »Ich stelle also fest: Die bisherigen Ansätze haben noch keine sichtbaren Erfolge gebracht. Die Zeit läuft uns davon. Wir müssen die beiden Beamten innerhalb der nächsten zwei Tage aufspüren, wenn wir sie noch lebend finden wollen. Und das wollen wir ja schließlich. Wir arbeiten also auf Hochtouren. Alle.«

»Das tun wir doch jetzt sch-«, murrte Nicole.

Dritter scharfer Blick von Jennerwein.

Nicole hatte darauf angespielt, dass sie einen Großteil der Nacht damit verbracht hatte, den Kurpark nach weiteren Spuren der beiden Männer abzusuchen. Ohne Ergebnis.

»Ich habe Dr. Rosenberger um personelle Unterstützung gebeten. Abgelehnt. Rauchpause.«

Jennerwein sah auf die Uhr. Der Zeiger stand immer noch auf acht. Doch die Uhr war nicht stehengeblieben. Das Bild in seinem Kopf war stehengeblieben. Er hatte wieder einen seiner Akinetopsie-Anfälle gehabt. Er konnte inzwischen ganz gut damit leben, denn er bildete sich ein, die Krankheit halbwegs im Griff zu haben. Eines Tages würde er sie ganz besiegen. Wenn dieser Fall abgeschlossen war, würde er es endlich anpacken.

Die Rauchpause fand traditionell draußen auf der Veranda hinter dem Polizeirevier statt. Niemand rauchte, alle genossen vielmehr den spektakulären Ausblick auf den nahen Wald. Es war ein idealer Platz zum Ideenfassen, Kraftschöpfen, Durchatmen und nochmals von vorne Beginnen. Die Rückwand des Gebäudes war von üppigen Tomatensträuchern bedeckt, sie rankten sich hoch bis zu den Fenstern. Die ersten frühen Früchte färbten sich rot, eine Tomate war hinuntergefallen und auf dem Pflaster zerplatzt.

»Vierhundert Tage Sonne im Jahr«, sagte Hölleisen voll Gärtnerstolz. »Meine Frau hat empfohlen, Tomaten zu pflanzen, weil sie die Wespen vertreiben.«

Um die Sträucher herum wimmelte es von Wespen.

»Es ist schon richtig, was Dr. Rosenberger gesagt hat«, fuhr Jennerwein fort, als sie wieder alle im Besprechungsraum saßen. »Das Loisachtal ist bestens geeignet, jemanden spurlos verschwinden zu lassen.«

Er blickte auf die Uhr. Der Zeiger stand auf zwanzig nach acht. Alles in Ordnung.

»Alte Spurensichererweisheit: Ganz spurlos verschwindet nichts und niemand«, sagte Becker.

Jennerwein massierte sich die Schläfen.

»Der Meinung bin ich auch. Wir haben klitzekleine Andeutungen von Spuren. Zwei Frauen reden von Dombrowski. Zwei Männer verlassen ein Konzert. Das sind Spuren von Spuren. Zu den Verschwundenen führt kein Weg. Das deutet auf Wasser hin. Wasser foppt Hundenasen, Wasser löst heiße Spuren in Nichts auf. Womit wir beim nächsten Punkt wären. Wasserstellen.«

Becker nickte sachlich.

»Wir haben schon damit begonnen. Ich habe auf Ihre Anregung hin zusammen mit Ostler und Hölleisen alle fraglichen Wasserstellen im Ort markiert. Bäder, Brunnen, Wehre, Kanäle und so weiter. Wir sind noch nicht sehr weit gekommen, aber –«

Es klingelte. Hölleisen stand auf, verließ den Raum und kam gleich wieder zurück.

»Es ist das Ehepaar Grasegger.«

»Auch das noch!«, seufzte Jennerwein.

»Chef, wollen Sie selbst –«

»Nein, Hölleisen, unterschreiben Sie. Es ist ja nur ein Sichtvermerk, Ihre Unterschrift genügt vollkommen.«

Becker breitete eine Karte auf dem Besprechungstisch aus, auf der alle Wasserstellen im Kurort markiert waren. Fünf Köpfe beugten sich darüber. Franz Hölleisen ging hinaus in den Vorraum, in dem die beiden Graseggers auf dem Wartebänkchen saßen – gut gekleidet, wie es sich für einen behördlichen Gang ziemte.

»Genügt es eigentlich nicht«, fragte Ursel während des Unterschreibens, »wenn einer von uns auf dem Revier erscheint?«

»Komm, Ursel«, sagte Hölleisen müde lächelnd, »stell dich

nicht so an. Ganz blöd sind wir bei der Polizei auch nicht. Ich frage mich, was ihr beiden schon wieder ausheckt! Natürlich reicht es nicht, wenn nur einer kommt. Der Sinn des Ganzen ist es ja, dass keiner von euch größere Ausflüge macht.«

Das saubere Pärchen blickte ihn treuherzig an. Einen Versuch war es ja wert. Hölleisen räusperte sich.

»Ist noch was?«, fragte Ignaz.

»Nur ganz theoretisch«, sagte Hölleisen so beiläufig wie möglich. »Wenn ich etwas verstecken will –«

Ursel schaute Hölleisen forschend ins Gesicht. Auch Ignaz antwortete nicht gleich. Ganz leise hörte man Stimmen aus dem Besprechungszimmer. Bei näherem Hinhören war es eine erregte Diskussion.

»*Etwas* verstecken – oder *jemanden?*«, fragte Ignaz schließlich.

»Na, dann eher *jemanden*.«

»Lebendig? Tot?«

»Beides.«

»Da gibt es Tausende von Möglichkeiten.«

»So weit sind wir auch schon gekommen.«

»Du musst uns schon noch einen Tipp geben.«

»Das ist kein Ratespiel. Fällt euch spontan etwas ein oder nicht?«

Die Graseggers schwiegen. Hölleisen überlegte fieberhaft. Verriet er ein Dienstgeheimnis, wenn er die Idee mit dem Wasser preisgab? War das ein Alleingang? Gefährdete er die Ermittlungen? Er schloss kurz die Augen und befragte seine Intuition.

»Wasser«, sagte er schließlich. »Wir suchen ein Versteck unter Wasser, im Wasser, auf dem Wasser – wir wissen es nicht genau.«

»Etwas im Wasser zu verstecken ist eine gute Idee«, sagte Ignaz bedächtig. »Spürhunde haben keine Chance, biologische Stoffe zersetzen sich sehr schnell. Spuren verschwinden.«

Ursel bedachte ihren Mann mit einem strengen Blick.

»Komm, hör auf, Ignaz. Wir sagen nichts mehr. Am Ende drehen sie uns noch einen Strick daraus.«

»Man hilft der Polizei, wo man kann«, sagte Ignaz. »Das schöne Murnauer Moos zum Beispiel, das verschluckt Leichen auf Nimmerwiedersehen.«

»Das ist uns zu weit vom Kurort entfernt. Geht es auch etwas näher?«

»Der Geroldsee. Gleich nach der Ortsgrenze. Der ist auch moorig. Da kann man aber bloß Leichen verschwinden lassen. Wilderer können sich da nicht verstecken.«

»Wenn euch noch was einfällt –«

»Ja. Wir denken einmal darüber nach.«

Zu Hause auf der Terrasse der Graseggers bog sich der Tisch unter der Last von gerösteten Kasnocken, eingelegten Bauchzweckerln und kaltem Werdenfelser Schweinsbraten mit Griebenschmalz und Ginkgo-Wildpreißelbeer-Mousse. Es war ein spätes Frühstück der besonderen Art. Die Alpen glitzerten, das dunkle Bier dampfte süß aus den Krügen. Lange, sehr lange schwiegen die Graseggers.

»Ein Versteck suchen sie also«, sagte Ignaz schließlich. »Denkst du auch an den Ort, an den ich denke?«

»Ja, ich weiß, was du meinst. Aber das ist völlig unmöglich.«

»Trotzdem. Es schadet ja nicht, wenn wir es ihnen sagen.«

»Die halten uns für verrückt.«

»Das tun sie eh. Besser als für kriminell.«

45

Der Münzschätzerfuzzi hatte dazu geraten, zu einem Volkskundler zu gehen, der sich mit Trachten und Schmuck auskannte, deswegen war Oliver Krapf gleich zur Uni gelatscht und hatte sich dort einen Termin bei dem einzigen Professor des Instituts geben lassen. Es war das Institut für Ethnologie, Kulturanthropologie, Volkskunde, Völkerkunde, Bodylore (was immer das auch war) und einem ganzen Eisenbahnwaggon voll weiterer Wissenschaftszweiglein. Der Professor trug offene lange Haare, Sandalen und dicke, graue Wollsocken. Er erinnerte Oliver sofort an seinen Vater.

»Ja, das ist eine Schmuckmünze«, sagte Jesus. »Vielleicht für eine Bürgermeisterkette, wer weiß. Schau hin, am Rand der Münze, an der Rändelung, da siehst du kleine Bruchstellen, dort war einmal ein Anhänger befestigt. Ich tippe auf eine Silberkette, an der die Münzen aufgereiht waren.«

Verdutzt_schau2.0-Hallelujanochmal! Das war ja ganz was Neues! Den Rand der Münze hatte sich Krapf gar nicht so genau angesehen. Der Ethno-Freak sah zwar aus, als hätte er keinen Peil von gar nichts, aber in diesem Fall war er ein echter Schnellchecker gewesen. Wie hatte ihm das entgehen können! Sein Blick war so auf die Kritzeleien getunnelt gewesen, dass er den Rand nicht beachtet oder vielmehr nicht für wichtig genug gehalten hatte. Er hätte sich ohrfeigen mögen. Er hatte die kleinen platten Stellen, die die Riffelungen regelmäßig durchbrachen, für ornamentale Muster, für unwichtige Verzierungen gehalten. Alter Kryptologenspruch: Schau nicht in die Mitte, wo alle hinglotzen, schau auf den Rand, dort versteckt sich das wirklich Bedeutende.

»Und aus welcher Gegend ist die Münze, Herr Professor?«

»Nenn mich einfach Che«, sagte der Freak.

»Also, Che, woher ist sie?«

»Ich tippe mal auf Süddeutschland. Bayern, Baden-Württemberg, Nordwestschweiz, so in der Gegend. Es könnte Trachtenschmuck sein.«

Che stand auf, zog ein speckiges Buch aus dem Regal und blätterte darin herum.

»Hier, schau her, Mann, das sind Volkstrachten aus den Alpenregionen. Bei den Frauen siehst du das sogenannte *Geschnür*. Das ist eine mehrere Meter lange Kette mit Münzen und einem Vorstecher als Abschluss. Das Geschnür wird mit langen Nadeln am Mieder befestigt. Soll böse Geister fernhalten und vor allem auf den Reichtum der Geschmückten hinweisen. Hat man natürlich nur an Sonn- und Feiertagen getragen.«

»Können Sie was mit der Schrift anfangen, die draufsteht?«

Che, der wahrscheinlich bei Woodstock oder ähnlichen Veranstaltungen in der vordersten Reihe gestanden hatte, nahm eine Lupe aus der Schublade.

»Mit diesem Vergrößerungsglas habe ich eine handbeschriebene Postkarte von Jimi Hendrix betrachtet«, sagte er versonnen. »Er hat wahnsinnig klein geschrieben. Große Musik, kleine Schrift. War auch bei Mozart so.«

»Und die Schrift auf meiner Münze?«

»Ich weiß nicht so recht. Wahrscheinlich was Religiöses.«

»Ist es eine Bibelstelle?«

»Komisch, dass alle immer gleich an eine Bibelstelle denken, wenn irgendwo drei Buchstaben und zwei Zahlen auftauchen. Möglich wäre es natürlich schon, aber wie wäre es mit einem Bauernkalender? Dem I-Ging-Buch, der Mao-Bibel, einem bestimmten Lexikon – was weiß ich.«

»Einem Lexikon?«

Che bemerkte den skeptischen Gesichtsausdruck von Oliver Krapf. Er legte ihm den Arm väterlich um die Schulter.

»Lass mich mal nachdenken, Junge. Es ist Schmuck für eine Feiertagstracht. An einem Feiertag geht man in die Kirche. Geht man mit der Bibel in die Kirche? Nein, die Bibel, die liegt zu Hause auf der Kommode – aber das Gesangbuch, das nimmt man mit! Und jetzt kommts: Anfang des neunzehnten Jahrhunderts hat es im süddeutschen Raum ein beliebtes Gesangbuch gegeben. Es durfte in keinem guten katholischen Haushalt fehlen, das *Leibhaftige*.«

»Wie kommen Sie jetzt auf ein Gesangbuch? Und grade auf dieses?«

»Ganz einfach, Junge, weil hier auf der Münze was von LGL steht, und so heißt auch das Büchlein: *Leibhaftiges Gesangsbuch für die Landbevölkerung.*«

»Sie sehen die Kritzelei als el-ge-el?«

»Wäre zumindest eine Möglichkeit. LGL, II, 1 würde ich sagen. Ein Hinweis auf ein Lied.«

Che bekam einen verschmitzten Gesichtsausdruck.

»Mensch, das interessiert mich jetzt selbst. Wollen wir mal in der Bibliothek nachschauen?«

In der kleinen volkskundlichen Bibliothek nahm Oliver Krapf, dessen Jagdfieber wegen des herben Rückschlags beim Numismatikerfuzzi ein bisschen (eigentlich schwer) nachgelassen hatte, langsam wieder Witterung auf.

»Wollen wir mal sehen, ob wir die Schwarte in der Bibliothek finden«, sagte Che.

Die Schwarte lag völlig auseinandergefallen in einem zugeschnürten Pappkarton. Che nahm eine Pinzette und hielt den abgefallenen Buchrücken hoch. Dort prangten tatsächlich die Buchstaben L.G.L.

»Irgendwann waren das mal Goldbuchstaben.«

Die altertümlichen Lettern erinnerten tatsächlich ein ganz kleines bisschen an die Kritzelei auf der Münze. Krapf betrachtete die Buchstaben näher. Sie erinnerten schon ziemlich an die Münzinschrift. Sie erinnerten ausgesprochen an sie. Sie waren praktisch identisch mit ihr.

»Dann brauchst du jetzt bloß noch das Lied zu suchen.«

»Könnten Sie das bitte machen, Herr Professor, ich kann diese idiotische Frakturschrift nicht lesen.«

»Nenn mich Che, Junge, nenn mich einfach Che.«

»Ja, Che. Lies du.«

Che blätterte. Oliver war jagdfiebermäßig schon wieder auf hundert.

»Also, LGL, Kapitel II, da haben wir es ja: Das sind Hilferufe und Fürbitten, alles in Reimform gegossen. Das sind Lieder, die die Leute damals gesungen haben, wenn sie in Not waren. Krankheiten, Pest, böser Blick, schlechter Stallgeruch – für alles gab es Fürbitten. Aber hier haben wir, wonach wir suchen. LGL, Kapitel II, Nummer 1 –«

in groszer noth sind wir,
ohn unterlasz strömt bach und flusz
die sündtflut dräut, begräbt die liebsten mir,
hilf uns daraus, mein GOtt

»Das war vor der Rechtschreibreform«, murmelte Che. »Da wurde nur Gott großgeschrieben, das war leicht zu merken.«

»Die Sintflut?«, sagte Krapf verwundert. »Ist vielleicht eine Überschwemmung gemeint?«

»Ja, möglich. Hat damals oft die Ernten vernichtet.«

»Aber warum steht das auf einer Schmuckmünze? Wozu der Aufwand?«

»Keine Ahnung. Das musst du schon selbst herausfinden. Ich gebe dir noch einen Tipp: Blättere alte Geschichtsbücher durch, suche nach Überschwemmungen zwischen 1800 und 1830 im süddeutschen Raum. Vielleicht ist jemand verschüttet worden, keine Ahnung.«

»Wie, durchblättern? Alte Bücher? In einer vermufften Bibliothek? Übers Netz geht das nicht?«

Che, der Freak lachte.

»Glaub ich eher nicht, Mann. Geschichte ist eine staubige, analoge Angelegenheit. Viel Glück.«

Krapf hatte keine Lust, in vertrockneten Büchern herumzublättern. In Bibliotheken konnte er nicht atmen. Und wo sollte er da überhaupt anfangen? In Zürich? In Bad Reichenhall? Am Polarkreis? In Südafrika? Er hatte eine andere Idee. Er fuhr wieder heim, schaltete den Rechner an und kroch hinein. Es musste Foren geben, die solche Themen behandelten. Da ja doch keine Gefahr drohte, dass ihm jemand die wertlose Münze klaute, wagte er es, sich im Netz als Jäger des verlorenen Schatzes zu outen. Er gab ein paar Suchbegriffe ein. ›Wasser‹, ›Hilfe‹, und ›Münze‹.

»Sollen wir es ihm nicht endlich sagen?«, fragte Tina am Strand von Casablanca.

»Warum? Dafür, dass er einfach Leine zieht und uns im Stich lässt?«

»Du hast recht. Außerdem muss er es, wenn er nur ein Gramm stochastisches Gespür hat, selbst herausfinden.«

Tina spielte auf eine naheliegende Frage an, die sich Oliver Krapf nie gestellt hatte: Wie groß ist die Wahrscheinlichkeit, in einem Sack Münzen diejenige herauszugreifen, die als Einzige beschriftet ist?

›Hallo Olli‹, schrieb eine gewisse LonelyLizzy in einem geopolitischen Forum, ›ich studiere Geologie im zweiten Semester, von großen Überschwemmungen in der fraglichen Zeit weiß ich nichts. Zwischen 1800 und 1820, da gab es eher Dürreperioden mit vertrockneter Ernte.‹

Diese Information wurde auch von SaveEmotions, Perlhuhn3 und dem Tegernseer_Strandgänger bestätigt. Oliver Krapf erweiterte den Zeitrahmen, darüber hinaus nahm er auch noch Hessen und Österreich dazu: Das gleiche Bild: Keine Überschwemmungen, keine vollgelaufenen Keller.

›Hallo Olli‹, schrieb ein eifriger Karl-May-Leser aus dem thüringischen Jena, ›in ›Der Schatz im Silbersee‹ kommt so was vor. Durch den Silbersee führt nämlich ein geheimer Gang, der zum Schluss geflutet wird. Schau mal nach, ob es das in irgendeinem See auch gibt.‹

Er fragte nach Hydroregulierungsstationen unter dem Wasserspiegel, die um das Jahr 1820 erbaut worden waren. Er fragte nach Unfällen, die es dort gegeben hat. Er stellte viele Fragen in vielen Foren, wurde herumgereicht, landete schließlich bei Simon K. in Freiburg.

›Hallo Olli‹, schrieb dieser Simon K., ›ich studiere Hydrologie im siebten Semester. Ein Hilferuf aus einem Raum heraus, der von Wasser eingeschlossen ist? Das klingt nach einer Geschichte, die ich einmal in einem hydrogeologischen Seminar gehört habe. Willst du Details?‹

Klar wollte Krapf Details.

Er hinterließ sehr viele Spuren im Netz.

46

Im Besprechungszimmer rauchten die Köpfe. Die von Ostler liebevoll geschmierten Frühstückssemmeln standen unberührt in der Ecke, die fleißigen Ermittler hatten sich gleichsam in der Karte des Kurorts festgebissen, die immer noch ausgebreitet auf dem Tisch lag.

»Werfen wir mal einen Blick auf die Verstecke, die früher benutzt wurden«, sagte Jennerwein und warf ein kleines Taschenbüchlein auf den Tisch, die *Kriminalgeschichte des Werdenfelser Landes* von Dr. Ulrich Rosenberger. Dieser historische Überblick war ursprünglich die Doktorarbeit des Oberrats gewesen, wie im Vorwort zu lesen stand. Alle blätterten darin herum.

»Ich habe mich die ganzen Tage schon damit beschäftigt«, sagte Jennerwein. »In dieser Fallsammlung sind zwei Verbrechen zu finden, die etwas mit Wasser zu tun haben. Die erste Geschichte spielt am Geroldsee.«

Er nahm den Bleistift auf und umringelte damit den kleinen See, der etwas außerhalb des Kurorts lag.

»Im Sumpf des Geroldsees soll um das Jahr 1813 während der Invasion Napoleons ein ganzer Tross von französischen Soldaten versunken sein. Die Feinde hatten sie hineingetrieben.«

Johann Hölleisen stutzte. Hatten die Graseggers nicht auch etwas vom Geroldsee erzählt? Ihm wurde mulmig. Sollte er jetzt offenbaren, dass er interne Informationen aus den laufenden Ermittlungen ausgeplaudert hatte? Und dazu auch noch an die ehemaligen Bestatter? Abwarten, dachte Hölleisen.

»Der andere Fall spielt im Jahre 1866«, fuhr Jennerwein fort. »Da ging es um einen tiefen Brunnen. Ein braver Werdenfelser Bauer soll einen Deserteur des bayrischen Heeres nach dem Mainfeldzug dort drinnen versteckt haben. Mit Erfolg übrigens.«[1]

»Den Brunnen gibt es vermutlich nicht mehr?«

»Nein, er ist natürlich längst außer Betrieb. Er liegt im Zentrum des Kurorts, in der Nähe der Frühlingsstraße, das ist eine der am meisten fotografierten Straßen Mitteleuropas.«

Jennerwein malte seine zwei Kringel auf die Karte.

»Ich möchte, dass wir all die kritischen Stellen heute noch abarbeiten. Stengele, Sie fahren mit Maria hoch zum Geroldsee und sehen sich dort um. Becker und Schwattke, Sie fahren in die Frühlingsstraße und versuchen etwas über diesen Brunnen herauszubekommen. – Was ist denn jetzt schon wieder?«

Es hatte geklingelt. Ostler hatte draußen an der Pforte gesessen und Dienst geschoben. Jetzt lugte er ins Besprechungszimmer.

»Schon wieder die Graseggers. Sie wollen mit Ihnen sprechen, Chef.«

»Sie sollen warten. Alles, was jetzt nicht direkt mit unserem Fall zu tun hat –«

»Sie sagen, es hätte mit dem Wilderer-Fall zu tun. Sie haben angeblich einen heißen Tipp, wo man jemanden verstecken könnte. Sie sagen, sie hätten eine geeignete Wasserstelle gefunden.«

»Eine Wasserstelle?«, sagte Jennerwein erstaunt. »Aber woher wissen die denn – Hölleisen!!!«

Hölleisen machte ein unbeschreiblich unschuldiges Gesicht.

»Also gut, dann herein mit den beiden.«

»Sie wollen aber nur mit Ihnen –«

»Herein, sage ich!«

[1] Nähere Details dazu bei Dr. Rosenberger, »Kriminalgeschichte des Werdenfelser Landes«, erschienen bei Goverts, F. a. M., 1975. Mit einem ausführlichen, vom Kriminaloberrat selbst noch einmal durchgesehenen und überarbeiteten Fußnotenteil.

Das Bild war köstlich: Zwei Satansbraten, eingeklemmt zwischen sechs Staatsdienern mit Treueschwur auf die bayrische Verfassung. Das Pärchen, das es mit den bürgerlichen Gesetzen nicht sehr genau nahm, zwischen denen, die für die Aufrechterhaltung dieser Ordnung verantwortlich waren. Das hatte es im Dienstzimmer des örtlichen Polizeireviers noch nie gegeben.

»Uns ist da etwas eingefallen«, sagte Ursel zögerlich.

»Wir haben nicht viel Zeit«, sagte Jennerwein, als sie sich gesetzt hatten. »Bitte machen Sie Ihre Aussage. Kaffee? Wurstbrote?«

Ursel und Ignaz warfen einen Blick auf die billigen Industriewurstscheiben, die sich da aus den Semmeln herausquälten.

»Nein danke, wir kommen gerade vom Frühstück.«

Auch hier konnte man es wieder studieren: Das Böse neigt zur Feinschmeckerei, das Gute zum Fastfood.

»Bei der Kombination von Versteck und Wasser hat es bei uns geschnackelt«, fuhr Ursel fort. »Wir kennen eine Wasserstelle, wie geschaffen fürs Verstecken.«

»Und was wäre das für eine Wasserstelle?«

»Die Höllentalklamm.«

Die Ortskundigen unter den Polizisten sahen sich an und schüttelten den Kopf. Die Höllentalklamm. Dieses gewaltige Naturereignis unterhalb der Zugspitze! Wie sollte man in einer wild rauschenden, ziemlich überlaufenen Touristenattraktion jemanden verstecken? In dieser knapp einen Kilometer langen urtümlichen Hölle aus Strudeln und gischtsprühenden Walzen, gespeist von einem harmlosen Rinnsal namens Hammersbach, der nur in der Klamm mit ihren himmelhohen Wänden zu einem reißenden Popanz aufschwoll?

»Wir sind sehr gespannt, was Sie uns zu erzählen haben. Ich gebe Ihnen genau fünf Minuten.«

»Es ist eine komische Geschichte –«, begann Ignaz zögerlich.
»Und wir müssen gleich dazusagen, dass wir nichts damit zu tun haben!«, unterbrach ihn Ursel. »Wir haben bloß davon gehört!«
»Kommen Sie bitte zur Sache.«
»Vor Jahren«, fuhr Ignaz fort, »hat das Fremdenverkehrsamt vorgehabt, die Höllentalklamm, die ja eines der Schmuckstücke des Kurorts ist, intensiver zu vermarkten – die paar Euro Eintrittsgeld haben anscheinend nicht mehr ausgereicht. Nach einer regulären öffentlichen Ausschreibung sind mehrere Vorschläge eingelaufen, einer verrückter als der andere. Ein Münchner Architekturbüro wollte zum Beispiel eine Wasserrutsche aus Plexiglas bauen, die ein paar Meter über dem Wasserspiegel tausend Meter schräg nach unten führt: Es wäre die längste Wasserrutsche der Welt geworden.«
»Ja, genau«, sagte Ursel. »Andere wollten den Hammersbach umleiten, die Klamm trockenlegen und eine Bobbahn daraus machen. Die Zuschauer wären in die Felswände auf ihre Sitze abgeseilt worden.«
»Ein drittes Architekturbüro hätte Lattenroste in Stufenform über das Wasser gebaut und eine riesige Partymeile daraus gemacht.«
»Woher wissen Sie das alles?«, fragte Stengele scharf.
»Wir kennen jemanden im Gemeinderat, der hat uns das alles erzählt.«
»Name?«
»Haben wir vergessen, er ist auch unwichtig.«
Ignaz und Ursel sahen sich an und nickten sich bestätigend zu.
»Den Zuschlag hat ein Bewerber bekommen«, fuhr Ignaz kopfschüttelnd fort, »der dem Kurort eine astronomische Summe dafür gezahlt hat, dass nichts gemacht wird. Dass die Höllentalklamm so belassen wird, wie sie ist.«

»Der Haushalt ist durch diese großzügige Spende auf Jahre hinaus saniert gewesen.«

»Und deshalb sieht die Höllentalklamm heute noch so aus wie vor zehntausend Jahren.«

»Ein früher Umweltaktivist?«, fragte Nicole Schwattke.

»Unwahrscheinlich, er ist nämlich anonym geblieben, und das bis heute. Eine Umweltorganisation hätte das doch ganz bestimmt an die große Glocke gehängt – die wollen ja immer im Rampenlicht stehen. Dieser Mann aber hat darauf bestanden, dass er und die ganze Aktion im Dunkeln bleiben.«

»Wir haben auch die genaue Summe erfahren. Wir sind fast in Ohnmacht gefallen. Und wir haben uns dann schon die Frage gestellt: Seit wann haben harmlose Naturschutzverbände solche Mittel zur Verfügung?«

Einen Teil der Geschichte ließen die Ex-Bestatter weg, dass nämlich der Auftraggeber *irgendwie international* gewirkt und mehrere Sprachen auf eine babylonische Weise gesprochen hätte. Dass es am ehesten noch eine slawische Sprache gewesen wäre. Die Graseggers hielten das gar nicht für so wichtig. Wenn sie es nicht verschwiegen hätten, dann hätten die Ermittler allerdings den anonymen Brief von Veronika Holzmayer und Rudi Mühlriedl doch nicht so ohne weiteres beiseitegelegt. Hätte, hätte, hätte.

Jennerwein musterte die Graseggers genau. Es war klar, dass sie etwas verschwiegen, aber er wusste auch, dass es keinen Sinn hatte, hier nachzubohren.

Becker brach das Schweigen als Erster.

»Die Höllentalklamm also! Alles gut und schön, aber ich sehe nicht, auf welche Weise man da jemanden verstecken könnte.«

»Das haben wir uns auch gedacht. Wir sind ein bisschen spazieren gegangen in der Klamm –«

»– und dann ist uns eine Geschichte eingefallen, eine alte Legende von einem Flößer, der verschwunden ist – die Geschichte vom Quirin Roesch.«

»Und wenn man die Spendengeschichte mit dieser Geschichte zusammenbringt, dann wird vielleicht ein Schuh daraus.«

»Erst haben wir gezögert, davon zu erzählen, aber wir haben ja nichts zu verlieren.«

»Bevor Sie anfangen«, sagte Jennerwein, »hat es etwas mit der Familie zu tun?«

»Mit Italien? Wo denken Sie hin! Auf keinen Fall.«

Ursel und Ignaz ersparten sich auch das Detail, dass sie den Padrone genau danach gefragt hatten. Zwischen Toreggio und dem Kurort war noch einige Taubenpost hin und her geflogen.

»Höllentalklamm?«, hatte der Padrone in Toreggio geflüstert. »Zu heiß für uns.«

47

Jennerwein hatte alle Mitglieder seiner Truppe losgeschickt, sie sollten schnellstens damit beginnen, die neu besprochenen Recherchen durchzuführen. Er saß mit Ursel und Ignaz Grasegger allein im Besprechungszimmer. So unglaublich diese Geschichte war, so faszinierend war sie gleichzeitig. Die beiden schienen ehrlich entschlossen, der Polizei bezüglich eines todsicheren Verstecks weiterzuhelfen. Sie wussten etwas, und das wollte er sich anhören. Oder hatten sie doch etwas mit der Entführung zu tun und wollten ihn auf eine falsche Fährte locken? Er musste aufpassen, er durfte sich nicht einwickeln lassen.

»Fünf Minuten«, sagte er.

Er war hochkonzentriert, doch er versuchte uninteressiert und lässig bis abweisend auszusehen.

»Die Höllentalklamm ist natürlich vollkommen unbefahrbar«, begann Ignaz. »Selbst Extremsportler wissen das. Trotzdem haben es immer wieder welche versucht. Vor zweihundert Jahren zum Beispiel. Sei es, dass das Wildwasser damals nicht ganz so reißend war wie heute, sei es, dass die Menschen vor zweihundert Jahren furchtloser waren – ein Mann hat es jedenfalls gewagt: der Roesch Quirin. Der Kurort war noch ein winziges Dorf, die Haupterwerbsquelle der Bewohner war die Flößerei. Das Holz wurde droben in den Bergwäldern geschlagen, über die Wildbäche heruntergefahren, um dann auf der Loisach über die Isar nach München gebracht zu werden. Echtes Werdenfelser Zirbelholz für enge städtische Bürgerstuben – die fetten Münchner

Hopfenzupfer haben sicher nicht gewusst, wie viele Tote und Verletzte die Flößerei gefordert hat. Mein Ururgroßvater, der Sylvester Grasegger, der war Flößer, bevor er dann Bestattungsunternehmer geworden ist. Deshalb weiß ich es. Jedenfalls ist der Quirin Roesch eines Tages zusammen mit weiteren drei Leuten den Hammersbach hinuntergefahren und in der Höllentalklamm gekentert. Vom Floß ist nicht viel übrig geblieben, unten hat man noch ein paar Einzelteile herausgefischt. Das Sonderbare dabei war, dass die vier Leute nie gefunden worden sind, weder tot noch lebendig.«

»Sie sind vielleicht irgendwo auf der Strecke eingeklemmt worden«, sagte Jennerwein.

»Ja schon, aber gleich vier Leute?«

»Können sie nicht unterwegs ausgestiegen sein?«

»Unmöglich. Der bequeme Wanderweg ist erst 1905 in die Wand gehauen worden. Damals war das noch eine bis zu hundertfünfzig Meter tiefe Schlucht, sonst nichts.«

»Ein Siphon«, sinnierte Jennerwein. »Das ist ein Strudel, der sich einen Weg unter einem Stein gebahnt hat. Ein Gegenstand oder ein Körper, der dort hineingerät, kreist bis in alle Ewigkeiten darin herum. Ich hatte schon einmal solch einen Fall.«

»Siphon?«, wiederholte Ignaz. »Ach, so heißt das! Wir haben das immer *Felsschlupfer* genannt.«

»Der Körper darf nicht zu schwer sein«, sagte Jennerwein nachdenklich, »sonst sinkt er auf den Boden der Walze und wird nach einiger Zeit wieder herausgespült. Er darf aber auch nicht zu leicht sein, sonst gerät er gar nicht erst in den Strudel.«

»Ja, so funktioniert er, der Felsschlupfer.«

»Könnte es das gewesen sein?«

»Ich weiß nicht. Die Gendarmen damals, Ihre Vorfahren sozusagen, die haben die ganze Klamm mit Bergführerstecken abgestochen. Auch diese Siphons. Nichts. Wie wenn sie sich aufgelöst hätten, der Quirin und seine Begleiter.«

»Und wie erklären Sie sich dann diesen Vorfall?«, fragte Jennerwein.

Oliver Krapf wartete begierig auf die Antwort des Hydrologen aus Freiburg.

›Es ist natürlich nur eine Geschichte, eine Legende‹, schrieb Simon K. weiter. ›Aber sie klingt für mich plausibel. Einer fällt ins reißende Wasser und gerät in einen Strudel, aus dem er sich nicht mehr befreien kann. Er denkt, sein letztes Stündlein hat geschlagen. Als er jedoch aus seiner Ohnmacht erwacht, findet er sich in einer dunklen, nassen Höhle wieder. Er kann nichts sehen, er bewegt sich tastend weiter. Er bemerkt, dass sich noch weitere Personen in dieser Höhle befinden. Lauter Leute, die hier schon seit Generationen leben.‹

›Aber wie kann jemand einen Hilferuf nach draußen absenden?‹, fragte Krapf.

›Es würde jetzt zu weit führen, dir einen Siphon oder einen Reynolds-Strudel ausführlich zu erklären. Laienhaft gesprochen ist der Reynolds-Strudel ein Strudel im Strudel. Eine tödliche Einbahnstraße. Zur einen Seite hin (also rein in die Höhle) gehen Körper in einer bestimmten Größe und mit einem bestimmten Gewicht. In die andere Richtung (also raus aus der Höhle) gehen diese Körper nicht mehr. Das schaffen nur kleine Gegenstände.‹

›Wie klein?‹

›Was weiß ich.‹

›Wo gibt es solche Höhlen? ‹

›Kanada, Neuseeland, ich müsste mal nachschauen.‹

›Auch bei uns?‹

›Kann sein. Die Höhlen erweitern sich im Lauf der Zeit. Der Fels erodiert und wird weggespült. Der Prozess wird begünstigt, wenn kalkhaltiges Wasser auf Kalkstein trifft.‹

›Und wo findet man das in Europa?‹

›Im Alpenraum.‹

Oliver Krapf lehnte sich zurück. Der Alpenraum war groß. Aber es war eine deutsche Münze. Und ein süddeutsches Gesangbuch.

»Es muss um das Jahr 1820 herum gewesen sein«, fuhr Ignaz fort. »Das war die Gründerzeit des Beerdigungsinstitutes Grasegger. Ich habe die Geschichte so gehört, dass zwei Loisachtaler Flößerburschen mit ihren Frauen auf den Höllentalferner gestiegen sind, um dort oben Sonnwend zu feiern. Es wurde getrunken und getanzt, es waren junge Leute. Am darauffolgenden Morgen haben sie beschlossen, den Hammersbach in einem Floß hinunterzufahren, um rechtzeitig zur Kirche zu kommen.«

»Das kleine Rinnsal da oben? Das ist doch nicht befahrbar.«

»Der Oberlauf des Hammersbachs hat damals viel mehr Wasser geführt. Da ist man mit dem Floß schon heruntergekommen. Sie wollten den Weg durch die tosende Höllentalklamm nehmen, das haben sie schon öfters gemacht, um ihren Frauen zu imponieren.«

»Sie wollen mir einen Bären aufbinden?«

»Fragen Sie alte Einheimische, die können Ihnen das auch bestätigen.«

Ursel schaltete sich ein.

»Herr Kommissar, der Punkt ist der: Es müssen sich abgeschlossene Höhlen in der Klamm befinden. Wo man reinkommt, aber nicht mehr raus.«

»Ja freilich«, stimmte ihr Ignaz zu. »Es ist natürlich nur eine Geschichte, aber ein bisserl Wahrheit ist dran, das spür ich im großen Zeh. Nichts ist ganz und gar erfunden.«

Ignaz nickte.

»Dass es solche Höhlen gibt, das ist der wahre Kern. Aber die Geschichte geht ja noch weiter – und *da* wird es erst legendenhaft. Das zeigt aber nur, dass der vorige Kern umso wahrer ist.«

»Die fünf Minuten sind zwar um – aber, nur interessehalber: Wie lautet die Legende?«

»Naja«, begann Ursel zögerlich. »Die Legende sagt, dass die zwei Flößer mit ihren Frauen in einer dieser Höhlen überlebt haben.«

»Wie bitte?«

»Ja, sogar sehr lange. Über Jahre hin. In den Räumen war alles Lebensnotwendige da: Luft, Wasser, Nahrung –«

»Jetzt hören Sie auf!«, sagte Jennerwein und erhob sich. »Ich habe zu tun.«

»Man will ja nur helfen«, sagte Ursel Grasegger unschuldig.

48

Dritter Tag. Von den Forellen kann ich mich eigentlich ganz gut ernähren, es sind genügend da. Ich habe ein paar davon gebraten, insofern ist das Kochgeschirr doch nicht ganz witzlos. Die Frage ist: Wie sind diese Fische in die Höhle gelangt? Es muss eine Verbindung nach draußen geben.

Er machte Liegestütze, er machte Dehnübungen, er schwamm ein paar Runden. Er hatte sich am Ende der tunnelähnlichen Höhle so gut es ging eingerichtet. In einer kleinen Felsnische hatte er sein Feuer entzündet. Ihm war eine Stelle im Wasser aufgefallen, an der in größeren Abständen kleine Blasen an die Oberfläche stiegen. Er wusste, dass es unvernünftig war, aber er konnte schließlich der Versuchung nicht widerstehen, dort hinunter zu tauchen. Er glitt ins Wasser. Nach zwei Körperlängen Tiefe glaubte er einen leichten Sog zu spüren, einen kreiselnden Strudel von unten. Er fühlte sich jedoch nicht fit genug, weiterzutauchen. Aber es war ein Hoffnungsschimmer – der erste seit Tagen. Er befühlte seine Glatze. Die Haare waren schon wieder etwas nachgewachsen, sie hatten jetzt die Länge seines Bartes. Er holte sein Schweizer Armeemesser heraus und schnitt das Pflaster an einer Stelle auf. Langsam und vorsichtig zog er es ab. Er ertastete eine Schwellung rund um seinen Schädel, es waren allerdings keine Operationsnähte zu finden. Er musste warten, bis die Schwellung zurückgegangen war, dann erst konnte er sich sicher sein. Es konnte sich auch um einen harmlosen, geritzten Schnitt mit dem Skalpell handeln, der ihn in dem schrecklichen Glauben wiegen sollte, eine Schädelöffnung, eine Hieronymus-Bosch-mäßige Trepanation hinter sich zu haben. Das traute er dem Weißkittel zu. Dieser verfluchte Kurpfuscher hatte ihm lediglich irgendwelche Horrorstorys erzählt, um ihn in Angst zu versetzen! Psychofolter eben.

Ich habe mich von meiner angestammten Stelle in der Nähe des Soldatenfriedhofs wegbewegt. Ich habe diese Exkursion gemacht, weil ich wieder die Stimmen gehört habe. Körperlich geht es mit mir aufwärts, aber mein psychischer Gesamtzustand ist bedenklich. (Ich bin kein Fachmann, aber ich denke, ich habe so etwas wie einen posttraumatischen Schock.) Ich bin nervös und unkonzentriert, großen Stimmungsschwankungen ausgesetzt, das alles ist noch zu verkraften – aber die Stimmen machen mich wahnsinnig. Wenn ich sie höre, hält es mich nicht mehr an meinem Platz und ich muss ihnen nachgehen.

Er hatte sie schon öfter gehört: laute Erwachsenenstimmen, helles Kinderlachen, fröhlicher Gesang von bekannten Volksliedern, scheues Geflüster, wüstes Geschimpfe, erregte Anfeuerungsrufe. Das war normal. In großen Stresssituationen spielt die Phantasie verrückt, das wusste er. Der Wunsch nach Gesellschaft wird so übermächtig, dass sich das Gehirn die Gesellschaft herbeirechnet. Dem Ängstlichen raschelt alles, dem Sucher ist alles Fund. Seine Gegenmaßnahme war körperliche Betätigung. Er machte Liegestütze, Klimmzüge an einer Felsnase, Laufübungen – und sofort verschwanden die Stimmen. Aber sie kamen bald wieder. Er drängte sie wieder zurück, sie kamen erneut. Wie hieß dieser Effekt nochmals? Wenn die Phantasie einen wahnsinnig macht? Irgendein Münchner hatte doch diesen Fata Morganas seinen Namen gegeben. Salewski-Effekt oder so ähnlich. Ein Schauspiel, das sich nur im eigenen Gehirn abspielt und das einen, wenn man nicht aufpasst, ganz von der Realität abkoppelt. Von der Polizei wird dieser Effekt ganz bewusst eingesetzt – deshalb wusste er überhaupt davon.

Bei Geiselnahmen zum Beispiel. Die Gangster haben die Bank verlassen und sitzen mit den Geiseln im Auto. Sie haben zwei Tage nicht mehr geschlafen, ein direkter Angriff würde zur Katastrophe führen. Die Taktik: Im Hintergrund werden skurrile Szenen inszeniert, die die überreizten Gangster am eigenen Verstand zweifeln lassen. Der Verstand spinnt die skurrilen Szenen weiter, die Gangster werden unaufmerksam – Zugriff.

Nach ein paar Stunden fühlte er sich kräftig und ausgeruht genug, um noch einen Tauchgang zu wagen. Er musste es versuchen, das war wahrscheinlich seine einzige Chance. Er machte Atemübungen, Dehnübungen, Konzentrationsübungen. Er sprang wiederum an der blubberigen Stelle ins Wasser, hangelte sich an der Felswand entlang nach unten. In fünf Metern Tiefe hatte er das Gefühl, ihm würde es die Lunge zerreißen. Ein starker, kalter Strudel kam ihm von unten entgegen. Hatte er Licht gesehen, als er die Augen kurz öffnete? Es hatte keinen Sinn mehr, weiterzutauchen, er musste wieder nach oben. Vollkommen erschöpft lag er eine Stunde regungslos auf dem Boden. Er musste irgendeine Art von Schnorchel improvisieren, dann wollte er es nochmals versuchen. Morgen vielleicht. Oder am besten heute noch. Die Zeit drängte.

Wieso ist dort unten Strömung? Ich habe Wasser geschluckt – ich kann mich auch täuschen, aber es hat mineralhaltig geschmeckt, wie kohlensäurehaltiges Sprudelwasser. Vielleicht gibt es da eine Mineralquelle.

In diesem Fall habe ich umsonst gehofft. Dann ist das kein Weg nach draußen. Aber irgendwo müssen doch die Fische herkommen! Ich werde es nochmals versuchen.

Mutlos ließ er den Stift sinken. Und wieder waren sie da, die Stimmen. Er entzündete einen weiteren trockenen Ast, den er als Fackel benutzte, und ging in die Richtung, aus der die Stimmen gekommen waren. Er ging an der Felswand entlang, es war genau der Weg, den er vor drei Tagen gekommen war. Die Stimmen wurden lauter. Er hielt seine improvisierte Fackel fest in der Hand. Mit der anderen Hand musste er sich an der Felswand abstützen. Verdammte Halluzinationen! Zehn Meter vor ihm saß eine Gruppe von Menschen auf der Erde. Sie waren alle in Tierfelle gehüllt. Ein alter Mann hockte in der Mitte, einige Kinder und Jugendliche scharten sich um ihn. Der Alte erzählte, die anderen hörten zu. Konnten denn diese verfluchten Salewski-Halluzinationen so konkret sein? Er beleuchtete die Szenerie. Die Menschen nahmen keine Notiz von ihm.

»Hallo!«, krächzte er. Es war das erste Wort, das er seit drei Tagen gesprochen hatte.

49

»Da gibt es doch dieses Lied von den verunglückten Flößern«, sagte Ursel.

Sie nahm einen Zettel vom Besprechungstisch und schrieb das Wort *Floezzer* darauf.

»Wissen Sie, damals kannte man noch kein ö und kein scharfes ß.«

»Sehr interessant«, knurrte der Kommissar.

»Wir kennen das Lied vom Beppi. Das war einer der letzten Flößer im Kurort. Als der gestorben ist, wollte er das Lied vom *Floezzer Quirin* unbedingt auf dem Grabstein draufstehen haben. Das vollständige!«

»Ja, genau«, pflichtete Ignaz bei. »Mit allen zwanzig Strophen. Weil er doch einer alten Flößerdynastie entstammt. Wir haben ihm den Wunsch erfüllt –«

»Und eine Strophe davon lautet –«

Vom schiffbruch wohl gerettet
und vor dem kalten feucht
sind viele spaeter gluekklich
ins trockene gefleucht,
von manch vermisstem gatten
die gattin nichts vernahm,
er aber lebet fröhlich
dort in der dunklen klamm.

»Das war vielleicht eine Arbeit mit dem Grabstein vom Flößer Beppi!«, sagte Ignaz.

»Zwanzig Strophen! Sie können gern rausgehen auf den Friedhof und sich das selber anschauen. Gleich wenn man reinkommt, rechts und dann geradeaus. Da können Sie es selbst lesen.«

»Wenn ich mal Zeit dazu habe, ja«, murrte Jennerwein. »Ich glaube, dass ich jetzt alle Informationen beisammen habe.«

Er gab Ursel und Ignaz die Hand, die sich höflich verabschiedeten.

»Und wenn Sie wieder einmal was brauchen –«

»Auf Wiedersehen!«, sagte Jennerwein mit Nachdruck.

Als die beiden draußen waren, wählte er eine Nummer.

»Becker, ich will Sie sprechen«, raunzte er ins Telefon. Jennerwein war heute gar nicht gut drauf.

Umso besser war das Bestattungsunternehmerehepaar drauf. Noch im Gang des Polizeireviers kniff Ursel ihren Mann in den Arm.

»Das wäre doch eine Gaudi, wenn da was dran wäre an der alten Geschichte.«

»Auf jeden Fall ist das ein ganz gutes Startkapital, das wir uns da aufgebaut haben.«

»Da hast du recht. Der Jennerwein vertraut uns jetzt. Und wir haben was gut bei ihm.«

»Man weiß nie, ob sich so ein Gefallen nicht irgendwann einmal wieder auszahlt.«

Lachend und scherzend verließen sie das Polizeirevier.

»Eine Strophe in dem Lied finde ich ja besonders schaurig:«

> Und mancher fragt sich sinnend,
> wo Koenig Ludwig weilt
> es hat ihn, ja, so sagt man
> der schiffbruch auch ereilt.

die floezzer hueten dieses
geheimnis seither gut:
und Quirins sippe hat seitdem
gar Koenigliches blut

»Mit dem König Ludwig – ist da wirklich *unser* König Ludwig gemeint?«

»Ja, freilich. Wer sonst? Zeitlich täte es auch passen: Mitte Juni 1886 ist der König angeblich im Starnberger See ertrunken.«

»In der Zeit hat er aber auch einen Ausflug auf seine Jagdhütte am Schachen gemacht. Und die ist gar nicht so weit von der Höllentalklamm entfernt!«

»Aber der König, der war doch –«

»Was war der?«

»War der nicht schwul? Und ausgerechnet der soll das Blut der Roeschs aufgefrischt haben?«

So scherzte und lachte das Ehepaar Grasegger, bis es nach Hause kam. Morgen war der Wochentag, an dem man beschlossen hatte, keine tierischen Fette zu sich zu nehmen. Drum wurde heute umso mehr aufgetragen. Grainauer Dampfhefelen, überbackene Ochsenschwanzpflanzerln, kalter Hirschbraten, selbstgemachte Bärlauchmayonnaise.

50

Krapf hatte schon lange nichts mehr gegessen. Krapf saß – wo sonst – vor dem Computerbildschirm und streckte seine Fühler in die unendlichen Weiten des Netzes aus. In seinem Kopf ratterte und rumorte es, seine Finger flogen über die Tasten. Warum sollte Krapf auch etwas essen – hatte er sich doch in etwas ganz anderes, wesentlich Nahrhafteres festgebissen. Er öffnete ein neues Dokument, ein sauberes neues virtuelles Blatt Papier und schrieb ein paar Stichpunkte auf. *Frauen in süddeutscher Tracht ... in einer Höhle eingeschlossen ... Reynolds hatte sie da reingespült ... Reynolds ließ sie aber nicht mehr raus ...* Klar, das war es! Die Schmuckmünzen der Frauen kamen an Reynolds vorbei wie die Schafe an dem Kyklopen Polyphem! Woher wussten die eingeschlossenen Frauen das aber? Logisch: Wer auf dem Wasser verunglückte, der kannte sich mit den Gesetzen des Wassers aus, der kannte das Reynolds-Gesetz vielleicht nicht dem Namen, aber doch dem Prinzip nach.

›Klar könnte das gehen‹, schrieb ihm der Hydrologe aus Freiburg, ›die reißen ihren Schmuck runter (brauchen sie ja momentan nicht mehr) und werfen ihn ins Wasser. Die Münze wird hinausgespült, bis sie im ruhigeren, seichteren Wasser liegen bleibt.‹

›Sie hoffen also, dass die Münze bald gefunden wird?‹

›Das müsste aber dann schon Sherlock Holmes persönlich sein, der von der Münze auf die Höhle kommt!‹

›Idee! Idee! Eine besonders gewitzte Trachtenträgerin ritzt einen Hinweis auf den Standort rein. Auf der Münze ist allerdings nicht viel Platz, es ist auch mühsam, da was reinzuritzen. Also muss eine Chiffre genügen. Eine Stelle aus einem bekannten Gebetbuch zum Beispiel!‹

›Möglich. Ich muss jetzt wieder.‹

›Machs gut! Und danke für alles!‹

Krapf, oh Krapf! Das ist in sich stimmig, gewiss, das ist logische Denke vom Feinsten, so kann man sich entlanghangeln von Argument zu Argument, ein vorsokratischer Geistesriese hätte seine Freude daran gehabt. Aber Krapf, Mann: Sind dir die vielen Unstimmigkeiten nicht aufgefallen, die dich auf deinem Irrweg begleitet haben!? Eine einsame deutsche Münze, mitten in Marokko, in einem Sack, in dem tausend marokkanische Münzen vor sich hin gammeln? Hast *du* sie gefunden, Krapf? Du selbst? Oder hat sie dir Tina in die Hand gegeben, die sommersprossige Circe? Schon wieder vergessen, Krapf? Nein, das hast du nicht vergessen, das ist ja der eigentliche, dir gar nicht bewusste Grund, warum du wie ein Verrückter durch halb Europa jagst! Gib es zu, Krapf, gesteh es endlich, du rödelst ihretwegen, du willst als Jäger dastehen vor der ephelidischen Abiturientin! Stimmts, Krapf?

›Wie jetzt‹, mailte SternGucker123, ›Münze – Tracht – Höhle – da klingelt es doch bei mir!‹

›Wie jetzt: klingeln‹, mailte Krapf zurück.

›Da gibts doch so ein altes Flößerlied! Hab ich mal im Urlaub gehört. Nein: Gesehen. Auf nem Grabstein.‹

›Wie heißt das?‹

›Keine Ahnung.‹

›Aus welchem Raum?‹

›Loisachtal, da war ich im Urlaub. Schifahren‹

›Wo ist denn das?‹

›Wo halt die Loisach durchfließt, mein Gott. Wo die olympischen Spiele nicht hingekommen sind!‹

Es gab nicht viele Orte, wo olympische Spiele hätten hinkommen sollen. Aber es gab viele Orte, wo die olympischen Spiele *nicht* hinkamen. Krapf fand es trotzdem heraus. Er telefonierte. Er mailte. Er war überzeugt davon, dass er kurz vor dem Ziel war.

Dreitausend Kilometer südlicher regnete es in Strömen, und die verbliebenen vier Freunde saßen im Zelt.

»Ich rufe ihn jetzt an«, sagte Tina. »Oder ich rufe seine Eltern an. Die sollen rübergehen zu Oliver und das Ganze aufklären.«

»Mein Gott, die paar Tage wird er das noch aushalten!«

»So wie du das draufgekritzelt hast, kann man das Zeichen nicht erkennen. Das ist viel zu schwer für ihn. Wie wenn du bei einer Textaufgabe falsche Angaben machst.«

»Mein Gott, ich bin halt abgerutscht«, sagte Flo. »Ich bin ja nicht Dürer. Gut, dann rufen wir halt an.«

Flo machte eine automatische Handbewegung in die Hosentasche hinein, und er zog sein Mobiltelefon heraus. Alle mussten furchtbar lachen. Alle hatten sie ihre Mobiltelefone und Smartphones dabei. Alle zogen sie jetzt heraus.

»Nur zur Sicherheit.«

»Klar, falls mal was ist.«

Sie prusteten und glucksten, aber es war ihnen auch echt peinlich. Sie beschlossen, doch noch bis morgen zu warten.

»Ich werd verrückt!«, schrie Nadja. »Komm mal schnell her, Arri. Da gibt es einen, der in allen Foren rumschnüffelt und nach unserem Versteck sucht.«

Arri blickte Nadja über die Schulter. Sein Gesicht verfinsterte sich.

»Versuch herauszubekommen, wo er wohnt.«

»Bin schon dabei.«

51

»Das wundert mich jetzt aber schon«, sagte die Hartmannsdorfer Traudi an der Wursttheke der Metzgerei Kallinger, »dass ihr in eurem Laden noch keinen frisch gewilderten 1 a Gamsbraten anbietet! Das wäre doch was. Der Metzger Moll macht es.«

»Ja, der Metzger Moll!«, sagte die rosige Metzgerin etwas angesäuert. »Der Metzger Moll lässt ja den Leberkäse auch in Taiwan machen.«

»Mit echten historischen Bleikugeln drin!«, ergänzte die Hartmannsdorfer Traudi. »Also, natürlich nicht in dem Leberkäse aus Taiwan, sondern in dem Gamsbraten. Da kannst du daheim vor den Gästen sogar behaupten, du hättest das Wildbret selber geschossen.«

Gelächter in der Metzgerei Kallinger.

»Im Bauerntheater proben sie auch schon ein neues Stück«, sagte der Schreiner Beppi. »Passend zu der ganzen Gaudi.«

»Wie heißt es denn? Vielleicht: *Der Wildschütz Jennerwein?*«

Großes, nicht enden wollendes Gelächter.

»Nein«, sagte die elegant gekleidete Frau Neuner und schob eine Haarsträhne zurück in ihren geflochtenen Dutt, »es heißt *Der Gamsjäger vom Marienplatz*, Premiere soll in zwei Wochen sein, und die Vorstellungen sind schon alle ausverkauft. Aber ich habe ja ein Abonnement.«

Der Kottesrieder Loisl, Kaminkehrer und ehemaliger Eishockey-Spieler, blätterte lustlos in der Zeitung herum.

»Ja, gibt es denn gar nichts anderes als das Wildern!«, murrte er schon wieder.

»Dann lies halt die Todesanzeigen«, sagte seine Frau, die Kottesrieder Rosalinde.

»Es stirbt ja niemand mehr«, erwiderte der Loisl. »Jeder wartet noch ab, wie das Wildererdrama ausgeht.«

Und damit hatte er recht. Das waren die großen Themen im Ort: Das Jägern und das Wildern. Die Geschäftsleute hatten sich schon darauf eingestellt. In der Bäckerei Krusti wurden Semmeln angeboten, die die Form von Gewehrpatronen des Kalibers 7×64 hatten, solche, wie sie die Freischützen des neunzehnten Jahrhunderts angeblich verwendet hatten. Im Trachtenmodehaus Sennleiner wurden *perforatos* vorgestellt, das waren durchlöcherte, karierte Holzhackerhemden, und im hippsten Friseurladen des Ortes, bei Hairbert, ging es ähnlich zu.

Dort saß Polizeiobermeister Hölleisen und wartete auf seinen Haarschnitt, den seine Frau für dringend nötig gehalten hatte. Sein Stammfriseur hatte geschlossen, drum saß er heute ausnahmsweise bei Hairbert.

»Jäger oder Wilderer?«, fragte Hairbert.

»Wie meinen Sie? Ich möchte es kurz bitte, und unauffällig.« Fast hätte er noch hinzugefügt: Ich ermittle doch verdeckt! Aber er beherrschte sich.

»Kurz?«, sagte Hairbert. »Das ist Jäger.«

»Dann halt Jäger.«

»Wie kurz?«

»Möglichst kurz, aber nicht modisch.«

»Kurz *ist* zur Zeit modisch. Windschnittig, föhnig, jägerisch eben.«

»Dann möchte ich es nicht so kurz.«

»Also old-fashioned? Wildschützig? Jennerweinig? Ihnen würde auch retro stehen.«

»Ich möchte es überhaupt nicht modisch.«

»Überhaupt nicht modisch – das geht nicht«, sagte Hairbert und legte so viel Härte in die Stimme, als es ihm möglich war. »Das macht Ihnen kein Friseur.«

»Wie, geht nicht?«

»Geht nicht, cut. Und wenn es ginge, würde auch das wieder eine Mode werden.«

»Dann machen Sie es mir eben altmodisch. Aber beeilen Sie sich, meine Pause ist gleich zu Ende.«

»Altmodisch? Aber wie altmodisch? Da gibt es zum Beispiel antiquated und dated, dann gibt es out-moded, fuddy-duddy, out of fashion (nicht zu verwechseln mit old-fashioned), retro, primitive, long-forgotten –«

»Hören Sie auf, ich habe nicht so viel Zeit, was ist denn das Kürzeste?«

»Das Kürzeste ist eine Glatze, das ist dann skinheaded. Ich denke aber nicht, dass Ihnen das steht.«

»Nein, ich meine, was ist *zeitlich* das Kürzeste.«

»Ein Glatze *ist* zeitlich das Kürzeste.«

»Also gut, dann machen wir es anders, sonst komme ich hier nie mehr raus. Sie sagen mir, was mir steht, und das nehme ich.«

»Zu Ihrem Typ würde *Totgeglaubt* ganz gut passen.«

»Totgeglaubt, gut, das nehme ich.«

»Sie fragen gar nicht, was Totgeglaubt für ein Style ist.«

»Nein, frag ich nicht, fangen Sie an, in zehn Minuten muss ich weg.«

»Sehr wohl, der Herr.«

»Ach eines noch«, sagte Hölleisen. »Kann ich eine Rechnung bekommen, auf der *Berufshaarschnitt* steht?«

»Aus der Gegend von Mittenwald«, sagte der Presstaler Martin gegenüber in der Metzgerei Kallinger, »kommt ja der Jagdbrauch, dass man aus dem frisch geschossenen Hirschen die Leber herausschneidet und roh isst.«

»Ja freilich, das ist ein jahrhundertealter Brauch!«, stimmte die Seiff Martina ein.

»Der alte Hendlinger Toni, ein Jäger, der im hohen Alter das Gewehr nicht mehr hat halten können, soll in den Supermärkten immer die abgepackten Portionen aufgerissen und die rohe Leber gefressen haben. *Was habt ihr denn – ich zahls doch!*, soll er entrüstet gerufen haben, aber schließlich hat er in jedem Supermarkt Hausverbot bekommen, weil sich empfindliche Preußen, die mit den jägerischen Bräuchen nicht so vertraut waren, beschwert haben.«

Großes, lang anhaltendes, immer wieder anschwellendes Gelächter in der Metzgerei Kallinger.

Hölleisen drüben bei Hairbert tippte schon auf die Uhr, während sich bei Kallinger die Seiff Martina einschaltete.

»Bräuche ums Jagen und Wildern sind schon was Schönes! Wie zum Beispiel das Jackelschutzen.«

»Was ist denn das schon wieder?«, fragte der flachsblonde Kurgast.

»Also, pass auf, Störtebeker: Eine Puppe, der Jackel eben, wird dabei in ein großes Tuch gelegt und von vier starken Männern hochge*schutzt*, also hochgeschleudert. Früher wurde dazu keine Puppe genommen, sondern ein Forstamtsanwärter – wer hat sich denn schon eine Puppe leisten können. Vor hundert Jahren ist ausgerechnet zu Christi Himmelfahrt ein zaundürrer Jägergeselle beim Jacklschutzen so in die Höhe geworfen worden, dass er bis heute nicht heruntergekommen ist.«

Brachiales Gelächter und Gegröle in der Metzgerei Kallinger, selbst der Oberstudienrat am Werdenfels-Gymnasium biss, mit einem erstaunlichen Mangel an Würde, in die Leberkäsesemmel, dass der Saft links und rechts nur so herausspritzte. Gemeinderat Toni Harrigl kam herein.

»Ja, lacht ihr nur!«, sagte er und deutete mit Daumen und

Zeigefinger die gewünschte Dicke der Leberkäsescheibe an, die er in die Semmel wünschte.

»Weißt du schon was Neues, Harrigl?«

»Nichts weiß ich. Wie vom Erdboden verschluckt ist er, der Meuchelmörder. Wie wenn er sich in Luft aufgelöst hätte. Und der Jennerwein und sein Team!? Schweigen im Walde! Die dürre Psychologin siehst du den ganzen Tag mit dem Hund spazieren gehen, und der Jennerwein hat nichts Besseres zu tun, als mit der Gondel auf die Berge zu fahren. Er ist gesehen worden! Von den anderen ganz zu schweigen. Im Dunkeln stochern sie herum – und uns laufen die Fremden davon.«

»Ich kann mich nicht beklagen«, sagte der Schreiner Beppi, der zwei Hotels im Ort hatte. »Wir sind ausgebucht, mehr als beim Neujahrsspringen.«

»Ja, redet ihr nur!«, belferte Harrigl weiter. »Ich habe mich an höherer Stelle über den Jennerwein beschwert. Ich habe ja Kontakte auf allen politischen Ebenen. Die lasse ich spielen. Eine Dienstaufsichtsbeschwerde bekommt der, dass es nur so rauscht. So gehts ja nicht mehr weiter.«

»Wer weiß«, sagte der Kottesrieder Loisl, »vielleicht hat der Wildschütz den Auftrag von jemandem bekommen.«

»Ach so, dann wäre er ja ein Auftragswilderer! Von wem hat er den Auftrag aber bekommen?«

»Vom Russ'!«

»Oder vom Scheich?!«

»Ihr habt ja nicht alle Tassen im Schrank«, fuhr die Seiff Martina dazwischen. »Da schauts einmal hinaus, wer da draußen vorbeigeht!«

»Ja, das ist ja der Hölli – wie schaut denn der aus!«

Orkanartige Lachsalven in der Metzgerei Kallinger.

52

»Vorsicht, Becker! Passen Sie auf – wir sind hier im Hochgebirge!«

Das sagte ausgerechnet Nicole Schwattke, als die beiden am oberen Ende der Höllentalklamm angekommen waren. Der kleine mickrige Hammersbach war hier noch ein leise dahinplätscherndes Rinnsal, lief sich aber schon warm fürs spätere Tosen und Reißen. Der Spurensicherer Hansjochen Becker und die Recklinghäuser Austauschkommissarin Nicole Schwattke waren den Weg vom Osterfelderkopf über das Hupfleitenjoch herunter zum oberen Klammeingang gewandert.

Der Weg führt an längst verlassenen Eisenerz- und Molybdängruben vorbei, und man kann an einer bestimmten Stelle ein schönes Beispiel für den Effekt der Self-Fulfilling Prophecy studieren. Inmitten der sanften, idyllischen Landschaft ragt hier ein schroffer Felsen dreißig Meter in den Himmel, er hat einen leichten Überhang und besteht aus bröckeligem, in unregelmäßigen Abständen herunterbröselndem Kalkgestein – kein Mensch käme auf die Idee, ausgerechnet unter diesen Felsen zu treten. Das Wegeamt des Kurorts hat jedoch ein Hinweisschild dort am Stein angebracht, das von weitem nicht ohne weiteres lesbar ist, man kann gerade noch ein rotes Ausrufezeichen erkennen. Neugierig geworden, tritt man also unter diese überhängende Wand, um dann *Vorsicht, Steinschlag!* zu lesen. Manch neugieriger Wanderer ist auf diese Weise schon von Felsbrocken getroffen, dann bewusstlos hinuntergeschwemmt, in der Klamm wie

Kalbschnitzel flachgeklopft worden – nein, Spaß, ist er nicht, aber für viel Erheiterung sorgt das Schild schon immer wieder. Und die dafür verantwortliche Stelle, nämlich das Wege- und Bauamt des Kurortes zeigt Humor und lässt es da, wo es ist.

Die beiden Wanderer, die jetzt dort innehielten, waren eben von der Höllentalangerhütte den alten Grubenweg heruntergestapft. Man hätte sie durchaus für Hochgebirgsbergsteiger halten können, die gerade vom Nanga Parbat gekommen waren, solche Monsterrucksäcke hatten sie umgeschnallt.

Hansjochen Becker trat an das Schild und las es. Er blickte blinzelnd nach oben.

»Und jetzt, zack, ein riesiger Felsbrocken«, sagte Nicole Schwattke.

»Self-Fulfilling Prophecy«, nickte der Chef der Spurensicherer.

»Wie bei der Paartherapie. Da ist es genauso. Gleich nach der ersten Sitzung fangen die Probleme erst so richtig an.«

Becker nickte nachdenklich. Sie stapften weiter nach unten und kamen bald in die Schluchtöffnung, in der das Bächlein zum Bach wurde und lautstark zu rumoren begann.

»Hier oben könnte man sogar noch Kajak fahren«, sagte Nicole. »Oder Floß.«

»Könnte man, ja. Aber empfehlenswert ist es nicht. Wenn das Gefährt weiter hinuntergetrieben wird – ich für meinen Teil möchte jedenfalls nicht drin sitzen.«

Sie stapften weiter.

Ende des 19. und Anfang des 20. Jahrhunderts war oberhalb der Höllentalklamm Molybdän abgebaut worden, ein seltenes Metall, nicht so beständig wie Eisen, nicht so weich wie Blei, nicht so wertvoll wie Gold, aber es hatte sich gelohnt, zu graben und Schächte einzurichten, in einer Zeit, in der es noch keinen bequemen Zugang in die Klamm gegeben hatte. In den Zwanzigerjahren wurde der Abbau aufgegeben, und die Höhlen und Schächte verrotteten langsam. Man konnte in den Felswänden noch einige Reste der Stollen erkennen, faulige Holzsplitter, herausragende rostige Befestigungsstangen, eingezogene Querbalken mit aufgemalten Zahlen, die die Jahrzehnte überdauert hatten.

»Becker, Sie wandelndes Lexikon der Technik – wofür braucht man denn dieses Molybdän? Ich habe noch nie davon gehört.«

»Damit härtet man zum Beispiel Stahl, in der Waffenherstellung spielt das eine Rolle. Im ersten Weltkrieg war das sogar kriegsentscheidend. Jetzt sind die Stollen eingefallen.«

Nicole fotografierte und filmte hochkonzentriert. Wenn die beiden Verschwundenen wirklich hier in den Felsen versteckt waren, dann war äußerste Eile geboten. Becker hatte vor, in der Klamm unauffällig Sonden ins Wasser hinabzulassen, um die Tiefe und die Beschaffenheit der Aushöhlungen zu messen. Er hatte ein paar Bücher über Strömungslehre gewälzt, einige Gesetze der Wellen und Walzen in einem Simulationsbecken ausprobiert. Er hatte mit ein paar Kollegen telefoniert, die sich im Wildwassersport auskannten. Er fühlte sich ziemlich gut vorbereitet.

»Wir suchen ganz bestimmte Wassergefälle, nämlich solche, die alles nach unten ziehen, was nicht niet- und nagelfest ist, um das Zeug dann unten mit einem Gegenstrudel festzuhalten. Eine Strömung in der Strömung sozusagen – der Reynolds'sche Strudel.«

»Burt Reynolds? Bruce Reynolds? Debbie Reynolds?«

»Nein. Osborne Reynolds, 1842 bis 1912, britischer Physiker, König der reibungsbehafteten Strömungsvorgänge.«

»Ach, deshalb.«

»Wenn Sie sich ein chaotisches, also nicht gleichmäßig fließendes Liquid vorstellen –«

»Ersparen Sie mir jetzt Details und Formeln, Becker. Zeigen Sie irgendwohin, ich fotografiere das dann.«

Die Klamm tobte jetzt schon ordentlich, sie war an den engsten Stellen nur noch wenige Meter breit, das alles konnte man von dem in den Fels gehauenen Steig gut beobachten. Sie traten auf eine kleine Aussichtsplattform, die den Blick freigab auf das grandiose Naturschauspiel der Höllentalklamm. Das ungewöhnlich starke Gefälle in der schaurig-düsteren Schlucht ließ die Wassermassen herunterdonnern und aufblühen zu Gischtfontänen, Wassersprudeln und regenbogenfarbigen Seitenschlägern, die an die Felswände spritzten.

»Und aus all dem wäre um ein Haar eine Partymeile geworden?!«, schrie Nicole. Auf andere Weise konnte man sich nicht verständigen.

»Oder die größte Rutsche des Universums!«, brüllte Becker zurück.

Der Kriminaltechniker hatte seinen Riesenrucksack abgestellt und kramte darin herum, holte schließlich eine sehr speziell aussehende Vorrichtung heraus, die am ehesten mit einer Angelausrüstung vergleichbar war, nur dass der Köder aus einer faustgroßen Stahlkugel bestand. Er warf die Kugel ins Wasser und zog sie an einer hauchdünnen Polyethylenfaserschnur wieder heraus. Nicole fotografierte.

»Und wenn uns jemand von dort oben, von der Felskante aus oder von dort drüben, von der Eisenbrücke aus, beobachtet?«, schrie sie.

»Das müssen wir riskieren«, schrie Becker zurück.

Zusätzlich zu seiner Anglertätigkeit warf er bei jeder Aussichtsplattform kleine Kapseln ins Wasser, die sich auflösten und das Wasser für ein paar Sekunden maisgelb verfärbten.

»Habe ich selbst entwickelt«, rief Becker stolz. »Man kann die Geschwindigkeit, mit der sich Strudel in die Tiefe drehen, auf diese Weise ganz gut erkennen. Sehen Sie, dort! Da muss einer sein.«

»Sie sind ein Teufelskerl, Becker. Was für eine Note hatten Sie in Physik?«

»Eine Vier, eigentlich sogar eine ziemlich mühsame Vier minus.«

»Ganz typisch.«

Nach einer knappen Stunde hatten sie schon die Hälfte der Strecke zurückgelegt. Becker säte gelbe Samen und angelte mit Stahlködern. Nicole knipste. Die Touristen, die in beiden Richtungen vorbeiströmten, beachteten sie nicht weiter. Die Besucher der Höllentalklamm hatten genug mit dem Naturschauspiel zu tun.

»Schade, dass wir Fritz nicht mitnehmen konnten.«

»Ich glaube, der hätte hier keine große Freude gehabt. Das viele Wasser, das alle Geruchsmoleküle wegstäubt, das ist nichts für feine Hundenasen.«

»Das stimmt wohl. Abgesehen davon hat seine Nase vierzehn Tage Erholungsurlaub. – Und wie kommen Sie selbst voran?«

»Ich habe bereits drei oder vier Strudel gefunden, bei denen es durchaus möglich wäre, dass sie in unterirdische Höhlungen reichen. Die Idee von Jennerwein – beziehungsweise den Graseggers – ist zwar auf den ersten Blick verrückt, aber theoretisch wären größere Unterspülungen mit Luftblasen schon möglich.«

»Wenn es wirklich so ist – warum sind nicht schon früher Leute draufgekommen, dass sich dort unten Höhlen befinden?«

»Vielleicht sind sie draufgekommen. Und jetzt stecken sie in diesen Höhlen.«

In der Mitte der Klamm war das Schauspiel, das das Wasser bot, gigantisch. Becker hatte keine Augen dafür. Er warf seine übliche Angelschnur ins Wasser. Nicole stellte ihren schweren Rucksack mit den technischen Geräten, Funkapparaten und Kletterhilfen ab.

»Aha«, sagte Becker, als er die Schnur wieder hochgezogen hatte.

»Was, aha?«, sagte Nicole.

»Eine Kugel ist unten hängengeblieben. Sie hat sich von der Schnur losgerissen. Ich habe den Kugeln Sender verpasst. Wir werden sie im Auge behalten, diese verlorene Kugel.«

Becker klappte sein wasserunempfindliches Notebook auf und tippte etwas hinein.

Sie waren im unteren Drittel der Klamm angekommen. Das Wasser rauschte nicht mehr gar so stark, man musste sich nicht mehr anschreien.

»Ich habe vier oder fünf Strudel in die engere Wahl gezogen.«

»Und wir testen alle aus? Wir gehen da richtig rein?«

»Ja. Gisela geht da rein. Das müssen wir nachts machen. Nur der Mond wird uns zusehen.«

»Und wie bringen wir Gisela und das ganze technische Equipment unauffällig hierher?«

»Das soll der Chef entscheiden.«

Nicoles Blick ging nach oben, die Steilwand hinauf, die gut hundert Meter hoch war.

»Können wir uns nicht von dort oben abseilen?«

»Die Felsen runter? Da sind wir im Blick- und Schussfeld von so ziemlich allen dunklen Mächten, die es auf der Welt gibt.«

53

Er schleppte sich mühsam zurück, zur letzten Ruhestätte der braven Artilleristen aus dem deutsch-französischen Krieg von 70/71. Seine Knie zitterten, er atmete schwer, Hitzeschauer überliefen ihn. Er war zutiefst verstört. Zitternd setzte er sich auf seine notdürftig eingerichtete Lagerstatt. Er hatte Stimmen gehört, er war ihnen nachgegangen, und seine überlastete Phantasie hatte die Personen dazu erfunden. So weit waren die Halluzinationen also inzwischen fortgeschritten.

Die Kinder drehten sich nach und nach um, auch der Geschichtenerzähler wandte den Kopf in meine Richtung. Erst jetzt bemerkte ich, dass sie alle blind waren. Statt der Augen waren nur kleine, wässrige Schlitze zu sehen, die offenbar keinerlei Funktion mehr besaßen. Die Menschen in den Tierfellen konnten den brennenden Ast, den ich in der Hand hielt, nicht sehen, sie spürten und erschnupperten lediglich dessen Wärme und Geruch.
»Wer ist das?«, fragte eines der Kinder und deutete mit der Hand in meine Richtung. »Einer von draußen«, sagte der Mann und wandte sich wieder ab. »Ist er gefährlich?«, fragte ein anderes Kind. »Nein, er ist harmlos«, beruhigte der Mann. »Er ist schon sehr schwach. Wir müssen ihn bald töten.« Sie beachteten mich nicht weiter. Ich floh in Panik. Ich kam jedoch nur langsam voran.

Er konnte sich an jedes einzelne Wort erinnern. An jede Silbe. An jede Betonung. Das war kein gutes Zeichen. Das war die subtilste und perfideste Stufe der Folter, die er bisher erlebt hatte. War das alles das Werk des Weißkittels? Unglaublich, welch ein Aufwand getrieben wurde, um ihn zu einer Aussage zu zwingen. Vielleicht war er aber auch lediglich Versuchskaninchen für abartige Forschungen. Er durfte diesen Stimmen nicht mehr nachgehen. Das alles spielte sich doch nur in seinem Kopf ab! Er machte Liegestütze, Armdehnübungen. Körperlich kam er langsam wieder in Form, aber sein Geisteszustand war bedenklich. Waren das Auswirkungen dieses Salewski-Effekts? Dessen kriminologische Anwendung hatte er schon einmal mitverfolgen können, bei einem Banküberfall in Minsk. Die Bankräuber hatten Geiseln genommen, saßen schon im Auto mit ihnen, sie stellten Forderungen, man war in der heißen und gefährlichen Verhandlungsphase. Einer der Polizeipsychologen hatte kurzerhand das städtische Ballettensemble angerufen. Die Tänzer sollten in Privatkleidung erscheinen, sich unter die gaffende Menge mischen, um dann, aus der Normalität heraus, langsam zu tanzen und zu posieren. Die Ensemblemitglieder erfüllten ihre Aufgabe hervorragend, vor allem übertrieben sie nicht, das war das Beste dabei. Man hätte die Tänzer am Anfang gar nicht als solche erkannt, sie kamen als gaffende Passanten, als herumspazierende Müßiggänger. Dann begannen ihre Bewegungen langsamer, eleganter, kunstvoller zu werden. Aus einem normalen Gehschritt wurde eine komplizierte Biegung des Körpers. Langsam verzerrte sich für die Banditen im Auto die Wirklichkeit so stark, dass sie unaufmerksam wurden. Der Schlafentzug war der erste Schritt, die Ballettszenen taten ein Übriges. Die Bankräuber starrten entgeistert und ungläubig auf die unnatürlichen Bewegungen da draußen, der eine ließ sogar die Waffe sinken. Sie konnten leicht überwältigt werden. Schließlich waren sie froh, dass es zu Ende war.

Ich erinnere mich noch gut an die unwirklichen Szenen, das war angewandter Psychoterror vom Feinsten. Damals war ich noch Polizist gewesen. Ich war bei den Spezialeinsatzkräften, die den Befehl zum Zugriff bekommen hatten.

Die Erinnerung an Minsk verblasste langsam. War es überhaupt in Minsk gewesen? Liegestütze. Und schreiben. Nur dann konnte er klar denken und hörte keine Stimmen mehr. Doch die Stimmen kamen wieder. Er war nicht mehr fähig, den Stift zu halten. Er hatte auch gar nicht mehr die Kraft, seine Gedanken zu ordnen und sich Notizen zu machen. Er hatte bis zum Schluss gehofft, dass sie ihn hier rausholen würden. Er musste die Hoffnung langsam aufgeben. Die Hitzewallungen des Fiebers schüttelten ihn in regelmäßigen Abständen, er wusste, dass es langsam zu Ende ging mit ihm. Mühsam nahm er einen der Lumpen, mit denen er seinen nackten Körper bedeckt hatte, und wischte sich den Schweiß von der Stirn. Auch die Halluzinationen waren inzwischen so stark geworden, dass er sich kaum mehr dagegen wehren konnte. Und schon wieder hörte er Schritte, die sich näherten. Es war der Mann, der den Kindern Geschichten erzählte, der ihre Fragen beantwortete und der jetzt gekommen war, um ihn zu töten. Der Mann war diesmal in ein schwarzes, glattes Tierfell gehüllt. Das war wohl eine letzte, makabre Variation der Psychofolter. Der Weißkittel hatte sich als Gevatter Tod verkleidet, beugte sich jetzt zu ihm herunter, fasste ihn am Kinn und hob seinen Kopf hoch. Es war das erste Mal, dass die Halluzinationen so weit gingen, dass er Berührungen spürte. Es musste schon sehr schlecht um ihn stehen. Jetzt vernahm er Kinderstimmen.

»Warum können wir den Mann nicht weiterleben lassen?«
»Er ist verrückt geworden.«
»Warum werden denn alle verrückt?«

»Sie kommen aus einer anderen Welt. Sie verstehen unsere Welt nicht.«
»Kann er nicht verrückt weiterleben?«
»Nein, er ist eine Gefahr für uns, so verrückt wie er ist. Wir müssen ihn töten. Wir können nur die weiterleben lassen, die in unserer Welt hier zurechtkommen.«

54

Wenn man so lange in Italien gelebt hatte wie Ursel und Ignaz Grasegger, dann will man nur noch auf der Terrasse sitzen. Auf der Veranda, auf dem Balkon – Hauptsache draußen und trotzdem nah am schützenden Haus. Umgekehrt müssten all die italienischen Familien, die in Bielefeld lange Jahre eine Trattoria betrieben hatten, wieder in Genua angekommen, sofort die Vorhänge zuziehen und sich ins Bett verkriechen. Machen sie aber nicht. Das Sitzen draußen vor der Tür scheint ein Relikt aus der prähistorischen Menschheitsgeschichte zu sein. Sitzen vor der Höhle bedeutete: Kein Feind in Sicht, genug Wild erlegt, Zeit, mit der Entwicklung der Trigonometrie zu beginnen.

»Dass der Jennerwein einem Wilderer nachjagt, das glaubst du doch selber nicht«, sagte Ursel.

»Natürlich glaube ich das nicht, aber *wenn* es eine Finte ist, dann ist sie gut gemacht«, erwiderte Ignaz. »Ich glaube, dass der Jennerwein etwas ganz anderes sucht, und dieser Wilderer-Schmarrn soll davon ablenken.«

»Und was soll das sein? Italienische Familien operieren doch schon längst nicht mehr im Kurort.«

»Es gibt auch noch andere außergesetzliche Organisationen.«

»Triaden, oder was? Im Werdenfelser Land? Und was sollten die da tun?«

»Gut, dass wir mit diesen Sachen nichts mehr zu tun haben. Wir haben dem Jennerwein geholfen, und damit basta.«

Beide schwiegen eine Weile. In der Ferne bildeten sich futuristisch anmutende Föhnlinsen. Ursel und Ignaz Grasegger genossen das Schauspiel.

»Ich bin vorhin noch beim Hartl Peter vorbeigegangen«, sagte Ursel. »Der Peter hat gesagt, dass die Polizei bei ihm war. Natürlich nicht offiziell, eine junge Polizistin hat sich verdeckt umgeschaut.«

»Die Schwattke?«

»Genau die. Die hat eine Vierzehnjährige gespielt. Gar nicht so schlecht, sagt der Hartl. Sogar den Dialekt hat sie versucht nachzumachen. Auch gar nicht so schlecht.«

»Und? Hat er ihr seinen Hobbykeller gezeigt?«

»Ja, sagt der Hartl, sie haben aber bisher noch nicht auf sein altes Opium-Gerümpel reagiert, das er aus dem Kambodscha-Urlaub mitgebracht hat.«

»Also müssen sie was Größeres im Auge haben. Der Hölli hat uns doch gefragt, wo man jemanden gut verstecken kann. Sie suchen also eine Person. Eine wichtige Person, sonst würden die nicht so einen Aufwand treiben. Ist denn schon wieder ein Politiker entführt worden?«

»Wenn sie so ein absurdes Versteck wie die Höllentalklamm in Angriff nehmen, dann müssen sie jedenfalls schon sehr verzweifelt sein.«

Drei mächtige Föhnlinsen, die Vorboten eines gewaltigen Stimmungsumschwungs im Werdenfelser Land, waren näher gerückt. Die Graseggers blickten dem kommenden Föhnsturm gelassen ins Auge. Sie waren beide nicht föhnfühlig, verstanden darum die ganze Aufregung um diesen warmen Fallwind nicht.

»Vielleicht ist ja doch was dran an der Geschichte mit den Flößern«, sagte Ignaz.

»Schmarrn ist da was dran. Irgendwelche Höhlen gibt es schon – aber Überlebende! Spinnst du?«

»Das ist doch eine schöne Vorstellung! Es wären sozusagen Verwandte von mir.«

»Eine schöne Verwandtschaft hätten wir da!«

»Warum hast du eigentlich gesagt, dass dieses Flößerlied unbekannt ist? Nun gut, es ist wahrscheinlich nie gedruckt worden, aber ein paar Volksmusikgruppen singen es doch noch!«

»Wer denn?«

»Die Herbratzederdorfer Dirndln, der Truderinger Dreigesang, der Appenreuschler Viergsang –«

»Ja gut, aber wer hört sich denn so was an! Alpenfolklore!«

»Die Raabelseer Buam –«

Das war das Stichwort für Ignaz. Er war bekennender Alpenzwiegsangsjunkie. Er ging zum Plattenschrank – jawohl zum Plattenschrank! – und holte eine Scheibe der *Raabelseer Buam* heraus, die gleich darauf losraabelten, dass es eine Freude war.

»Du solltest die Platten einmal auf den Computer überspielen.«

»Dazu müsste ich ihn erst einmal auspacken.«

»Aber sag einmal, dieser geheimnisvolle Bieter damals, der für die Höllentalklamm so viel Geld gezahlt hat, von dem hat man nie mehr etwas gehört, oder?«

»Nie mehr«, sagte Ignaz, und zwei herzige Männerstimmen hoch in den Achtzigern trällerten ♫ *Junges Dirndl – ich will dein Einziger sein bis morgen früh!*

»Padrone Spalanzani hat vermutet, dass das der Abgesandte von einem internationalen Waffenhändlerring war, der das wichtige Versteck im Werdenfelser Land schützen wollte. Der Harrigl hat erzählt, es war ein erstaunlich fremdsprachenkundiger Mann, deswegen hat ihn der Gemeinderat für einen international agierenden Greenpeace-Aktivisten gehalten.«

Schweigend saßen die beiden da. In die Stille hinein sagte Ursel:

»Meinst du, wir sollten einmal nachschauen?«

»Wo nachschauen?«

»Na, wo wohl!? In der Höllentalklamm halt! Der Jennerwein hat auf mich so gewirkt, als ob er es eilig hat. Als ob er heute noch angreift da oben.«

»Ich weiß nicht so recht. Wir sollten uns da lieber raushalten.«

»Wir könnten einen Spaziergang machen, zum Stangensteig hinauf. Von der Eisenbrücke aus sieht man direkt in die Klamm. Täte uns auch gar nicht schaden, so ein Spaziergang.«

55

»Ein Ring, sie zu knechten,
sie alle zu finden,
ins Dunkel zu treiben
und ewig zu binden.«

Oliver Krapf hatte einige elektronische Gags in seinem Zimmer eingebaut, das eben war einer davon. Wenn sich die Tür öffnete, ertönte das Zitat aus dem Film *Herr der Ringe*. Auch jetzt, wo er nur eine Pizza geholt hatte. Damit natürlich nicht genug. Wenn er den Duschhahn aufdrehte, erklang das Miep-Miep-Geschrubbe aus Hitchcocks *Psycho*. Wenn er irgendwo in der Wohnung war und »Rübenbrei« sagte, gingen alle Lichter aus. Krapf, das Mischwesen aus einem Abiturienten und einer 2-Terabyte-Festplatte, diese Eiweiß-Edelstahl-Legierung hatte aber momentan kein Auge dafür.

Er war im Loisachtal angekommen. Natürlich nicht real, sondern im Netz. Er klickte auf die Online-Ausgabe der örtlichen Zeitung, der Loisachtaler Allgemeinen. *Polizeipsychologin stört Alpensinfonie von Richard Strauss!* war da in einer Schlagzeile zu lesen. Wer um Gottes Willen war Richard Strauss? Klick, aha, Komponist vor Ort. Noch nie Musik von dem gehört. Er downloadete aus dem Internet einen mp3-Song des Komponisten. ♫ *Und morgen wird die Sonne wieder scheinen* ... Schade um die 99 Cent, dachte Krapf. Wen konnte er damit ärgern? Er leitete das Lied an Tina weiter.

Dann stöberte er weiter in der Onlinezeitung der *Loisachtaler Allgemeinen*, einfach nur, um einen groben Eindruck von diesem Menschenschlag zu bekommen. Klick, klick – da schien sich ja momentan ein verschärftes Wildererdrama im Ort abzuspielen, richtig mit Holldrijöö und so. Na, die hatten vielleicht Sorgen! Ein lustiges Völkchen war das schon, da unten im Süden. Föhn gut und schön, aber Südbayern war doch immer noch Mitteleuropa, oder etwa nicht? Ein Zeitungshengst mit Namen Manuel Ringseis hatte einen Leitartikel geschrieben: Kriminalhauptkommissar Hubertus Jennerwein hat mit seinem Team die Ermittlungen aufgenommen. Krapf notierte sich den Namen des Kommissars und bookmarkte die Mailadresse des örtlichen Polizeireviers. Sollte er bei seinen Recherchen wieder in Gefahr kommen so wie in Málaga, dann wüsste er gleich, an wen er sich zu wenden hatte.

Er stöberte weiter in der örtlichen Zeitung. Eine Legende aus dem Loisachtal also. Ein Flößerlied über einen Quirin Roesch, der um Achtzehnzwanzig herum verunglückt sein soll. Verdammt lang her also. Die Flößerburschen hießen Quirin Roesch und Luitpold Grasegger, ihre Flößerbräute Eusebia und Agnes. Das waren Namen damals! Schon was anderes als Leonie und Kevin. Er musste unbedingt den vollständigen Text des Liedes haben, zwanzig Strophen waren es angeblich. Er fand schnell Seppelmusikgruppen, die es gesungen hatten: Die Herbratzederdorfer Dirndln, der Truderinger Dreigesang, der Appenreuschler Viergsang – aber jetzt stieß Krapf eindeutig an die Grenzen des Netzes – es gab den Song nirgends, auf keinem Tonträger, also nirgends. Waren diese Herbratzederdorfer Lederhosenträger vielleicht Puristen, so etwas wie gewisse Rapper, die prinzipiell keine Audioaufnahmen zuließen? Die ausschließlich live rappten? Und wenn sie jemanden im Konzert mit einem Mic erwischten, gabs schwere Keile? Sollte er wirklich hinfahren in diesen Kurort und das Lied, ganz gothicmäßig, von einem verwitterten Grabstein ablesen? Nein, er wollte nicht mehr den Fehler machen, einfach loszubrettern, ohne nachzudenken. Diesmal wollte er vorab genau recherchieren. Er war ein kluger Junge. Er biss in die Pizza. Stand er jetzt kurz vor einer sensationellen Entdeckung? Nein? Ja? Jetzt kam auch noch eine SMS von Tina. Er öffnete sie nicht, wahrscheinlich eine freche Antwort wegen des Richard-Strauss-Songs. Er würde später nachschauen.

Oliver saß mit dem Rücken zur Eingangstür seiner Wohnung. Die Klinke wurde jetzt langsam heruntergedrückt. Eine muskulöse Hand schob die Tür Zentimeter für Zentimeter auf. Aus den Lautsprechern dröhnten die Jodler der Herbratzederdorfer Dirndl. Die Tür öffnete sich weiter. Eine weitere Hand erschien, und noch ein Kopf dazu. Dann noch zwei Hände und ein weiterer Kopf.

»Bistjagarnichtbraungeworden«, rief sein Vater und trat mit seiner Mutter ganz ins Zimmer.

»Was soll denn das! Ihr habt mich vielleicht erschreckt!«, rief Oliver.

»Wenn man bei dir klingelt oder die Tür schnell aufmacht, kommt ja wieder so ein blödes Filmzitat.«

»Das Buch war sowieso viel besser.«

»Und wie wars in Marokko?«, fragte seine Mutter. Beide steckten in Holzsandalen und trugen Batikhemden. Echt peinlich, seine Eltern.

56

Das war vielleicht eine Hitze! Hubertus Jennerwein lief im Taucheranzug durch den Kurort. Unter der normalen Kleidung spannte sich ein enger Neoprenanzug, hätte er sein Hemd aufgerissen, wäre jeder sofort erschrocken zurückgewichen vor Superman. Doch nur ein armer Kriminalhauptkommissar tappte durch die Fußgängerzone des Ortes, wie ein Ministrant, der bei der Sonntagsfrühmesse schon das Badezeug unter dem Messgewand trägt.

Sie hatten beschlossen, sich der Klamm sternförmig und zeitlich versetzt zu nähern, um keine allzu große Aufmerksamkeit zu erregen. Johann Ostler und Maria Schmalfuß wanderten von oben, von der Höllentalangerhütte auf die Klamm zu, das (ausgewiesen schwindelfreie) Pionierteam Schwattke / Becker wagte sich auf den Stangensteig, der oben an der Klamm entlang und in einigen steilen Abstecherpfaden herunterführte. Der Bergfex und Kletterer Ludwig Stengele war hoch auf die Tiroler Wiese gegangen, um durch ein selten begangenes Waldstück in die Klamm abzusteigen, Jennerwein schließlich näherte sich, wie Millionen andere Touristen auch, der Schlucht von unten, er wollte ganz normal durch die Pforte der Eingangshütte gehen. Auf Franz Hölleisen war das traurige Los gefallen, auf dem Revier zu bleiben und Telefondienst schieben zu müssen. Ach so, ja: Gisela. Sie war auch mit von der Partie, sie war auf die fünf Rucksäcke verteilt worden, Jennerwein hatte den Kopf bekommen.
In den eilig, aber sorgfältig gepackten

Rucksäcken befand sich schrecklich viel technisches Gerät: eine Wärmebildkamera, Angelzeug, Tauchutensilien, ein Notkoffer für Medizinisches, Wärmedecken, natürlich auch Kommunikationsmedien und schließlich Waffen. Sie hatten guten Funkkontakt und gaben sich in regelmäßigen Abständen ihre Positionen durch. Die Dattelberger-Truppe war auf dem Vormarsch – in die richtige Richtung. So hoffte Jennerwein zumindest.

Sie wollten sich kurz nach Einbruch der Dunkelheit an der ersten von Becker ausgewählten Reynolds-Stelle treffen, die fast genau in der Mitte der Schlucht lag. Jennerwein hatte also den kürzesten Weg, darum war er etwas später als die anderen losgegangen. Es dämmerte schon, als er am Kurpark vorbeiging, den er schon seit seiner Kindheit nicht mehr betreten hatte. Seine Großeltern hatten oben im Kurhaus gewohnt, sie waren dort Hausmeister gewesen. Sie hatten genau am Tag seiner Geburt eine Edeltanne vor dem Kurhaus eingepflanzt. Sie musste folgerichtig sein Alter haben. Er ging nicht mehr in den Kurpark, denn er hatte Angst, dass die Tanne inzwischen gefällt worden sein könnte.

Als er den Ort verlassen hatte und in Richtung Klamm marschierte, meldete er sich über Funk. Irgendwelche Besonderheiten? Nein, alles in Ordnung. Natürlich war er sich immer noch nicht sicher, ob an der Geschichte des Bestatterehepaares etwas dran war. Aber er wollte auch die kleinste Chance wahrnehmen. Andererseits: Sollte er wirklich den Hinweisen eines verurteilten und vielleicht nur nach außen hin reumütig gewordenen Verbrecherpaares nachgehen? Er traute Bonnie und Clyde nicht über den Weg. Hatten sie ihm eine Falle gestellt, um die Polizei abzulenken und dann woanders zuzuschlagen? Unwahrscheinlich, aber möglich. Eigentlich hatte Jennerwein zu wenig Personal. Er hätte noch zwei Beamte gebraucht, die die Graseggers im Auge behielten. Wenn Becker nicht gewesen wäre! Er hatte sich von ihm überzeugen lassen. Becker versprach sich einiges davon, in der Höllentalklamm zu suchen. Er hatte die Wasserstellen nach Prioritäten geordnet, die ersten drei waren besonders heiß, und bei der allerheißesten, die sie jetzt ansteuerten, sollte Gisela in einer Taucherglocke ins Wasser gelassen werden. Jennerwein stieg den Bergweg hinauf. Er musste den ganzen Flößer-Quatsch beiseitelassen. Überlebende eines Unfalls vor zweihundert Jahren? Und daraus haben sich Höhlenmenschen entwickelt? Weg mit diesem Unfug, das lenkte nur ab, er musste sich auf die bevorstehende Aktion konzentrieren. Ein Wanderer kam ihm von oben entgegen und grüßte ihn beiläufig. Jennerwein schaute zurück – dort unten lag der Kurort, friedlich und verträumt in der Abenddämmerung.

»Wieso Höllental? Wohnt denn der Teufel da?«, hatte er als Bub seine Oma gefragt.

»Nein, der wohnt in Rom«, hatte die Oma erwidert.

Der Kommissar hatte beschlossen, Dr. Rosenberger vorerst keine Mitteilung von der heutigen Aktion zu machen. Er wollte seinen Chef nicht in die Zwangslage bringen, diesen Einsatz mitverantworten zu müssen. Eigentlich hätte er ein spezielles Einsatzteam anfordern müssen, Hubschrauber, Kampftaucher, das ganze Programm. Aber er hatte beschlossen, die Sache alleine durchzuziehen. Und das Team stand hinter ihm. Das Funkgerät knisterte und spotzte. Alles o. k. bei euch oben? Alles klar: Stengele näherte sich schon dem unteren Waldrand, Maria und Ostler waren oben auf dem ehemaligen Grubenweg (Maria kannte jetzt sicher alle, aber auch alle Wilderergeschichten aus dem Kurort), Nicole und Becker verließen gerade den Stangensteig und stiegen ab in die Klamm. Jennerwein war an der Pforte der unteren Eingangshütte angekommen, die Kassenkraft würde ihn wahrscheinlich erkennen, aber das spielte auch keine Rolle. Er zahlte seine drei Euro Eintritt. Er ließ sich keine Quittung geben – kleine Spende an den Freistaat Bayern.

Als Jennerwein die ersten paar Schritte in die Klamm gegangen war, meldete sich Ostler. Er war sehr aufgeregt. Die Verbindung brach öfters ab, Jennerwein verstand nicht gleich.

»Wir haben hier einen überraschenden Fund gemacht«, schrie Ostler. »Hören Sie mich ... hören Sie mich ... Bitte melden! Wir befinden uns hier am Grubenweg, etwa einen halben Kilometer vom oberen Eingang entfernt.«

»Ja«, schaltete sich Maria ein. »Hier liegt ein gelbes Boot, ein Kanu, ein Ruderboot oder so was, es war in einem der alten Grubeneingänge versteckt. Unser Metalldetektor hat auf darin gelagerte Geräte angesprochen.«

Während des Redens verdoppelte Jennerwein seine Schritte.

»Haben Sie die Umgebung abgegrast? Vielleicht ist noch jemand in der Nähe?«

»Nein, bestimmt nicht, wir haben uns vergewissert«, rief Ostler. »Das Boot ist ziemlich verkratzt, aber es ist etwas Supermodernes, ich kenne mich da nicht so aus. Es liegen auch technische Geräte drin, militärisches Zeug.«

»Wie bitte?«

»Nein, keine Waffen, das nicht, aber Nachtsichtgeräte, Scheinwerfer, Tarnnetze und so was.«

Das konnte Jennerwein trotzdem nicht beruhigen.

»Haben Sie die Umgebung wirklich abgegrast? Ist tatsächlich niemand in der Nähe?«

»Wir haben die Gegend genau abgesucht. Außerdem stehen wir etwas erhöht, auf einem Hügel, wir haben einen guten Überblick.«

»Ich bin gleich da«, sagte Jennerwein. »Bringen Sie das Boot mit runter zu unserer Operationsbasis. Becker soll sich gleich darüber hermachen.«

Jennerwein schaltete trotz des schweren Rucksacks auf Laufschritt um. Da war etwas faul. Oberfaul.

57

Konrad Finger sprang schnell aus dem Bett. Natürlich, es konnte auch ein Tier gewesen sein, ein Marder zum Beispiel, der sich an den Gummiteilen seines Bootes zu schaffen gemacht hatte. Er musste trotzdem nachsehen, was da los war, er konnte nicht riskieren, dass ein paar betrunkene Jugendliche irgendeinen Unsinn damit anstellten. Verdammt nochmal, er hatte das Kajak so gut versteckt! Er hatte eine Alarmanlage installiert. Sobald der Bewegungsmelder ansprang, sendete eine Videokamera mit Long Range System ein Bild auf seinen Computer. Er hatte immer ruhig schlafen können deswegen. Jetzt hatte sich wahrscheinlich ein Marder darin verheddert. Oder ein Eichhörnchen? Auf dem Bildschirm sah er nur, dass das Abdecknetz heruntergerissen war, das Kajak lag ruhig und still da. Trotzdem musste er nachsehen, was los war. Fluchend stieg er in seine Kleidung. Eigentlich hatte er vorgehabt, erst um Mitternacht in die Klamm zu gehen, da schien der Mond prächtig, und er wurde nicht von späten Wanderern oder Bergwachtlern gestört, die sich manchmal dort oben herumtrieben. Er hatte vorgehabt, sich noch ein bisschen aufs Ohr zu legen, und dann das große Ding zu starten. Dann eben jetzt gleich, auch egal. Er fuhr mit dem Auto bis zum Parkplatz am Fuß des Berges, dann machte er sich auf den Weg in die Klamm. Kein Mensch kam ihm entgegen, Dunkelheit legte sich langsam über das Land. Rot und bedrohlich schlingerten drei riesige Föhnlinsen über den Waxensteinen. Finger beachtete sie nicht. Er kam langsam außer Atem. Hoffentlich waren es Marder. Und keine Vandalen, zugedröhnte Outlaws oder einfach ganz normale Idioten, die ihm das teure Boot aus Jux und Dollerei kaputtmachten. Dabei war bisher alles gutgegangen. Zu Beginn seiner Exkursionen hatte er das ganze Zeug einschließlich Boot immer wieder heruntergeschleppt, bis er den Eingang des in sich zusammengefallenen Stollens entdeckt hatte. Es war ein wunderbarer Platz, das Boot und die Geräte darin zu parken, er hatte das jetzt schon ein Dutzend Mal gemacht, und es war immer gutgegangen. Verdammt, ausgerechnet heute musste etwas schiefgehen!

Er ging natürlich auf seinem geheimen Schleichweg. Oben auf dem Stangensteig fiel sein Blick talabwärts, den Weg hinunter, der in die Klamm führte. Dort hatte er flüchtig etwas blitzen sehen, eine Spiegelung, ein Metallstück, vielleicht war es auch nur das Wasser, das an den Fels schlug. Doch die Neugier hatte ihn gepackt. Mal nachsehen schadete ja nichts, dachte Finger. Die Eisenbrücke, die über die Schlucht führte und von der aus man einen Großteil der Klamm überblicken konnte, war nicht weit. Als er auf der Brücke stand und hinuntersah in die halbdunkle Schlucht, wäre er vor Schreck fast gestrauchelt. Er musste sich am Geländer festhalten. Dort drunten hatte sich ein halbes Dutzend dunkel gekleideter Gestalten versammelt, sie sprangen scheinbar ungezielt umher, gestikulierten wild herum und rissen Geräte aus großen Aluminiumkoffern. Was um Gottes willen waren denn das für welche? Finger legte sich auf den Bauch und rutschte an den Rand der Brücke, um die Szene besser beobachten zu können und selbst nicht gesehen zu werden. Er konnte die Gesichter der Gestalten nicht erkennen, sie waren etwa zweihundert oder zweihundertfünfzig Meter entfernt. Dann nahm einer von ihnen eine junge Frau, die am Boden gelegen hatte, auf die Arme und steckte sie in das Innere einer großen Halbkugel. Ihre langen Haare hingen herunter, der Mann stopfte sie roh hinein. Das Behältnis wurde mit einer anderen Halbkugel geschlossen und, soweit er das aus der Entfernung sehen konnte, verschraubt. Die Kugel wurde verschlossen, verdammt nochmal! Und dann ließen sie die Kugel ins eiskalte, gischtsprühende Wasser gleiten. Er hatte einen Mord beobachtet. Einen besonders perfiden Mord, die Frau mit den langen Haaren war vermutlich bei lebendigem Leib ertränkt worden! Hastig griff er in seine Tasche und holte mit zittrigen Fingern sein Mobiltelefon heraus. Er tippte die Notrufnummer ein. Das Freizeichen ertönte, er drückte auf die Stopp-Taste. Er fingerte in seiner Geldbörse herum und fischte seine Prepaid-Karte heraus, sicherheitshalber. Nur sicherheitshalber. Es war gar nicht so leicht, sie im Dunkeln einzusetzen, aber er schaffte es. Er wählte nochmals die Notrufnummer.

»Polizeiobermeister Franz Hölleisen.«

»Ich habe – ich möchte –«

»Wissen Sie was, jetzt sagen Sie mir zuerst Ihren Namen, dann Ihre Adresse.«

»Sie müssen mir glauben – eine Frau mit langen Haaren –«

»Ganz ruhig. Bedrängt Sie jemand? Können Sie nicht frei reden?«

»Doch, mir geht es gut. Ich kann reden. Ich habe einen Mord beobachtet.«

»Wo denn?«

»In der Höllentalklamm.«

»Sie sind in der Höllentalklamm? Wo da genau?«

»Eine Frau wurde ins Wasser geworfen.«

Hölleisen überlief es heiß und kalt. Jetzt durfte er nichts Falsches sagen. Er musste unbedingt den Namen und die Adresse dieses Mannes herausbekommen.

»Wie heißen Sie?«

»Aber so machen Sie doch was! Schicken Sie jemanden! Genau in der Mitte der Klamm!«

»Ja, es ist schon jemand unterwegs«, sagte Hölleisen so ruhig wie möglich. »Es kommen gleich Hubschrauber. Und jetzt sagen Sie mir bitte Ihren Namen! Bitte!«

Hölleisen spürte, dass er so nicht weiterkam. Er änderte seine Taktik. Er schlug einen schärferen, amtlicheren Ton an.

»Ich werde niemanden schicken, bevor Sie mir nicht Ihren Namen sagen.«

»Es ist ein Mord geschehen. Ein Mensch ist in die Fluten gestürzt worden.«

Hölleisen schaltete noch einen Gang hoch.

»Wissen Sie, wenn wir jedem Hinweis nachgingen, dass irgendwo irgendwer heruntergefallen ist, dann hätten wir viel zu tun. Sie müssen mir schon Ihre genau Position –«

Der Mann hatte aufgelegt. Verdammt nochmal, das war aber richtig schiefgegangen. Sie hatten einen Zeugen. Und sie wussten nicht, wo der sich befand. Hölleisen rief Jennerwein an und machte ihm Mitteilung.

»Dann müssen wir hier umso schneller arbeiten!«, antwortete dieser. »Ich melde mich wieder.«

Finger war ratlos. Schickte der Polizist nun Hubschrauber oder nicht? Um das Boot würde er sich morgen kümmern, er musste hier schnellstens verschwinden, doch vorher wählte er noch eine andere Nummer.

»Loisachtaler Allgemeine, Manuel Ringseis hier.«

»Mein Name – eine Frau mit langen Haaren – das tut nichts zur Sache. Ich habe hier einen Mord beobachtet. In der Höllentalklamm. Die Polizei tut nichts – oder ist vielleicht unterwegs, aber nicht schnell genug. In der Mitte der Höllentalklamm haben vier oder fünf dunkle Gestalten eine Frau im Wasser versenkt. Kommen Sie und schauen Sie sich das an.«

»Sagen Sie mir bitte –«

»Nein, das tue ich nicht. Kommen Sie schnell.«

Mehr konnte er nicht tun. Er blickte nochmals hinunter in die Schlucht. Die Dunkelheit hatte die Gestalten verschluckt. Doch da! Ein Mann lehnte lässig am Felsen und telefonierte. Wenn er sich nicht täuschte, sah er gerade zu ihm herauf.

Wie hatte er nur so unvorsichtig sein können! Finger rappelte sich auf. Hoffentlich hatten ihn die Mörder nicht gesehen! Er musste weg! Er stolperte bergab. Ein Rentnerpärchen kam ihm entgegen. Er wich aus, er lief im Gebüsch weiter. Das wurde ja immer besser. Diese Oldies gingen mitten in der Nacht auf dem Stangensteig spazieren, und sie hatten sogar Klappsessel dabei!

»Beim Baumarkt kriegt man die leichtesten!«, sagte der gut im Futter stehende Mann.

»Ich hätte trotzdem die von Ikea genommen«, erwiderte Ursel Grasegger. »Die sind stabiler.«

58

Herrliche Natur, Sonnenschein, Waldlichtung. Der Wilderer kniet hinter einem Busch. Auf der Lichtung erscheint ein kapitaler Zwölfender.

Zwölfender Uhööööööööööö!

Der Wilderer legt an und zielt auf das Blatt des Hirsches. Er schießt. Der Hirsch bleibt ungerührt stehen.

Wilderer Zefix! Daneben!

Zwölfender (lauter) Uhööööööööööö!

Der Wilderer schießt nochmals. Die Hirschfellattrappe fällt herunter, ein vierköpfiges BKA-Team springt aus der Verkleidung und stürzt sich auf den Wilderer.

Wilderer Den Düwel ook ...

59

»Habt ihr auch wirklich keinen ihrer Drähte eingeklemmt?«, rief Becker.

»Natürlich nicht«, antwortete Stengele lachend. »Wir haben ihre Haarpracht schon nicht durcheinandergebracht!«

Stengele, Ostler und Jennerwein ließen Gisela mit einer plexiglasummantelten Taucherglocke ins schäumende Wasser der Höllentalklamm hinunter. Becker hatte ein Campingtischchen an einer wassergeschützten Stelle des Fußwegs aufgebaut, er hing vor drei Bildschirmen, bereit, alle Daten auszuwerten, die von dort unten heraufgeschickt wurden.

»Mach deine Sache gut, Gisi-Baby!«

Die drei Männer spürten nun einen scharfen Ruck am Seil, sie mussten mächtig dagegenhalten, um nicht hineingezogen zu werden in die wütende Gischt, in das Sperrfeuer aus stahlharten Wasserziegeln, die von allen Seiten herangeflogen kamen. Becker hatte einen ganzen Lastwagen voll technischer Hilfsmittel aus der Stadt kommen lassen, in dieser Hinsicht waren sie gut gerüstet. Alle hatten sie ihre Headsets übergestreift und kommunizierten auf diese Weise, bei dem infernalischen Lärm wäre das auch gar nicht anders möglich gewesen. Gisela widmete sich ihrer Aufgabe, das Flussbett dort unten genauestens zu kartographieren und nach einem Abfluss, nach einem Durchbruch zu einer möglichen Höhle zu suchen. Falls es hier nichts dergleichen gab, musste man es an einer anderen Stelle probieren.

»Hölleisen hat sich gerade gemeldet«, sagte Ostler und schüttelte seine feuchtkalten Hände aus. »Gerade hat jemand bei ihm auf dem Revier angerufen, wahrscheinlich ein einsamer Nachtspaziergänger. Er glaubt, es handelt sich bei unserer Aktion hier in der Klamm um einen Mord. Er ist vor ein paar Minuten noch oben auf der Eisenbrücke gestanden –«

»Wir haben etwas gefunden!«, rief Becker aufgeregt. »Es gibt einen Abfluss aus dieser Wassergrube dort unten!«

Auf dem Bildschirm konnte man nun die schematische Darstellung der Aushöhlung erkennen, in der sich die Kugel gerade befand. Die Grafik war aus den Daten, die Gisela geschickt hatte, errechnet worden. Ein stilisierter Wasserstrudel, der eher elliptisch als kreisförmig aussah, fraß sich in eine klingelbeutelförmige Felsmulde. Der Klingelbeutel hing nicht senkrecht nach unten, sondern lag schräg im Fels. Am Boden des Klingelbeutels war ein kleiner Überhang, ein Knubbel, eine überstehende Felsfalte zu erkennen. Darunter steckte die Kugel jetzt, und sie wurde immer weiter hineingetrieben. Schließlich war sie ganz verschwunden.

Gisela war drin. Sie konnte sich naturgemäß nicht aus der Kugel befreien und herumspazieren – sie war ein Dummy und kein RoboCop. Das Einzige, was sie machen konnte, war, die Erkundungskameras zu aktivieren und Messungen vorzunehmen. Ungläubig starrten die Ermittler auf den Bildschirm, der jetzt keine schematische Simulation mehr, sondern das Realbild dieser kleinen Höhle im Fels zeigte. Winzige, aber umso hellere Scheinwerfer tasteten die Felswände ab, die bewegliche Videolinse folgte ihnen. Die Höhle hatte die Größe eines Squashcourts, der Boden war uneben und mit kraterartigen Löchern übersät, zudem unregelmäßig mit Wasser bedeckt, das schmatzend an die Wände schwappte. Die Kugel lag zu einem Drittel im Wasser, sie schwamm jedoch nicht mehr, sie war mehr oder weniger sanft auf Grund gegangen.

»Endlich haben wir gefunden, was wir so lange gesucht haben!«, schrie Nicole Schwattke begeistert und im Überschwang der Jugend.

»Abwarten«, bremste Jennerwein.

»Wieso gibt es da so wenig Wasser und so viel Luft?«, fragte Maria.

»Das kann ich mir auch nicht erklären«, sagte Becker. »Ob das nun wirklich Atemluft ist, das werden wir gleich sehen.«

Er ließ seine Finger über die Tasten eines Rechners gleiten. Sofort hatte er das Ergebnis.

»Gute Luft, wie in einer Schulturnhalle vor der ersten Stunde«, sagte Becker. »Keine Ahnung, wie die da unten reinkommt. Die Luft ist sogar ein bisschen salzhaltig. Wie im Inhalationsraum eines Solebades.«

»Gehen Sie bitte mit der Kamera nochmals ein Stück zurück«, sagte Jennerwein. »Ich habe da eine Unregelmäßigkeit in der Wand gesehen.«

Becker zoomte, aber Jennerwein konnte die Unregelmäßigkeit nicht mehr finden. Die Sicht war allerdings nicht gut, Nebelschwaden schienen die Höhle zu durchziehen, das Bild war darüber hinaus schwarzweiß und wacklig, schließlich machten die glitzernden Wände eine genauere Ortung unmöglich.

»Ich gehe selbst runter«, sagte Jennerwein.

»Nein, Sie gehen da nicht runter«, schrie Becker.

»Um Gottes Willen, Hubertus«, rief Maria entsetzt.

»Keine Diskussionen«, sagte Jennerwein in einem scharfen Ton, den man so von ihm noch nie gehört hatte.

»Nicole!«

»Ja, hier bin ich! Auch ich halte das für keine gute –«

»Nicole, Sie packen mir den kleinen Geologenkoffer zusammen. Dazu noch die Wärmebildkamera und das alpine Erste-Hilfe-Set. Ostler, wir beide holen die Kugel mit Gisela wieder raus. Becker, Sie bereiten einen zweiten Tauchgang vor.«

»Was? Sie wollen doch nicht etwa in der Kugel runter? Die ist nicht gebaut, um Menschen zu transportieren. Es ist viel zu eng da drin. Und wenn die Kugel irgendwo hängenbleibt, können Sie ersticken. Es gibt keine Sauerstoffversorgung –«

»Wir schaffen das schon«, sagte Jennerwein. »Beeilen Sie sich. Ich bin mir sicher, dass wir dort unten fündig werden.«

Er begann, sich die Kleider vom Leib zu reißen und sein Neopren mit Gummischuhen und Kopfschutz zu vervollständigen.

»Ich vertraue ganz auf die Technik. Und auf Sie alle. Und auf mein Gespür.«

»Na denn«, murmelte Stengele.

Wenige Minuten später, als sich Jennerwein wieder aus der Taucherglocke befreit hatte, sah er, dass er sich genau an der Stelle befand, an der die Kugel mit Gisela vorher hingetragen worden war. Er dehnte und reckte sich, war er doch zwei Minuten zusammengekrümmt gewesen wie ein Fötus. Sein kugeliges Gefährt war so wild durch das Wasser geschleudert worden, dass er trotz der Innenpolsterung hunderttausend derbe Knüffe und Stöße abbekommen hatte. Er blickte sich prüfend um. Die Umgebung war so sensationell, dass er seine Blessuren augenblicklich vergaß. Die Felswände glitzerten verschwenderisch wie die mit Edelsteinen besetzten Schlafzimmerwände des Scheichs von Bahrain. Jennerwein betastete die sechseckigen, schuppigen Kristalle. Sie wechselten zwischen bleigrau und blauviolett, dazwischen blitzte pralles, erzhaltiges Gestein auf. Waren das die Molybdän-Vorkommen, von denen Becker gesprochen hatte? Er schnupperte. Die Luft war würzig und frisch. Es war kühl hier unten, aber nicht kalt. Ideale Lebensbedingungen, dachte Jennerwein. Er bückte sich und fächelte sich mit der Hand die gelblichen Dämpfe zu, die aus dem Wasser stiegen. Schwefel? Er kostete eine Handvoll von dem Wasser: Auch das war klar und ohne Beigeschmack. Jetzt gab er das Alles-in-Ordnung-Signal an sein Team ab. Sie hatten vereinbart, dass er sich alle zwei Minuten meldete. Er leuchtete Wände und Decke mehrmals mit der Taschenlampe ab, doch nirgends war ein Hinweis darauf zu sehen, dass es einen weiteren Ausgang aus dieser Höhle gab. Hatte er sich vorher am Bildschirm so getäuscht? Hatte ihn sein sonst so gutes Gespür getrogen? Der Wasserspiegel hob und senkte sich leicht. Er kramte in seinem Physik-Grundwissen aus der sechsten Klasse. Das Prinzip der Kommunizierenden Röhren. Der Flüssigkeitsspiegel bei Gefäßen, die miteinander verbunden sind, gleicht sich an. Also musste es eine Verbindung zu anderen Räumen geben! Er trat vorsichtig auf diejenigen Stellen des Bodens, die unter Wasser standen. Hier konnte er keine Öffnung nach unten entdecken, das hatte er auch gar nicht erwartet. Das Wasser schwappte nach wie vor hin und her und schmatzte an die Ränder. Er leuchtete den Boden ab. Der verlief etwas schräg, auf die Felswand hin, die dem Berg zugewandt war. Als sich der unruhige Wasserspiegel dort wieder etwas gesenkt hatte, entdeckte er an einer Stelle eine Öffnung, die unter der Wand hindurchführte.

»Ich habe gerade einen Durchgang entdeckt. Ich werde versuchen, auf die andere Seite zu kommen!«

Jennerwein wartete die Antwort erst gar nicht ab. Er sicherte die Kugel, indem er einen Haken in den Fels schlug und sie daran fixierte. Dann stieg er mit den Füßen voraus durch das Schlupfloch, das ihm gerade so viel Platz bot, um sich durchzuhangeln. Er hoffte, dass er sich nicht in die Hölle hangelte.

»Ich bin in einem zweiten Raum«, gab er durch. »Er ist wesentlich größer als der erste. Es ist ein langer Schlauch, der weiter ins Innere des Berges führt.«

Er hörte Marias aufgeregte Stimme. Sie sagte etwas, doch er verstand sie schlecht, er verstand sie gar nicht, die Funkverbindung brach ab. Er musste sich beeilen. Wenn er sich länger als zwei Minuten nicht meldete, riefen sie die Bergwacht, die Wasserwacht, das Technische Hilfswerk, die Kampftaucherabteilung der Polizei, das ganze Programm eben. Diese Höhle hatte die Form und die Größe eines U-Bahn-Tunnels, auch in ihr stand und schwappte Wasser, auf einer Seite gab es jedoch einen erhöhten, trockenen Streifen, dort konnte man wohl gefahrlos entlanggehen. Er tastete sich an der Wand entlang. Die Funkverbindung war sehr schlecht, das hinderte ihn jedoch nicht daran, weiterzugehen. Wer schon einmal in einer Höhle war, weiß, warum. Noch schlimmer als die Angst, dem Bären in der Höhle zu begegnen, ist die Angst, wieder herauszukommen, ohne den Bären gesehen zu haben.

Mit der einen Hand hielt er die Taschenlampe, mit der anderen stützte er sich an der Wand ab. Ohne Taschenlampe, dachte er, würde man hier unendlich lange brauchen, voranzukommen. Er bekam wieder Funkverbindung.

»Bei mir ist alles in Ordnung. Bin zwanzig Meter in einer zweiten Höhle.«

In regelmäßigen Abständen sprühte er eine Markierung an die Wand. Er warf einen Blick auf die Spraydose. Der Markenname dieses Requisits für Höhlenkundler war *Ariadne*, was sonst.

Dreißig Meter, vierzig Meter – die Reise zum Mittelpunkt der Erde. Er konnte es kaum glauben, wie weitläufig diese Höhlen waren. Konnte es sein, dass hier schon seit Jahrhunderten Menschen lebten? Er versuchte, diese Gedanken abzuschütteln, zu verstörend war die Vorstellung eines Lebens ohne Licht und Sonne, zu abwegig schienen die Konsequenzen: Eine Ansammlung von verwahrlosten, durch Inzucht und Kannibalismus rückgebildeten Kreaturen – und in dreihundert Meter Luftlinie, natürlich außerhalb der Höhle, befand sich die Terrasse der Hammersbacher Hütte, in der goldglänzender Kaiserschmarren mit Apfelkompott angeboten wurde.

»Hier Jennerwein. Alles bestens. Geben Sie mir noch ein paar Minuten.«

» … gefunden? … schlecht …«

Der Boden war fest und trocken, er kam gut voran. Es war ein langer, leicht gekrümmter Gang. Jennerwein sah vor sich eine Abzweigung. Er bog um die Ecke und leuchtete den kleinen Seitenraum mit der Taschenlampe aus. Der Anblick war furchtbar. Auf einer etwas erhöhten Stelle, ganz im Trockenen, blitzten mehrere grellweiße Skelette im Lichtschein auf. Jennerwein erschrak. Doch er reagierte professionell und versuchte, sein Entsetzen in den Griff zu bekommen. Er konzentrierte sich. Er massierte die Schläfen mit Daumen und Mittelfinger. Er war Polizeihauptkommissar, er war schon einige Jahre im Dienst, er hatte schon viele Skelette gesehen, und Skelette waren nicht das Schlimmste, was er gesehen hatte.

Er trat näher. Sein Puls beruhigte sich langsam wieder. Zentimeter für Zentimeter fuhr er den Skeletthaufen mit der Taschenlampe ab. Nach seinen medizinischen Laienkenntnissen waren es Skelette von Männern, von erwachsenen Männern. Die zerfallenen Kleidungsfetzen, die dazwischen verstreut lagen, ließen keinerlei Rückschlüsse darauf zu, wer sie waren oder wie sie zu Tode gekommen sind. Zwei der Skelette waren beschädigt. Ihnen fehlte das obere Drittel des Schädels. Die Schädeldecken waren fein säuberlich abgetrennt worden, Jennerwein leuchtete den Haufen und die nähere Umgebung ab, sie waren nirgends zu finden. Schließlich fiel der Lichtkegel auf eine Tasche, eher einen Tornister, wie ihn das Militär manchmal verwendete. Er streifte Handschuhe über, öffnete ihn vorsichtig und leuchtete hinein. Dann holte er ein Buch heraus. Es war ein aufgequollenes Notizbuch, dessen Umschlagseiten abgerissen waren. Es schien sich um ein improvisiertes Tagebuch zu handeln:

... der Weißkittel kam herein und begann mit der Behandlung ...

Er ließ das Notizbuch in eine Plastiktüte gleiten, dann steckte er es in die Tasche seines Taucheranzugs.

»Ich bin jetzt etwa fünfzig Meter im Inneren«, sprach er ins Funkgerät, immer noch wie benommen von dem, was er da gesehen hatte. »Ich mache noch ein paar Fotos, dann gehe ich wieder zurück.«

»Okay, Chef. Was haben Sie gesehen?«

»Erzähle ich, wenn ich oben bin.«

Gerade als er sich aufmachen wollte, diese schaurige Grabkammer zu verlassen, vernahm er ein kratzendes, rasselndes Geräusch. Er konnte nicht ausmachen, aus welcher Richtung es kam. Es war ein Geräusch, das nicht in diese Umgebung zu passen schien. Er leuchtete mit der Taschenlampe die Decke entlang, wieder traf er die grell glitzernden Molybdänerze, sonst entdeckte er nichts Auffälliges. Er leuchtete die Wasseroberfläche ab. Sie war still und glatt, nur ab und zu stiegen winzig kleine Bläschen lautlos an die Oberfläche. Am Uferrand entdeckte er eine schwärzliche Stelle. Er trat näher. Es war feines, schwarzes Pulver, das da lag. Er schnupperte daran und zerrieb es zwischen den Fingern. Es war Kohlenstaub. Hier musste jemand Feuer gemacht haben. Als er die Stelle genauer betrachtete, konnte er kleine Reste von Fischgräten erkennen. Und wieder das kratzende Geräusch. Blitzartig drehte er sich um, mit der Hand hatte er automatisch zur Waffe gegriffen. Das Geräusch war aus einer Ecke der Höhle gekommen, er leuchtete in die Richtung, dort lag nur ein Haufen grauer Lumpen aufgetürmt, sonst nichts. Er kniete sich nieder, um den Kohlenstaub der Feuerstelle genauer zu untersuchen, er fand weitere Fischgräten – und da, war das nicht ein Knöchelchen von einem kleinen Tier? Er fingerte nach der Plastiktüte, um es einzustecken. Dann wieder das Geräusch – und wieder nur Lumpen, als er mit der Taschenlampe hinleuchtete. Er stand auf und näherte sich dem Lumpenhaufen. Jetzt verstärkte sich das Kratzen. Vorsichtig nahm er den obersten Fetzen des Haufens weg.

Jennerwein erschrak furchtbar. Aus den Lumpen tauchte der Kopf einer ausgemergelten Gestalt auf. Von der plötzlichen Helligkeit geblendet, kniff sie die Augen schmerzverzerrt zusammen. Jennerwein ließ seine Waffe wieder los. Er riss die Fetzen von dem Haufen. Ein Mann lag zusammengekrümmt vor ihm. Der Mann hielt einen Kugelschreiber in der Hand, mit dem er auf dem Felsen gekratzt hatte. Er war vollkommen geschwächt und über und über mit Schürfwunden bedeckt. Trotzdem erkannte ihn Jennerwein sofort. Es war Fred Weißenborn.

Jennerwein stöhnte auf. Sie hatten ihn gefunden! Er schwankte zwischen Schreck und Erleichterung. Weißenborn röchelte. Hier war schnelle Hilfe nötig. Vorsichtig hob Jennerwein den BKA-Beamten auf die Arme und brachte ihn zurück zur Tauchkugel.

60

»Kreuzkruzifix!«, fluchte der Kottesrieder Loisl, als er sich an den Stammtisch vom *Kerschgeiststüberl* gesetzt hatte. »Gibt es denn kein anderes Thema! Jetzt hat man sogar in der Wirtschaft keine Ruhe mehr vor diesem Jennerwein!«

»Ja, ist doch wahr!«, sagte der Gemeinderat Toni Harrigl und nippte nervös an seinem alkoholfreien Bier. »Das wird man doch noch sagen dürfen! Der Jennerwein bringt es hinten und vorne nicht – das müsst ihr doch jetzt selbst einsehen! Wir haben einen Toten. Schon seit Tagen. Und was ist geschehen? Nichts! Überhaupt nichts. Der Tote ist tot, der Mörder läuft frei herum, und die Steuerzahler zahlens.«

Im Kerschgeiststüberl ging es trotz der späten Stunde hoch her. Viele Einheimische waren noch auf einen Absacker vorbeigekommen. Es war das gleiche Publikum, das tagsüber in der Metzgerei Kallinger herumhing, und es waren fast die gleichen Themen.

»Da muss ich dir einmal recht geben, Harrigl«, sagte die Seiff Martina mit spitzer Zunge. »Der Jennerwein wird den Wilderer nie fangen. Der Wilderer ist schon längst in Australien –«

»Oder aber er hat sich seinen falschen Bart längst abgerissen«, sagte der Presstaler Martin verschmitzt, »und arbeitet wieder brav am Schalter der Kfz-Zulassungsstelle, Personenverkehr A – F.«

Schallendes Gelächter im Kerschgeiststüberl.

»Ich finde das nicht witzig«, sagte Toni Harrigl. »Das ist immerhin ein Mörder. Ich glaube auch nicht, dass es einer von uns ist.«

»Möchtest du den Verdacht von dir ablenken, Harrigl?«, sagte die Seiff Martina. »Das wäre doch was: Tagsüber bist du ein braver Gemeinderat, Tagesordnungspunkt 5/23 – und nachts der böse Bube. Davon träumst du doch, oder?«

Großartiges Gelächter, mehrmaliges Anstoßen, enormes Saugen und Schlucken an verschiedenartigen Bieren. Leberkäse macht durstig.

»Ich habe einmal das Gerücht gehört, dass es ein italienisches Restaurant hier im Ort gibt, das voll in Mafia-Hand ist«, raunte die Hartmannsdorfer Traudi hinter vorgehaltener Hand. »Es soll angeblich das *Pinocchio* sein.«

»Warum gerade das Pinocchio?«

»Es liegt direkt an der Handelsstraße nach Italien –«

»Ja, das Gerücht habe ich auch gehört. Wir waren einmal drin. Nachdem wir ein paar Weißbier gezischt haben, hat der Luggermoser, der Depp, den Ober gefragt, ob er denn einen Auftragskiller wüsste. Daraufhin haben sie uns hinausgeworfen. Und ich habe mein Weißbier noch gar nicht ausgetrunken.«

»Das zeigt aber doch gerade, dass da was dran ist an dem Gerücht. Wenn die so empfindlich reagieren.«

Harrigl erhob sich und fuchtelte mit einem Brief herum.

»Ihr wisst, ich habe einen hervorragenden Draht zum bayrischen Innenministerium – und da habe ich eine Petition an den zuständigen Staatssekretär verfasst. Kopie an Polizeioberrat Dr. Rosenberger, der Vorgesetzte von Jennerwein. Ich habe ausführlich geschildert, was der leitende Ermittler hier für einen Aufwand treibt. Sieben Beamte jagen einen Wilderer! Und schaffen es nicht, ihn zu fangen. Ich warte noch auf eine Antwort. Aber mein Schreiben wird garantiert ein Nachspiel haben.«

»Was heißt denn eigentlich *wildern* auf Lateinisch?«, fragte die Hartmannsdorfer Traudi den Latein- und Geschichtslehrer vom Werdenfels-Gymnasium.

»Nun, im Lateinischen gibt es kein Wort dafür«, sagte der Professor. »Da der römische Adel kein Verbot ausgesprochen hatte, zu wildern, wurde auch nicht gewildert. Kein Verbot, keine Übertretung – so einfach ist das.«

»Mit den alten Römern kannst du also schon einmal nicht anfangen, bei deiner Geschichte des Wilderns!«, sagte die Hartmannsdorfer Traudi.

»Vielleicht bei Adam und Eva?«, setzte die Seiff Martina hinzu. »Obstdiebstahl ist ja eigentlich auch so eine Art Wilderei.«

Nicht enden wollendes Gelächter im Kerschgeiststüberl.

Ursel und Ignaz Grasegger hatten es sich auf ihren Klappstühlen am obersten Punkt der Tiroler Wiese gemütlich gemacht. Von dort aus hatte man einen herrlichen Blick auf die Klamm und auf das Abendrot, das die Berge rötlich ränderte.

»Ja, spinnst du! Was tust denn du jetzt mit dem Nachtsichtgerät!«, rief Ursel entsetzt. »Wenn wir damit erwischt werden, dann ist es gleich aus mit unserer Bewährung!«

»Da schau, drunten im Kerschgeiststüberl ist noch schwer was los«, entgegnet Ignaz.

»Da werden schon wieder die üblichen Verdächtigen sitzen.«

»Der Harrigl Toni, der Kottesrieder Loisl, die Seiff Martina –«

»Die soll ja jetzt mit dem Noor Michl zusammen sein.«

»Nein, der Noor Michl ist mit der Holzmayer Veronika zusammen.«

»Schon lange nicht mehr. Der Mühlriedl Rudi und die Holzmayerin, die sind ein Paar.«

Ursel hatte den untrüglichen Sinn für das Geheimnis.

»Der Mühlriedl und die Holzmayer?«, sagte Ignaz bedächtig. »Die sind zusammen? Warum das denn? Ich weiß nicht, ob ich da zu konservativ bin – aber eine gewisse Verbesserung muss doch sein, wenn man schon fremdgeht.«

»Aber schau einmal da hinunter in die Klamm! Da rührt sich was.«

»Jetzt gib doch einmal das Nachtsichtgerät her.«

Den Graseggers hatte der Nervenkitzel während der drei Jahre in Toreggio so gefehlt. Jetzt hatten sie ihn wieder.

61

»Chef! Hier ist Nicole. Können wir Sie noch ein paar Minuten unten lassen?«

»Natürlich, Nicole! Kümmern Sie sich um Weißenborn – das ist jetzt das Wichtigste! Ich bin hier absolut sicher, glauben Sie mir.«

»Wird gemacht, Chef! Wir schicken die Kugel so bald wie möglich wieder runter.«

Jennerwein befand sich wieder in der glitzernden, squashcourtgroßen Höhle. Er suchte sich eine trockene Stelle, setzte sich dort auf den Boden und atmete tief durch. Fred Weißenborn war mehr tot als lebendig, aber er war gerettet. Oben hatten sie die Taucherglocke eben herausgezogen, Stengele und Ostler, die beiden Alpinisten, leisteten bestimmt gleich Erste Hilfe. Ein Hubschrauber konnte in der Klamm nicht landen, es würde nichts anderes übrig bleiben, als den Verletzten mit einer Trage hinunter zur Eingangspforte zu bringen, von dort aus würde ihn Hölleisen mit dem Jeep ins Krankenhaus fahren. So war es jedenfalls geplant.

Er hatte keine weiteren Abzweigungen und Durchgänge zu anderen Räumen gefunden. Wo war Dombrowski? Dombrowski musste dem Verräter im BKA-Team auf der Spur gewesen sein – und der Verräter war immer noch auf freiem Fuß. Weißenborn und Dombrowski kannten den Verräter. Jennerwein hatte dem unverständlich vor sich hin stammelnden Weißenborn gleich als Erstes die Frage gestellt: Wo ist Dombrowski? Aber Weißenborn war nicht fähig gewesen, zu antworten. Jennerwein hatte nachgefragt: Ist Dombrowski hier in der Höhle? Fred Weißenborn hatte den Kopf geschüttelt.

Jennerwein hatte keinerlei Anhaltspunkte dafür gefunden, dass sich hier unten weitere lebende Personen aufhielten. Und auch das war sicher: Es lebten keine blinden und zivilisationsfernen Urflößer hier unten in der Höhle. Die Graseggers hatten recht gehabt, der erste Teil der Floezzer-Legende stimmte, der zweite gottlob nicht. Er holte die Plastiktüte mit dem Tagebuch heraus. Vielleicht ergaben sich aus den Aufzeichnungen Weißenborns weitere Hinweise.

> *Erster Tag. Eine Art Kellerverließ mit feuchtkalter Atmosphäre. Bin unverletzt, zumindest nicht schwer verletzt, kann mich bewegen. Unerträglicher Durst. Die Wände: grobe, unregelmäßig große Bruchsteine. Habe dafür ein Streichholz verbraucht.*

Jennerwein nahm das Buch aus der Hülle und las weiter. Er las fieberhaft weiter, er las sich fest, und als er mehrere Seiten überflogen hatte, fuhr ihm ein kalter Schauer über den Rücken. Fred Weißenborn hatte hier unten Menschen gesehen! Es mussten viele Menschen gewesen sein, und sie schienen ihn bedroht zu haben.

> *Meinem Zeitgefühl nach bin ich seit vier Tagen in Gefangenschaft. Dann wäre heute also der 2. März 2006.*

Das waren nicht die Aufzeichnungen von Fred Weißenborn! Dieses Tagebuch war sechs Jahre alt! Er funkte nochmals nach oben.

»Wie geht es ihm?«

»Schlecht, aber er könnte es schaffen. Die Taucherglocke ist unterwegs nach unten.«

»Geben Sie mir noch fünf oder sechs Minuten! Ich gehe nochmals zurück in die große Höhle!«

Irgendjemand da oben riet davon dringend ab, Jennerwein hörte nicht darauf. Er wollte nichts unversucht lassen.

Abermals schob er sich unter der Ausbuchtung hindurch und kletterte in den Durchlass, der die Squash- mit der U-Bahn-Höhle verband. Er wollte ganz sichergehen, dass er nichts übersehen hatte. Insbesondere wollte er ganz sicher sein, dass Dombrowski nicht hier unten war. Wieder ging er die Wand entlang, dank der Markierungen kam er diesmal schneller voran. Nochmal ganz logisch Schritt für Schritt, dachte er. Zuerst ist Adrian Dombrowski von dem Verräter verschleppt worden. Fred Weißenborn hat die Spur aufgenommen und ist in diese Höhle geraten. Als gut trainierter Sportler hatte sich der Freund von Dr. Rosenberger eine Woche am Leben halten können. Er hat wahrscheinlich vergeblich versucht, Verbindung nach draußen aufzunehmen. Aber wie passte dieses Tagebuch ins Bild? Und was hatte es mit den Skeletten auf sich? Und wo war Dombrowski? Er tastete sich weiter an den feuchten Wänden entlang. Plötzlich hielt er inne. Er hatte mit der Taschenlampe einen farbig leuchtenden Gegenstand gestreift. Er lehnte sich an die feuchte Wand und atmete tief durch. Die Aufregung hatte einen Akinetopsie-Anfall ausgelöst. Er hatte einen Schnappschuss von diesem neongrünen Farbfleck im Kopf gespeichert. Doch er fing sich schnell wieder, und die Welt lief weiter wie immer. Er wusste, dass stressige Ereignisse kleinere Anfälle nach sich ziehen konnten. Er hatte aber inzwischen Möglichkeiten gefunden, solche Vorfälle in den Griff zu bekommen. Das Bild verblasste langsam. Er war nun bei den Skeletten angekommen. Er nahm ein Fingerknöchelchen und steckte es in eine Beweissicherungstüte. Dasselbe tat er mit dem neongrünen iPod, an dem sein Blick sich für kurze Zeit festgehängt hatte. Dann trat er den Rückweg an.

62

Boris ließ das Fernglas sinken und wählte eine Nummer. Er war der Unterste in der Hierarchie, das bedeutete, dass er nicht eigenständig handeln durfte, sondern Meldung machen musste.

»Hallo Arri, hier ist Boris. In der Nähe unseres Verstecks habe ich plötzlich mehrere Leute gesehen.«

»Mehrere Leute? Plötzlich gesehen? Was soll das heißen?«

»Ich kann es im Dunkeln nicht genau erkennen – es sind fünf oder sechs. Vielleicht auch mehr. Sie haben viel technisches Gerät dabei.«

»Und die sollen plötzlich aus heiterem Himmel aufgetaucht sein? Idiot!«

Boris biss die Zähne zusammen. Eines Tages würde seine Zeit schon noch kommen. Er war eingeteilt worden, hier oben, am Eingang zum Versteck, Wache zu schieben. Er hatte sich eine Aufnahme von *DJ Frans Eemil*, dem neuen Stern am RealTechno-Himmel, reingezogen, dadurch hatte er die Bescherung unten zu spät gesehen. Irgendjemand hatte versucht, das Versteck zu knacken, und zwar mit einem technischen Großangriff.

»Ich glaube aber nicht, dass es BKA-Leute sind«, sagte Boris kleinlaut. »Soll ich die Höhlen sprengen?«

»Nein, das mache ich selbst, wenn es nötig ist. Es genügt, dass du alles vorbereitet hast. Aber sag mal: Ist das vielleicht Kommissar Jennerwein, der da herumschnüffelt?«

»Keine Ahnung. Was soll der Jennerwein in unserer Klamm treiben?«

»Das weiß ich nicht. Vielleicht jagt er dort den Wilderer.«

»So ein technischer Aufwand wegen einem Wilderer?«

»Das lass mal meine Sorge sein. Du bleibst, wo du bist, ich löse dich ab.«

»Wie du meinst, Arri.«

»Nicht einmal zu einem einfachen Wachdienst bist du fähig! Du fährst jetzt zu diesem Typen, der in den Internetforen herumgeschnüffelt hat. Oliver Krapf heißt er. Es ist ein achtzehnjähriges Jüngelchen. Vielleicht wirst du ja mit so einem fertig. Das heißt, nein – Du wartest auf Nadja und fährst mit ihr.«

»Ich kann auch allein –«

»Nein, du machst nichts mehr allein.«

»Ja, Arri.«

»Versau es nicht, hörst du! Wir haben diesen Operationsort nicht jahrelang aufgebaut, um ihn bei den kleinsten Schwierigkeiten aufzugeben!«

Kurz darauf war Arri da. Boris nahm die Adresse von Oliver Krapf in Empfang und trottete missmutig davon. Arri robbte sofort an den Rand der Klippe und spähte durch das Nachtsichtgerät. Als er Jennerweins Team dort unten sah, pfiff er durch die Zähne. Auf einer Trage lag eine reglose Gestalt. Es war Fred Weißenborn. Arri schraubte das Zielfernrohr auf das Gewehr, um besser sehen zu können. Zwei Männer nahmen die Trage auf und trugen sie aus seinem Fokus, hinter eine der Felswände, von denen der Weg durchbrochen war. Jetzt tauchten sie wieder auf. Die Gischt sprühte, es war neblig und es war dunkel. Er musste es trotzdem wagen. Weißenborn durfte nicht auspacken. Auf keinen Fall. Sonst brach die ganze Operation zusammen, die sie in jahrelanger Arbeit aufgebaut hatten. Das musste er verhindern. Arri legte an.

»Grüß Sie Gott, sind Sie auch von der Presse? Dann sind wir Kollegen. Wenigstens rührt sich mal was im Nachtdienst.«

Was war das für ein Idiot? Der streckte ihm die Hand zum Schütteln hin.

»Manuel Ringseis, von der Loisachtaler Allgemeinen!«

Blitzschnell sprang er auf. Der Volltrottel hielt die Hand immer noch ausgestreckt. Was sollte er tun? Arri hatte eine Idee.

63

»Was ist passiert? Sind Sie in Ordnung, Hubertus?«, rief Maria, als Jennerwein oben aus der Taucherglocke stieg. »Sie sind ja kreidebleich!«

»Lassen Sie ihm ein paar Minuten Zeit zu verschnaufen!«, sagte Stengele. »Er ist ein wenig angeschlagen, das kommt vom Sauerstoffmangel im Gehirn. Vielleicht hat er sogar ein leichtes Pallauf-Syndrom. In der Taucherglocke gab es ja keine Frischluft.«

Als sich Jennerwein erholt hatte, gab es für ihn gleich zwei äußerst unangenehme Überraschungen. Die erste war die, dass Weißenborn auf einer Trage lag, nur ein paar Meter von ihm entfernt. Er war offensichtlich noch nicht hinunter ins Krankenhaus gebracht worden. Und das konnte eigentlich nur einen Grund haben.

»Ist er –?«

»Nein, er lebt«, sagte Ostler. »Wir konnten ihn aber noch nicht hinunterschaffen. Wir kommen einfach nicht weiter. Schauen Sie sich das an! Wir sind eingekeilt.«

Und jetzt kam die zweite unangenehme Überraschung für den Kommissar. Sie hatten Gesellschaft bekommen. Viel Gesellschaft. Von allen Seiten gab es Blitzlichtgewitter, Zurufe, Geschrei. Stengele und Nicole hatten Mühe, die Menschenmengen, die sich von beiden Seiten des Weges Zugang zu der provisorischen Operationsbasis verschaffen wollten, zurückzudrängen. Jennerwein richtete sich ruckartig auf.

»Was ist denn hier los?«

»Irgendjemand hat die Presse alarmiert«, sagte Maria. »Zuerst kamen nur einige Fotografen, dann Kamerateams, jetzt kreist schon ein Hubschrauber dort droben, aus dem wohl auch gefilmt und fotografiert wird. Sie kommen von allen Seiten. Und die Presse hat viele andere Schaulustige mitgezogen. Sehen Sie, dort auf dem gegenüberliegenden Felsen, da seilt sich sogar einer ab.«

Jennerwein schaute um sich, die Klamm war tatsächlich bevölkert und beleuchtet wie bei einem Volksfest, es fehlten nur noch Würstchenbuden und Eismaschinen.

»Die einzige Möglichkeit, Fred Weißenborn hier heil rauszubringen, ist die, ihn an einem Rettungstau hängend mit dem Polizeihelikopter auszufliegen. Ich habe das schon veranlasst.«

»Gut gemacht, Stengele.«

»Wie kommen *wir* hier raus?«

Jennerwein sprang von seiner Pritsche.

»Indem wir eine Pressekonferenz geben. Wir bleiben bei unserem Dattelberger-Plan.«

Die Verwirrung war groß. Da es nur zwei Zugänge zu der Stelle gab, an der sich die Beamten befanden, stießen sich Fotografen, Kameraleute, Tontechniker und ganz gewöhnliche Journalisten gegenseitig zu Boden. Es waren schon viele Fotos geschossen worden: Jennerwein aus dem Wasser auftauchend, Jennerwein auf der Trage liegend, Jennerwein auf der Trage sitzend, Jennerwein mit Thermodecke, Jennerwein mit kleiner Schnittwunde an der Wange, Maria Schmalfuß beim Verpflastern der Schnittwunde. Jennerwein mit Pflaster. Es war offensichtlich, dass kaum einer der Journalisten Bescheid wusste, was wirklich geschehen war. Jennerwein ließ sich das Megaphon geben.

»Hier spricht der leitende Hauptkommissar. Mein Name ist Jennerwein. Sie befinden sich mitten in einem Polizeieinsatz. Verlassen Sie sofort die Klamm. Sie behindern die Ermittlungen.«

Jennerwein wusste selbst, wie er gerade aussah. In der goldfarbenen Thermodecke war er einfach nicht ernst zu nehmen. Nicht als leitender Ermittler. Trotzdem, er hatte es versucht.

»Fragen! Nur einige Fragen!«, schrie die Meute. »Fragen beantworten! Nur eine Frage!«

Die Parteien einigten sich darauf, dass die Polizei zehn Minuten lang Fragen beantwortete, dass die Journalisten im Gegenzug dann aber auch wieder Platz machten und zurückgingen, woher sie gekommen waren.

»Was hat Kommissar Jennerwein dort unten gesucht?«

»Laufende Ermittlungen. Nächste Frage.«

»Haben Sie den Wilderer nun endlich gefasst?«

»Nächste Frage.«

»Hat der Mord, der hier angeblich begangen wurde, wieder etwas mit dem Wilderer zu tun?«

»Nächste Frage.«

Das war Stengele gewesen, der sich um die Journalisten am oberen Ende der Polizeiabsperrung gekümmert hatte. Jennerwein beantwortete die Fragen derjenigen, die talwärts standen. Er versuchte etwas verbindlicher zu sein.

»Es kursieren Gerüchte, dass sich der Wilderer in einer unterirdischen Höhle verbirgt. Stimmt das?«

»Wir untersuchen das gerade. Wenn wir die Ermittlungen beendet haben, teilen wir Ihnen das mit.«

»Sie waren im Wasser. Haben Sie etwas entdeckt? Eine geheime Höhle vielleicht?«

»Ich habe da unten eine von vielen Spuren verfolgt, wir werten alle Spuren sorgfältig aus. Wenn wir alle Spuren ausgewertet haben –«

So ging das immer weiter, natürlich länger als zehn Minuten, natürlich eine halbe Stunde, eine Dreiviertelstunde. Und der Polizeihubschrauber kam und kam nicht. Jennerwein überlegte fieberhaft. Die Zeit lief ihm davon! Er musste Weißenborn unbedingt medizinisch versorgen. Sollte er den Verletzten an den wartenden Journalisten vorbeitragen lassen? An wildfremden Leuten? Unter denen sich Angreifer tummeln konnten? Das war viel zu riskant. Er wählte die Nummer von Dr. Rosenberger.

»Kommissar! Endlich! Ich hoffe, Sie haben gute Nachrichten für mich.«

»Wir haben Ihren Freund gefunden. Er lebt.«

»Gottseidank. Wie geht es ihm?«

Jennerwein blickte beiläufig auf die gegenüberliegende Wand. Dort kletterte ein Journalist herunter, der die Abmachung vorhin anscheinend nicht gehört hatte. Irgendetwas störte ihn aber an dem Journalisten. Kletterte ein Journalist einfach eine Felswand herunter? Ohne Seil und andere Ausrüstungsgegenstände? So geschickt und schnell? Gab es solche Journalisten?

»Er ist total erschöpft. Wir bringen ihn mit dem Hubschrauber hier raus. Dr. Rosenberger, Sie können sich darauf verlassen, dass er heil im Krankenhaus ankommt.«

Auf der anderen Seite des Weges war es jetzt an Maria, Fragen zu beantworten.

»Es gibt Gerüchte im Ort, dass Sie Höhlenmenschen gefunden hätten?«

»Wie kommen Sie denn auf diese Idee?«

»Es gibt also keine Höhlenmenschen?«

»Jedenfalls nicht hier bei uns.«

Becker eilte auf Jennerwein zu.

»Das Fingerknöchelchen, das Sie mir gegeben haben, hat eine eigenartige Struktur. Es kommt mir vor, als wäre es über hundert Jahre alt. Das müsste ich aber genauer untersuchen.«

»Darum kümmern wir uns später. Zuallererst müssen wir Weißenborn hier rausschaffen. Ich frage mich nur, wie!«

64

Arri kam der plötzliche Presserummel ganz recht. Die Polizisten waren nicht nur abgelenkt, sie waren darüber hinaus richtiggehend eingekesselt. So konnte er unauffällig operieren. Er wusste nicht, weswegen sich plötzlich solche Menschenmengen dort unten eingefunden hatten, aber eines war ganz hundertprozentig sicher: Er musste Weißenborn erledigen, sonst flog alles auf: Seine Tarnung, die Bank, sein Job, alles eben. Das durfte nicht passieren. Die wilde Meute war wie aus dem Nichts aufgetaucht und hatte begonnen, auf Teufel komm raus zu blitzen, zu fotografieren und zu filmen. Da war ihm die Idee gekommen, sich als Reporter zu tarnen. Die herabbaumelnden Kameras mit dem Aufkleber *Loisachtaler Allgemeine* störten zwar ziemlich beim Klettern, aber schließlich kam er doch zügig voran. Er stieg die glatte und rutschige Felswand schnell hinunter. Er war schon ein paarmal nachts hier herumgekraxelt, als er Wache geschoben hatte. Dieser Idiot von Boris hätte fast alles versaut. Man würde ihn auswechseln müssen.

Jennerwein setzte sich kurz und schnaufte durch. Jetzt erst spürte er die Erschöpfung. Der Tauchgang in der engen Kugel hatte ihn viel Kraft gekostet. Bisher hatte er noch keine Gelegenheit gefunden, seinem Team von den Skeletten am Fundort zu erzählen. Es gab jetzt weitaus wichtigere Dinge zu tun. Nicole Schwattke und Maria Schmalfuß beantworteten momentan die Fragen der Presseleute, deren Zahl immer noch anzuschwellen schien. Das Gedrängel auf den schmalen Wegen der Klamm nahm kein Ende. Um

Fred Weißenborns Gesundheitszustand kümmerten sich notdürftig Stengele und Ostler. Becker hing immer noch an den Bildschirmen und versuchte, Kontakt mit dem Rettungshubschrauber aufzunehmen. Der verletzte BKA-Beamte hatte bisher noch kein einziges Wort über die Lippen gebracht, er schien unter schwerem Schock zu stehen.

»Völlig ausgehungert, ausgetrocknet und durchgefroren«, sagte Stengele. »Er murmelt ab und zu etwas Unverständliches. Ich bin kein Arzt – aber ich denke, das ist normal bei seinem Zustand. Es sind Fieberphantasien.«

Jennerwein beugte sich zu Weißenborn.

»Dr. Rosenberger lässt Sie herzlich grüßen. Er ist auf dem Weg hierher.«

Keine Reaktion.

Arri zog die Skimütze mit den Sehschlitzen übers Gesicht. Er würde damit nicht auffallen, viele dort unten hatten sich, als Schutz gegen die allgegenwärtige Gischt, eine solche Bankräubermaske aufgesetzt oder wenigstens einen Schal auf diese Weise umgeworfen. Zwei Fotokameras baumelten an seiner Brust, und da baumelte noch etwas, man hätte es für Kameraausrüstung halten können, in der Hülle steckte jedoch die kleine Mauser-Pistole, der er bloß noch einen Schalldämpfer aufsetzen musste. Er hatte nur noch ein paar Meter zu klettern, dann würde er auf den Weg springen und sich unter die Fotografen mischen. Nach dem Schuss würde die Panik unter den Zivilisten so groß sein, dass er leicht fliehen konnte, er wollte den Weg zum unteren Ende der Klamm nehmen. Er zückte das Mobiltelefon.

»Wanda? Ich brauche dich hier. Ich bin noch in der Höllentalklamm und mache mich jetzt auf den Weg nach unten. Nimm den Jeep und fahr mir so weit wie möglich entgegen.«

»Alles klar. Ich bin in dreißig Minuten da.«

Er legte auf. Wenn es ihm gelang, Weißenborn zu erledigen,

war er immer noch sicher. Und die Operation war nicht weiter in Gefahr.

Jennerwein verabschiedete sich am Telefon von dem überglücklichen Dr. Rosenberger. Jennerwein überlegte. Sollte er Weißenborn nochmals befragen? Diesmal vielleicht etwas dringlicher? Das war immerhin ein BKA-Beamter, und genau so etwas war ihm zuzumuten. Jennerwein beugte sich über das Gesicht des ausgemergelten Mannes. Das Wasser der Klamm tobte laut, er musste schreien.

»Weißenborn, ich muss von Ihnen den Namen des Verräters im BKA-Team wissen.«

Keine Reaktion.

»Reagieren Sie nur, wenn die Antwort ja ist. Ist es Martin Weise?«

Keine Reaktion.

»Ist es Baumgartner?«

Keine Reaktion.

Jennerwein zögerte.

»Ist es – Dr. Rosenberger?«

Arri war jetzt so weit heruntergestiegen, dass er sich zwei Meter über den Köpfen der Journalisten befand. Kein Mensch beachtete ihn. Immer mehr Presseleute, immer mehr Schaulustige kamen von unten herauf- und von oben herabgestürmt, um Informationen über das Geschehene zu ergattern. Er musste sich beeilen, sonst gab es auch für ihn kein Durchkommen mehr. Die Wand wieder hochzuklettern wäre zwar theoretisch möglich gewesen, doch dann hätte er eine ideale Zielscheibe für die Polizisten abgegeben. Jetzt sprang er auf den Weg. Er wischte sich die Hände ab und arbeitete sich roh durch die wartenden Menschen. Noch ein paar Meter, dann war er am Ziel.

»Hey, nicht drängeln, junger Freund! Hast du die Lautsprecherdurchsage nicht gehört? Jeder von uns hat eine Frage. Du kommst auch noch dran.«

Er stieß den Mann beiseite. Er hatte keine Frage. Er hatte nur die Antwort. Und die kam aus dem Lauf einer Mauser.

Jennerwein atmete auf. Gottseidank, es war nicht Dr. Rosenberger. Oder verstand Weißenborn seine Fragen einfach nur nicht? War er noch so schwach und orientierungslos?

»Quälen Sie ihn nicht, Hubertus«, sagte Maria sanft, so sanft es eben in der gischtsprühenden Klamm möglich war.

»Ich muss unbedingt den Namen des Verräters erfahren.«

Jennerwein versuchte es anders. Ihm war eingefallen, dass die BKA-Beamten Decknamen hatten. Das hatte in dem knallroten Schnellhefter gestanden, den Dr. Rosenberger ihm zu lesen gegeben hatte.

»Heißt der Verräter Springer? Bauer? König?«

Keine Reaktion.

»Springer b1? Turm c3?«

Bildete er es sich ein, oder erschien ein leichtes Lächeln auf Weißenborns Gesicht? Hatte er nicht genickt?

»Springer auf b1 bedroht Turm auf c3?«

Weißenborn lächelte, das konnte man jetzt deutlich erkennen.

»Was bedeutet das? Im Klartext?«

»Jetzt ist aber Schluss, Hubertus«, sagte Maria mit Nachdruck. »Sie bringen mir den Mann noch um.«

»So, ich muss jetzt echt los«, sagte Martina Seiff und klopfte auf den Wirtshaustisch.

»Ja, ich doch auch«, sagte Toni Harrigl und trank den letzten Schluck Bier aus. Die Tür wurde aufgerissen, und ein später Gast kam ins Kerschgeiststüberl gestürmt.

»Habt ihr das schon gehört!? Droben auf der Höllentalklamm!«

»Was?«

»Jetzt hat er ihn.«

»Wen?«

»Den Wilderer! Der Jennerwein hat den Wilderer endlich gefasst!«

»Das gibts doch nicht!«

»Doch! Droben in der Höllentalklamm, da sollen in einer unterirdischen Höhle Dutzende von Wilderern leben. Und der Jennerwein hat die Höhle entdeckt!«

»Das schauen wir uns an!«, rief Toni Harrigl. »Da fahren wir hin! Der Forstweg geht fast bis zur Eingangshütte, den packen wir locker mit unseren Autos.«

Alle sprangen auf, zahlten hastig und nahmen ihre Jacken. Martina Seiff stand noch am Tisch. Sie zögerte.

»Was ist, Martina, gehen wir!«, trieb Harrigl an. »Oder willst du kneifen?«

»Magst du bei uns mitfahren?«, rief die Hartmannsdorfer Traudl.

»Nein, nein, danke«, sagte Martina Seiff. »Ich nehme mein eigenes Auto.«

Dann machten sie sich auf den Weg in die Klamm: Der Metzger Kallinger samt Frau, der Schreiner Beppi und die Hartmannsdorfer Traudi, ein Gymnasiallehrer für Latein und Geschichte, der Kottesrieder Loisl und seine Gattin Rosalinde, der Presstaler Martin und die Seiff Martina, zuletzt ein flachsblonder Kurgast aus Kiel, den sie Störtebeker nannten. Toni Harrigl, mutig geworden durch fünf Gläser alkoholfreies Bier, führte sie an.

Arri stand jetzt ganz vorn in der Reihe. Die anderen Fotografen um ihn herum schimpften lautstark, aber er tat so, als verstünde er sie nicht. Er sprach ein paar Sätze in einem slawisch-finnischen Kauderwelsch, das man zur Not auch für Russisch halten konnte. Die Gefahr, dass ihn einer aus dem Team Jennerweins erkannte, war gering. Er war vollkommen vermummt, nur zwei kleine Sehschlitze gaben seine Augen frei. Eine kleine, drahtige Polizistin trat auf ihn zu und blickte ihn fragend an.

»Jeschta besneschtscho goj«, improvisierte er, um Zeit zu gewinnen. Er beugte sich unauffällig zur Seite.

»Ja ne ponemaju parusski«, sagte Nicole und trat einen Schritt nach rechts.

Verdammt, die Frau sprach Russisch! Er lugte zu der Trage, auf der Weißenborn lag. Sein Körper war durch die Felswand halb verdeckt, ein Kopfschuss kam schon einmal nicht in Frage. Wenn er sich aber noch mehr zur Seite beugte, müsste er ihn treffen können. Er hatte nur einen einzigen Versuch, aber er war ein hervorragender Schütze, und es waren nicht mehr als zehn Meter. Allerdings musste er warten, bis die Polizistin endlich aus der Schusslinie ging. Oder sollte er zuerst sie –

»Dassewitschan tebja niwasrashrpo?«

»Jamkin da dobrij odawollssi aglassna«, antwortete er und zeigte nach oben. Sie fiel tatsächlich auf den Trick herein. Sie trat zwei Schritte zurück, um besser sehen zu können, wohin er gezeigt hatte.

Auf der anderen Seite, die bergauf führte, gab es einige Aufregung, denn eine Dame in Fummel und Halbschühchen verlangte den leitenden Ermittler zu sprechen.

»Der ist momentan beschäftigt«, sagte Maria ruhig. »Kann ich Ihnen vielleicht helfen?«

»Wir haben da unten einen Notfall«, kreischte die Dame. »Unser Fotograf ist ins Wasser gestürzt. Sie müssen einen Rettungshubschrauber rufen.«

»Wie weit ist der Unglücksort entfernt?«

»Gleich da unten.«

»Ostler, kümmern Sie sich drum.«

Ostler ging durch die feindlichen Reihen. Schon von weitem

sah er, dass der Mann an einem herausragenden Felsen hängengeblieben war. Er beugte sich hinunter, reichte ihm die Hand und zog ihn herauf.

»Ich hätte gleich ein paar Fragen!«, sagte der Mann.

»Später. Morgen.«

Fred Weißenborn schien plötzlich hellwach zu sein, seine Augen flackerten, und seine Hand zitterte.

»Kommen Sie her! Schauen Sie nur: Er zeigt Reaktionen – Richten Sie ihn auf.«

Fred Weißenborn versuchte etwas zu sagen, aber kein Wort kam ihm über die Lippen. Mit allerletzter Kraft hob er die Hand und streckte die Finger aus. Er deutete auf jemanden. Alle drehten sich um. Sie sahen nur ein paar Reporter, die nicht bereit waren, ihre einmal ergatterten Positionen aufzugeben. Jennerwein beugte sich zu Weißenborn.

»Wen sehen Sie? Sagen Sie nur einen Namen!«

»...D... Ver...Verräter!«

Nicole Schwattke sah etwas aufblitzen. Sie hatte noch nicht die Erfahrung von zwanzig Dienstjahren, aber sie hatte das Gespür, den Riecher für bedrohliche Situationen. Ohne zu zögern riss sie den vor Schmerzen aufstöhnenden Weißenborn von der Liege herunter und zerrte ihn am Boden entlang, bis sie ihn ganz hinter die Felsmauer geschleift hatte. Man hatte keinen Schuss gehört – natürlich nicht bei dem Tosen des Wildwassers – aber das Einschussloch im Felsen war deutlich sichtbar. Ein faustgroßer Krater tat sich da auf, aus dem immer noch weißliche Brösel rieselten. Das Einschussloch war dort, wo sich gerade noch Weißenborns Oberkörper befunden hatte. Während Nicoles Aktion waren alle in Deckung gegangen, Stengele hatte als Erster die Waffe gezogen. Er war mit Abstand der beste Schütze im Team, aber hier war es ihm einfach zu riskant, es standen allzu viele Zivilisten im Weg, die sich nicht etwa wegduckten, sondern sich im Gegenteil neugierig reckten und herandrängelten.

Arri ließ die störenden Kameras über die Schultern gleiten und zu Boden fallen. Diese verfluchte Polizistin hatte ihn hereingelegt! Er hatte jedenfalls sein Ziel verfehlt, und Weißenborn befand sich außer Schussweite. Jetzt zu fliehen und sich durch die Menge der Neugierigen zurückzudrängen, erschien ihm zu riskant. Es standen einfach zu viele Leute im Weg. Und er musste Weißenborn immer noch erledigen. Blitzschnell erkannte er die einzige Möglichkeit, die ihm geblieben war: er musste eine Geisel nehmen. Drei Meter von ihm entfernt stand eine große, schlaksige Frau, sie hatte als Einzige im Polizeiteam nicht zur Waffe gegriffen. Arri sprang nach vorn über die Absperrung, riss die Frau am Arm zurück und drückte ihr die Mauser an den Hals.

»Halten Sie alle Ihre Waffen am Abzugsbügel hoch!«, schrie er. Maria hustete, der Mann drückte ihr die Mauser noch fester in den Hals. Was hatte sie alles über das Verhalten bei Geiselnahmen gelesen und gehört! Salewski-Effekt, Inszenierung von skurrilen Szenen – all das war momentan vergessen, das Einzige, was ihr geblieben war, war die pure Angst um ihr Leben.

»Und jetzt werfen Sie die Waffen einzeln in hohem Bogen ins Wasser!«, schrie der Mann. »Erst der grobe Klotz da hinten!«

Stengele machte ein furchtbar angeekeltes Gesicht, tat aber schließlich, wie ihm geheißen.

»Dann der mit dem Kopfhörer. Los, beeilen Sie sich, ich habe nicht ewig Zeit. Dann die Dame dort bei der Liege – kommen Sie raus! Der unscheinbare Herr mit der Thermodecke! Das wird wohl Jennerwein persönlich sein, wie? Und jetzt legen Sie sich alle auf den Bauch, die Hände hinter dem Kopf verschränkt!«

Als alle schließlich platt auf dem Boden lagen, zerrte Arri Maria Schmalfuß ein paar Schritte zur Seite und spähte in den

Durchgang, in dem Weißenborn liegen musste. Er war nicht mehr da! War er ins Wasser gestürzt? Hatte er sich so weit erholt, dass er sich in Sicherheit bringen konnte? Jetzt sah er ihn wieder. Ein paar der Journalisten zogen ihn gerade aus dem Bereich der Polizeiabsperrung. Arri griff an seinen Gürtel. Dort baumelte die Handgranate. Die allerletzte Möglichkeit, Weißenborn auszuschalten. Die Höhle war ohnehin verloren, das war ihm nun klar. Jennerwein hatte sie entdeckt und war anscheinend auch drin gewesen. Er musste die Höhle sprengen, dann waren alle Beweise vernichtet, keine Spur würde mehr zu ihm führen. Er aktivierte die Zeitschaltung. Ihm blieben noch zwei Stunden. Hier oben konnte er die Handgranate nicht werfen, ohne sich selbst umzubringen. Sein Blick fiel auf das Boot.

Konrad Finger war längst wieder zu Hause. Er saß in der Badewanne und versuchte sich von dem Schrecken zu erholen. Plötzlich ertönte das Alarmsignal am Computer erneut. Das durfte doch nicht wahr sein: Schon wieder war jemand an seinem Boot! Wütend stieg er aus der Wanne, lief zum Computer und klickte auf das Kontrollbild seiner Überwachungskamera, die er am Boot befestigt hatte. Das Bild hatte sich verändert. Was war das denn? Sein Boot lag im Wasser? Es schwamm in der Höllentalschlucht, und es rauschte hinunter. Scheinwerfer beleuchteten es von allen Seiten, Menschen schrien! Das gibts doch gar nicht! Da fuhr jemand mit seinem Boot die Höllentalklamm hinunter. Fasziniert starrte Konrad Finger auf den Bildschirm.

65

Es war alles ganz schnell gegangen. Arri hatte die schlaksige Frau zu Boden gerissen, dann hatte er sich das Kajak gegriffen, hochgehoben und in den reißenden Wildbach gestoßen, ins Kehrwasser nah am Fels, in dem es ein paar Sekunden trudeln würde. Dann war er gesprungen. Es hätte alles so gut geklappt, wenn diese Idiotin ihn nicht an den Beinen gepackt hätte, so dass er beim Absprung ins Schlingern gekommen und unsanft ins Wasser geplumpst war. Hatte er sie mitgerissen? War sie ihm nachgesprungen? Egal, er musste jetzt irgendwie zu dem Boot kommen, das war seine einzige Chance. Wenn er es schaffte, das Kajak lange genug im Kehrwasser zu halten, konnte er die Handgranate nach oben werfen, so wie er es geplant hatte.

Johann Ostler klinkte den Draht der Seilwinde in den Karabiner seines Gurtes.

»Becker, lassen Sie mich hinunter, zählen Sie bis hundert, dann ziehen Sie mich wieder hoch!«

Alle waren entsetzt aufgesprungen, hatten sofort bemerkt, dass Maria das Bein des Angreifers gepackt und nicht losgelassen hatte, und mit ihm in die tosenden Fluten gestürzt war. Die Seilwinde, mit der Jennerwein aus der Molybdänhöhle geborgen worden war, kam jetzt zu ihrem zweiten Einsatz. Mit ein paar geübten Griffen warf Ostler den Befestigungsdraht über einen vorstehenden Felsenknubbel, blitzartig hatte er seinen Sitzgurt angelegt, den Helm übergestreift und den Haken der Seilwinde an seinem Gurt festgehängt.

»Sie können doch nicht –«

»Wir haben keine Zeit für Diskussionen. Ich springe runter, Maria kann noch nicht weit sein.«

Jennerwein nickte.

»Nach einer Minute ziehen wir Sie wieder raus. Viel Glück, Ostler.«

Johann Ostler war Mitglied der Bergwacht, der Wasserwacht und der freiwilligen Feuerwehr, er kannte sich mit solchen Bergungsmanövern aus.

»Geben Sie mir zwei Minuten«, sagte er.

»Ich laufe ein Stück flussabwärts«, rief Jennerwein. »Das Wasser macht hier einige Biegungen, das kurze Stück bin ich zu Fuß schneller.«

Bogenschlag, hohe Stütze, ein Boof über die Abrisskante. Arri war schon öfter Wildwasser gefahren, aber dieser Schwierigkeitsgrad war jenseits aller Nummerierungen. Er durfte hier unter gar keinen Umständen kentern, das würde er nicht überleben. Er konzentrierte sich voll darauf, in der Mitte der Hauptabfahrtsrinne zu bleiben. Mit großer Anstrengung war er ins Boot geklettert, er hatte noch keine Gelegenheit gehabt, die Handgranate zu werfen, jetzt musste er sich voll und ganz aufs Manövrieren konzentrieren.

»Ahh!«, kreischten die Presseleute, als der Wildwasserberserker in ihr Sichtfeld kam. Ein paar verfolgten ihn mit ihren Spots. Es gab die ersten Rangeleien und Knüffe, sogar vereinzelte Ohrfeigen um den besten Platz. Das Kajak, das da herangeschossen kam, tanzte auf dem Kamm einer ungeheuren Welle, fuhr dann mit Karacho ins Wellental hinunter, um auf einem flachen Stein aufzudotzen. Manche hielten sich bei dem hässlichen Knirschen und Krachen die Ohren zu. Doch das signalgelbe Gefährt schien keinerlei Schaden genommen zu haben, rasch nahm es wieder Fahrt auf. Im Boot saß ein Mann in schwarzem Outfit, er hatte die Bankräubermaske immer noch übergestreift, und er hatte alle Hände voll zu tun, zu manövrieren. Der Mann kam näher.

»Der Wilderer! Das ist der Wilderer!«, schrie die aufgeregte Meute. Es waren inzwischen nicht nur Presseleute hier oben, die Ereignisse hatten sich unten im Kurort schnell herumgesprochen, was zu einer wahren Völkerwanderung geführt hatte.

»Warum schießt denn die Polizei nicht?«

»Darf sie nicht!«

»Warum denn nicht?«

»Polizeiaufgabengesetz: *Unmittelbarer Zwang ist vor seiner Anwendung anzudrohen.* Wie will die Polizei das bei dem Lärm machen?«

Genau darauf hatte Arri gesetzt. Sie hatten sicher nicht alle Waffen in die Klamm geworfen, aber sie würden es nicht wagen zu schießen. Nicht, solange diese Bohnenstange noch im Wasser war. Arri wusste, wie das lief, er war selbst einmal Polizist gewesen – und er war es eigentlich immer noch. Das traurige Jennerwein-Grüppchen dort oben, das machtlose Häuflein der Gesetzestreuen musste tatenlos zusehen, wie er ihnen entkam. Wenn seine Exkollegen vorgehabt hätten, ihn zu beschießen, dann hätten sie schon längst ihre Waffen gezogen, um ihn ins Visier zu nehmen. Er war jetzt fünfzehn Meter unterhalb der Stelle, an der die Beamten eingekeilt waren. Wenn er es schaffte, auf die andere, gegenüberliegende Seite der Klamm zu kommen, müsste er am Felsenufer wieder ins Kehrwasser fahren können. Von dort aus hätte er Zeit, Stabilität und Deckung, um die Handgranate vom Gürtel zu lösen, sie zu entsichern und hinüberzuwerfen. Tausendmal geübt, und immer hatte es funktioniert. Wenn er es geschafft hatte, Weißenborn auszuschalten, musste er nur noch dreihundert oder vierhundert Meter nach unten fahren, dort würde Wanda auf ihn warten. Diese Pressemeute war ein Geschenk des Himmels. Ohne die Massen von Menschen wäre er nie so nahe an die Polizisten herangekommen. Er hatte jetzt die Klamm mit dem Seilfähren-Manöver durchquert. Vorsichtig richtete er sich auf und balancierte. Der Zeitpunkt war günstig. Er löste die Handgranate vom Gürtel und machte sie scharf.

Konrad Finger war begeistert. Die Gischtbildung hatte nachgelassen, die Sicht war jetzt ausgezeichnet. Sein Boot drehte sich in einem relativ ruhigen Abschnitt. Das war ein richtiger Panoramablick, den er da per Video geboten bekam! Er kannte die Stelle gut. Wie oft hatte er schon dort oben auf dem Plateau gestanden und sehnsüchtig ins Wasser geblickt. Jetzt schipperte ein Mensch darauf herum – vermutlich das erste Mal in der Geschichte der Klamm. Und dann mit seinem Superluxusboot! Es schlingerte nun die Höllentalklamm hinunter. Perfektes Eindrehen des Bootes knapp neben der Kehrwasserlinie. Wer machte ihm da die Freude, die Teststrecke auszuprobieren? Wo kamen die vielen Scheinwerfer her? Und waren da nicht sogar Menschen zu erkennen? Viele, entsetzt in der Gegend herumschreiende Menschen? Wer hatte denn die alle herbeigerufen?

Arri holte weit aus, um die Handgranate nach oben zu werfen. Genau in dem Augenblick zog und schlingerte das Boot stark nach hinten. Er versuchte, das Gleichgewicht wiederzugewinnen, er ruderte mit den Armen – die Handgranate fiel ins Wasser. Er musste versuchen, schleunigst hier wegzukommen. Er setzte sich wieder, spreizte sich mit den Beinen ein und paddelte mit voller Kraft, um wieder ins Fahrwasser zu gelangen. Warum war dieses Kajak plötzlich so instabil und fast unmanövrierbar? Er drehte sich um: Ein Kopf war aus dem Wasser aufgetaucht, zwei Hände versuchten, sich am Heck festzuhalten, sie rutschten immer wieder ab, aber sie kamen auch immer wieder hoch. Das Boot wurde dadurch stark unter Wasser gedrückt. Was war das schon wieder für ein Idiot? Er holte aus und schlug mit dem Paddel auf den Kopf dieses lästigen Anhängsels. Er traf nicht. Er zielte auf die Hände, er verlor das Gleichgewicht, strauchelte, fiel auf die rechte Seite und kenterte mit dem Boot. Der Cowtail, die Sicherungsleine, die Arri mit dem Kajak verband, spannte sich, das Boot fraß sich in einen nächsten Strudel, er wurde nachgezogen. Das Boot kippte, überschlug sich und wurde kopfüber weitergerissen. Arri Verbrecher und Maria Schmalfuß trieben im wütenden Weißwasser, innerhalb von einer Sekunde war nichts mehr von ihnen zu sehen.

Polizeiobermeister Johann Ostler war jetzt schon dreißig Sekunden untergetaucht, aber die Zeit dehnte und streckte sich. Immer wieder riss er die Augen auf, um nach Maria Ausschau zu halten. Jetzt wurde er sanft ins Unterwasser gezogen, das von den Scheinwerfern noch matt beleuchtet wurde. Unheimlich still war es hier unten, im eiskalten Reich der Wassernixen und Nöckwurze, es wurde immer ruhiger, und er wusste, dass die Stille trügerisch war, dass es umso gefährlicher wurde, je weiter man nach unten kam. Diese eine Ausbuchtung wollte er sich noch ansehen, vielleicht auch die nächste, noch etwas tiefere. Es gab keine Spur von Maria.

Hubertus Jennerwein spurtete nach unten. Ihm war vorher beim Aufstieg, etwa fünfzig Meter klammabwärts, wo das reißende Wildwasser einen weiten Bogen schlug, eine Stelle im Wasser aufgefallen, an der sich viel Treibholz angesammelt hatte. Vielleicht konnte er Maria von dort aus helfen. Rasch sprang Jennerwein über die Absperrung, lief den Weg nach unten, die verdutzten Reporter links und rechts wegstoßend. Diesmal wurde sogar eine Gasse gebildet, so entschlossen und grimmig sah der Kommissar aus. Nach einer Minute Abwärtssprint war er an der Stelle angekommen. Das Gerümpel, das sich dort gesammelt hatte, bestand aus kleineren und größeren Ästen, Moos und Laubwerk, all das würde irgendwann einmal zu schwer werden und auf einen Schlag weitergespült werden. Nach der Abrisskante schoss ein dröhnender Wasserfall fünf Meter auf eine ebene Steinplatte zu. Das Prallpolster war enorm. Was Jennerwein gerade vorhatte, war ein lebensgefährliches Unterfangen, aber er musste es riskieren. Jennerwein stieg über die Wegbegrenzung, sprang die zwei Meter hinunter und ließ sich auf dem wackligen Gebilde nieder. Er blickte flussaufwärts, doch außer wildschäumenden Schaumkronen konnte er nichts erkennen. Er blickte nach oben, zum Hochweg. Dort sah er Nicole. Sie war ihm nachgelaufen, winkte mit dem Sicherheitshelm.

»Werfen Sie ihn runter!«

Schnell streifte Jennerwein den Helm über, dann blickte er wieder angestrengt flussaufwärts. Als Erstes kam das Boot. Immer noch kopfüber, schlingerte und schlenkerte es herrenlos umher und verfing sich schnell im Gestrüpp und Gewirr des Treibholzes. Aber es stabilisierte dieses wacklige Gebilde auch ein wenig. Dann sah er den schwarzen Mann, der versuchte, mit mächtigen Stößen zu schwimmen, natürlich hatte er keine Chance, er wurde durch wild tosende Strudel getrieben und wie ein Ball von Stromschnelle zu Stromschnelle gekickt. Das Wasser hatte ihm wohl die Maske vom Kopf gerissen. Jennerwein konnte für eine Sekunde sein vor Anstrengung verzerrtes Gesicht sehen.

Arri wusste, dass er es gleich geschafft hatte. Dann war er gerettet. Absolute Weltpremiere, die Höllentalklamm schwimmend zu meistern. Aber da vorne, auf einem Haufen Treibholz, der vor ein paar Stunden noch nicht dagewesen war, saß da nicht schon wieder jemand? In dem V-förmigen Durchlass zwischen zwei Felsen hatte sich viel Holz und Laub verfangen, dieser Pfropf in der Felsspalte würde sich immer mehr verdichten, dem

Wasser eine immer größere Angriffsfläche bieten, irgendwann instabil werden und weitergerissen werden. Doch er kannte die Klamm. Er musste nur so weit über den Abbruch springen, dass er nicht auf der großen, tödlichen Felsplatte unten aufkam. Aber welcher Irre hatte sich da auf das Treibholz hinaufgewagt? Egal, er musste an ihm vorbei, dann war er gerettet.

Konrad Finger saß immer noch nackt vor dem Bildschirm. Seit er aus der Badewanne gestiegen war, hatte er noch keine Zeit gefunden, sich etwas überzustreifen. Er versuchte sich zu entspannen. Fast hätte er einen Wadenkrampf bekommen, so angestrengt starrte er auf das Bild. Momentan zeigte die Kamera nur Schaum, Weißwasser und Luftblasen, das Boot war wohl umgekippt, vielleicht war es vollständig unter Wasser gedrückt worden. War es in eine Unterspülung oder gar in einen Siphon geraten? Aber jetzt! War da nicht ein Gesicht aufgetaucht? Ein Gesicht, das ihm sehr bekannt vorkam? Oder doch nicht? Ein einzelner Kopf, ein vom Körper losgelöster Kopf? Ein Kopf, der sich schnell um sich selbst drehte? Ein Kopf, der sich so rasend schnell drehte, dass gar kein Körper mehr daran sein konnte? Finger konnte nicht mehr hinsehen.

Wo um alles in der Welt steckte Maria? Es war unwahrscheinlich, dass sie schon weiter flussabwärts getrieben worden war. Wenn Ostler sie nicht in einer Unterspülung fand, musste sie einfach hier vorbeikommen! Jennerweins vordringlichstes Ziel war es, Maria Schmalfuß zu bergen, dann erst den verdammten Schurken zu fassen. Dieser Schurke trieb nun auf das eingeklemmte Boot zu, mit ein paar raschen Kraulstößen hatte er es erreicht, er machte Anstalten, sich hineinzuziehen. Jennerwein hechtete gleichzeitig auf das Kajak zu, er wollte ihm zuvorkommen, er schaffte es nicht, die beiden kamen gleichzeitig an. Verzweifelt rang Jennerwein mit dem Mann, unter normalen

Umständen hätte er keine Chance gehabt, der Mann war einen Kopf größer als er, muskulöser und zudem zwanzig Jahre jünger. Aber Jennerweins Vorteil war, dass der andere gerade ein außerordentlich erschöpfendes Wildwasserkraulen hinter sich hatte und vollkommen außer Atem war. Beide standen jetzt auf den schwankenden Ästen, die das Wasser angeschwemmt hatte, und rangen verbissen miteinander. Jeden Moment konnte das Geäst mitsamt den Kämpfern abrutschen und zwischen die schroff aufragenden Steine geraten, die dort unten drohten. Der Blitzlichtregen, der sich jetzt von oben über den Kampfplatz ergoss, war enorm. So nah waren viele der Reporter noch nie am Ort des Geschehens gewesen.

»Ich weiß, wie spät es ist«, schrie Becker ins Telefon. »Und ich weiß, dass Sie und Ihr großes, weltbekanntes Sportgeschäft zu keinerlei Auskünften über Ihre Kunden verpflichtet sind! Aber Sie schalten jetzt Ihren verdammten Computer an und geben mir die Adresse von dem Typen, der das Kajak gekauft hat! Haben Sie schon einmal was von unterlassener Hilfeleistung gehört?! Nochmals: Es ist ein Kajak der Marke Prijon, Typ Delirium –«

Ein Faustschlag, noch ein Faustschlag, Jennerwein hatte einen Treffer abbekommen, auch der andere krümmte sich vor Schmerz. Gleichzeitg griffen sie jetzt ans Boot und wollten hineinspringen, dadurch entglitt es ihnen, es löste sich vom Treibholz und fuhr alleine los. In hohem Bogen schoss es den Wasserfall hinunter und zerschellte krachend auf der Felsplatte. Und nun konnte auch das Treibholz dem Gewicht der beiden Männer nicht mehr standhalten, es rutschte ab und drohte weggerissen zu werden. Der Berserker strauchelte, glitt aus und schlug mit dem Kopf auf einem Fels auf. Jennerwein sah, dass er besinnungslos in den Zweigen hängengeblieben war. Er drohte abzurutschen. Mit letzter Kraft konnte Jennerwein ihn an einem Bein packen und in seine Richtung ziehen.

»Schnell, Stengele!«, schrie Jennerwein. »Das Seil!«

Blitzschnell befestigte Stengele das Sicherungsseil am Geländer des Klammsteiges. Nicole warf Jennerwein das andere Ende zu, der schlang es sofort mehrmals um sich und um den Bewusstlosen.

Jennerwein blickte zurück. Das Treibholz rutschte gerade mit großem Getöse den Wasserfall hinunter, aber das Seil hielt sie fest, den ohnmächtigen schwarzen Mann und den Hauptkommissar.

Maria Schmalfuß tauchte mit dem Kopf aus dem Wasser und griff nach einem herausragenden Felsvorsprung. Sie schnappte nach Luft. Sie hielt sich zwar an der Klammwand fest, der Fels war jedoch so überhängend, dass die zahlreichen Journalisten dort oben sie nicht sehen konnten. Nach oben zu klettern war ihr ganz und gar unmöglich, schreien hatte ebenfalls keinen Sinn, man hätte sie nicht gehört. Sie hatte weder ein Funkgerät noch eine Dienstwaffe, um sich bemerkbar zu machen. Lange konnte sie sich so nicht halten. Ihre Finger rutschten ab. Sie holte noch einmal tief Luft, dann ließ sie sich ins Wasser gleiten. Der einzige Weg, der Hölle zu entkommen, war der, durch die Hölle zu gehen. Sie wusste, dass sie nur die Rückläufe und Siphons vermeiden musste – die gischtsprühenden Walzen waren nicht so gefährlich. Die spuckten einen immer wieder an die Oberfläche. Sie glitt weiter in die Tiefe. Dunkel und ruhig war es hier, dann aber blitzten einige Irrlichter auf. Das waren wohl die Scheinwerfer, mit denen die Klamm beleuchtet wurde. Wie lange konnte man die Luft anhalten? Eine Minute? Oder zwei? Sie spürte die Kälte nicht mehr. Sie hätte nicht gedacht, dass es hier unten so ungeheuerlich schön war. Die Scheinwerfer, die von oben strahlten, erleuchteten die prächtige Szene, es war fast taghell. Amethyst-violettes Wasser nahm die Spiegelungen und Brechungen von oben auf und verstärkte sie zusätzlich. Eine kräftige Strömung erfasste sie und trieb sie seitlich ab, raus aus dem Scheinwerferlicht. Ein mächtiger Baumstamm steckte im Boden und führte nach oben. Sie trieb darauf zu, hielt sich daran fest und kletterte und hangelte sich mit letzter Kraft hoch. Gerettet. Sie blickte sich um. Es war niemand da, weit und breit niemand.

»Vorsicht!«, rief sie hustend und schluckend ins Dunkle. »Er hat eine Handgranate!«

Konrad Finger hatte das Boot kurz wieder auftauchen sehen – Gott sei Dank! – doch dann war das Bild ganz verschwunden. Finger schrie entsetzt auf. Dumpf starrte er auf den flimmernden Bildschirm. Er hörte das Klopfen nicht, er hörte das Schreien nicht, er hörte nicht, wie die Tür aufgebrochen wurde. Ein halbes Dutzend kriegerisch aussehender Gestalten stand im Zimmer, alle richteten martialisch aussehende Waffen auf ihn.

»Herr Finger?!«, schrie eine der Gestalten in ein Megaphon. »Herr Konrad Michael Finger?! Besitzer eines Kajaks der Marke Prijon Delirium?«

Er nickte, dann stürzten sich alle auf ihn und warfen ihn zu Boden.

Das Seil schnitt Jennerwein ins Fleisch, er spürte es nicht. Langsam zogen Becker, Stengele und Nicole ihn und den schwarzen Mann an Land. Unsanft kamen sie auf dem Boden auf. Jennerwein befreite sich schnell vom Seil und stieß den Bewusstlosen von sich.

»Ich glaube, ich habe Maria gesehen«, schrie er. »Stengele, leuchten Sie mit dem Scheinwerfer dort nach oben! Da, zu dem Baumstamm, der aus dem Wasser ragt!«

Das Wasser schwappte ans Ufer, es schwappte stärker ans Ufer, es schwappte mit einem bröseligen, hässlichen Geräusch ans Ufer. Man hatte Maria auf den Rücken gelegt, Stengele wickelte sie gerade in eine Wärmedecke ein. Sie fuhr auf.

»Bleiben Sie liegen, Frau Schmalfuß«, sagte er, fast liebevoll.

Maria hätte nicht gedacht, wie schwer es ist, zu sprechen, wenn man zwischen Schüttelfrostanfällen und völliger Erschöpfung gefangen ist.

»Er hat – er hat – eine Handgranate!«

Blitzartig sprangen sie auf und liefen zu Nicole, die den schwarzen Mann gerade gefesselt hatte. Er war inzwischen wieder bei Bewusstsein, doch Nicole ließ ihm keine Chance, auch nur einen Zentimeter vom Fleck zu kommen.

»Nicole, haben Sie ihn durchsucht?«

»Natürlich. Er ist unbewaffnet.«

»Er hat nichts in der Hand gehalten?«

»Nein, nicht dass ich wüsste.«

Jennerwein stürzte auf die schwarze Gestalt und öffnete ihr gewaltsam die Hände. Sie waren leer. Doch das beruhigte Jennerwein wenig.

»Er hatte eine Handgranate.«

»Sie muss irgendwo in der Klamm liegen«, sagte Nicole.

»Oder noch schlimmer: irgendwo auf dem Weg«, sagte Stengele.

»Sie können mit sehr viel Nachsicht rechnen«, schrie Jennerwein den Mann an, »wenn Sie uns augenblicklich sagen, wo sich die Handgranate befindet!«

Der Mann spuckte aus. Stengele leuchtete ihm brutal in die Augen. Alle erschraken. Eine große, klaffende Fleischwunde zog sich über sein Gesicht. Trotzdem gelang ihm ein hämisches, überhebliches Lächeln.

»Um Gottes willen!«, entfuhr es Stengele. »Das ist doch –«

»Ja, das ist Hauptkommissar Adrian Dombrowski, genannt

Arri«, sagte Jennerwein wütend. »Er ist der Verräter. Fred Weißenborn ist ihm vermutlich auf die Spur gekommen.«

Der Berserker lächelte böse.

Kaum waren die Graseggers von ihrem Nachtspaziergang in der Höllentalklamm zurückgekehrt, klingelte auch schon das Telefon.

»Um die Zeit?«, sagte Ursel. »Wer kann das sein?«

»Ja, bitte? – Ah, grüß dich, Hölli. Ja, wir haben schon geschlafen. Hat das nicht bis morgen Zeit? Nicht? – Nein, der Name sagt mir gar nichts. – Habe ich noch nie gehört. Servus, Hölli.«

»Und?«

»Das war der Franz Hölleisen. Ob wir einen Adrian Dombrowski kennen.«

Ignaz nahm eine Gabel von dem sensationell guten Kaiserschmarren und tunkte ihn in das selbstgemachte Apfelkompott. Dann erst schüttelte er den Kopf.

»Noch nie gehört. Wer soll das sein?«

In der Ferne, mitten in die nächtliche Stille hinein, war ein gewaltiges Krachen zu hören.

»Eine Sprengung? Was meinst du?«

»Möglich.«

»Der Ort hat sich ganz schön verändert. Mit den Italienern war es gemütlicher.«

»Trotzdem. Es ist unser Ort. Hier sind wir daheim.«

66

Um dieselbe Zeit, in diesen mitternächtlichen Stunden, war ein zerbeulter und schmutzstarrender Pick-up unterwegs, diesmal auf der Autobahn, in Richtung Norden, in Richtung von Oliver Krapfs Heimatstadt. Boris und Nadja saßen im Auto, Nadja fuhr, und sie hörten sich endlich ungestört RealTechno an.

»Mich gehts ja nichts an«, sagte Boris, als eine langsame und leise Nummer kam. »Aber Arri hat Scheiß gebaut.«

»Wieso meinst du?«

»Wie hätte dieser Jennerwein sonst auf die Höhle kommen können? Wir haben immer einen großen Angriff erwartet – mit Hubschraubern und Hebekränen. In so einem Fall hätten wir reagieren und die Höhle vorher sprengen können. Jennerwein ist ein Fuchs. Er hat eine undichte Stelle entdeckt. Und die undichte Stelle geht auf Arris Konto.«

»Ich denke, dass die Polizei gar nicht allein auf die Höhle gekommen ist. Dieser Wassersportler mit seinem Kajak und dann noch dieses Computer-Jüngelchen – die beiden haben Jennerwein hingeführt. Ich habe in den letzten Tagen ein Gespräch zwischen Arri und Wanda belauscht. Seine Befürchtung war, dass die beiden bei ihrem Rumgeschnüffle in der Klamm nicht nur Höhlen und Leichen und Skelette entdecken, sondern auch einen Lebenden. Einen, der reden könnte, der viel ausplaudern könnte. Einen, der unseren internationalen Knotenpunkt verraten könnte.«

»Deswegen hat er uns weggeschickt. Er will die Weißenborn-Sache alleine regeln.«

Das regelmäßige Nz-n, Nz-n eines Remix von DJ Sedativo machte die beiden schläfrig.

»Das Wichtigste ist die Bank«, sagte Nadja. »Die müssen wir schützen. Wer weiß, auf was dieser Knabe, dieser Krapf, noch alles gekommen ist.«

»Wenn du seinen Computer zerlegt hast, wissen wir mehr.«

»Ich fahr mal bei der nächsten Raststätte raus. Wir sollten ein paar Stunden schlafen. Der Computerfreak läuft uns nicht davon.«

Sie machten es sich auf dem Parkplatz der Autobahnraststätte Gellringshausen-Ost gemütlich, dem bundesweit anerkanntesten Knotenpunkt für totgebrutzelte Currywürste und halbdunkle Geschäfte.

Das Schlafbedürfnis der beiden Pick-up-Fahrer bedeutete einen klitzekleinen Aufschub für Oliver Krapf, eine Gnadenfrist, derer er sich natürlich gar nicht bewusst war. Er lag zu dieser Zeit noch selig schlummernd im Bett. Erst ein paar Stunden später klingelte der Wecker. Der Wecker *klingelte* bei Krapf natürlich nicht einfach, man hörte irgendein Fantasy-Motiv, einen Aufruf der kriegerischen Zwergenkönigin Hrusmote oder so ähnlich. Schlaftrunken tappte er auf dem Nachtkästchen herum, bis er bemerkte, dass nicht der Wecker klingelte, sondern sein Telefon.

»Ja?«

»Hier ist Tina.«

»Dachte ich mir schon.«

»Warum?«

»Niemand sonst ruft so früh an. Wo bist du?«

»Nirgends. Das heißt: zu Hause. Ich bin früher gefahren. Die andern sind noch in Afrika.«

»Hat es dir nicht mehr gefallen?«

»Ja. Nein. Doch. Wegen der Münze –«

»Wegen der Münze brauchst du dir keine Sorgen zu machen.«

»Die Inschrift ist ein Fake.«

Stille in der Leitung.

»Das wusste ich doch längst, dass das ein Fake war«, log Oliver Krapf.

»Wir wollten dir einen Streich spielen.«

»Dachte ich mir schon.«

»Glaube ich dir nicht.«

»Glaube mir oder nicht – ihr habt mir einen Gefallen getan damit. Ich bin indirekt durch die Münze auf eine ganz heiße Sache gekommen.«

»Ach ja? Willst du mir mehr verraten? Wollen wir uns treffen?«

»Gut, wann?«

»Wie wäre es mit jetzt gleich?«

»Es ist noch nicht mal acht Uhr!«

Mensch, Krapf, steh auf und geh aus dem Haus! Triff dich mit der sommersprossigen Tina, führe lange Gespräche, verbringe den ganzen Tag mit ihr. Schwing dich aus dem Bett, Krapf, streif dir dein Fibonacci-T-Shirt über, frisier dich und zieh Leine. Nur raus aus dieser Wohnung und raus aus diesem Haus!

»Nein, jetzt habe ich noch zu tun«, sagte Krapf und versuchte dabei still zu liegen und ein Knarzen der Matratze zu vermeiden. »Vielleicht heute Nachmittag. Ich ruf dich später noch mal an.«

Ein Viertelstündchen noch.

Nadja und Boris waren Profis, aber bei Krapf musste man kein großer Profi sein. Im Internet war alles über ihn zu finden, er war in sämtlichen Social Networks eingetragen, da waren Fotos zu sehen, die er von sich geschossen hatte, Fotos von seiner Wohnung, Fotos von der Feuerleiter, über die man verschwinden konnte, und von vielem Weiteren, was das dunkle Herz begehrt. Unter der Rubrik ›Ängste‹ hatte er *Kann kein Blut sehen* und *Angst vor Zahnarzt (Dentophobie)* eingetragen. Die Haustür unten war ein Kinderspiel, die Wohnungstür oben ebenso. Pünktlich um acht Uhr morgens standen Boris und Nadja in Krapfs Wohn- und Arbeitszimmer. Aus dem Schlafzimmer hörte man lautes Schnarchen. Sie streiften ihre Masken über und sahen sich ein wenig in der Schülerbude um. Sicherheitshalber hatte Boris seine Pistole gezogen, aber Oliver Krapf erwies sich als leicht zu überwältigen, bald saß er auf einem Stuhl, ein breites Klebeband über den Mund gezogen, Hände und Beine mit Gartendraht fixiert. Seine Augen waren weit aufgerissen vor Entsetzen.

»Keine Angst, junger Mann«, sagte Boris. »Wenn du keine Schwierigkeiten machst, geschieht dir nichts. Erwartest du Besuch? Hast du einen Termin?«

Krapf schüttelte den Kopf. Was sollte denn das? Er war nicht reich, er hatte keine Geheimnisse – oder etwa doch? Verdammt nochmal, sahen die beiden nicht aus wie das Pärchen, das ihn in Málaga überfallen hatte? Genau, das waren sie! Sie wollten die Münze holen! Die verdammte Münze, die absolut nichts wert war! Die konnten sie allerdings haben. Krapf gab tapegedämpfte Laute von sich und versuchte, mit dem Kopf in eine bestimme Richtung des Zimmers zu deuten. Sie beachteten ihn kaum.

Krapf rollte mit den Augen.

»Mhmmmm!«

»Geduld, junger Mann, zu deiner Falle kommen wir später. Was hast du dort hinten für uns vorbereitet? Einen Mechanismus, der Lachgas freigesetzt, wenn ich die Schublade aufmache? Einen Boxhandschuh mit einer Stahlfeder? Irgendein anderer Trick aus der Schülerzeitung?«

Nadja und Boris lachten herzhaft.

Nadja setzte sich an Krapfs Schreibtisch und startete dessen Rechner hoch. Oliver Krapf entspannte sich. Nadja schüttelte verwundert den Kopf. Es gab überraschenderweise kein Kennwort, das man eingeben musste. Sie forschte die Dateien durch.

»Auf den ersten Blick ist da nicht viel drin«, sagte Nadja nach einiger Zeit. »Da geht es nur um die Höhle im Kurort, und selbst über die weiß er nicht viel.«

»Vielleicht hat er nichts notiert?«

»Er ist wahrscheinlich harmlos, er weiß gar nichts.«

»Lass uns lieber auf Nummer Sicher gehen und ihn ausquetschen. Das dürfte bei so einem Jüngelchen kein Problem sein.«

Nadja drehte sich wieder zum Rechner und ging alle Dateien nochmals genau durch. Krapf begann wieder, Zeichen in Richtung der Kommode zu machen, die in der Ecke stand.

»Ich habe seine ganze E-Mail-Korrespondenz durchgesehen. Über die Höhle weiß er nur das, was in den Foren ohnehin seit Jahren steht. Die Legende von den Flößern zum Beispiel. Dass diese Höhle aber schon seit vielen Jahrzehnten immer wieder mal Menschen aufnimmt, freiwillig oder unfreiwillig – davon steht hier nichts.«

»Und von unserer Bank im Kurort?«

»Kann ich auch nichts finden«, meinte Nadja. »Entweder weiß er nichts davon, oder er hat es nicht aufgeschrieben. Hat alles im Kopf.«

»Raffiniertes Kerlchen – hat alles im Kopf. Ich denke, wir sollten ihn ein wenig zahnärztlich behandeln.«

Boris ging auf Krapf zu, schob das Couchtischchen neben ihn und rollte eine Instrumententasche darauf aus.

»Hammer und Hohlmeißelzange, Wundhaken und Mundsperrer – ich denke, wir haben alles, was wir für eine Extraktion brauchen.«

Man sah Krapf an, dass ihn ein Angstschauer nach dem anderen überfuhr. Er riss die Augen auf, er rüttelte an seinem Stuhl, deutete mit dem Kopf immer wieder in die Ecke des Zimmers.

»Was ist denn da? Der Schrank? Die oberste Schublade? Das

Kästchen da? Und was ist da drin? Die zehn Euro Praxisgebühr?«

Beide lachten. Boris rüttelte mit einer Schachtel, in der sich lauter Krimskrams befand.

»Und welches dieser Dinge soll uns nun interessieren? Das Notizheftchen? Einer der USB-Sticks?«

Nadja riss Krapf das Tape vom Mund.

»Da … da …«, stotterte Krapf, »in dem Döschen … nehmen Sie die Münze mit …«

»Die Münze meinst du? Was sollen wir mit einer abgeschabten Münze? Fräulein Nadja, ich brauche den Beinschen Hebel und eine Knochenkürette.«

»Ja, Herr Doktor. Ich hätte auch noch eine Arterienklemme und den Knochenmeißel im Angebot.«

Krapf rann der Angstschweiß in Strömen herunter.

»Oder willst du uns etwas sagen?«, fragte Boris.

Krapf nickte heftig.

»Es ist … ein spanischer Silber-Escudo –«

»Falsche Antwort. Wie du willst. Nadja, die Knochenfräse bitte.«

Bei der Psychofolter gestanden die meisten Delinquenten. Gegen Schmerz konnte man ankämpfen, gegen die Erwartung von Schmerzen nicht. Blöd nur, dass Krapf gar nichts zu gestehen hatte.

67

Im Spielcasino des Kurortes. Gutgekleidete Gäste sitzen und stehen um den Spieltisch.

Croupier Faites vos jeux!

Die Spieler setzen ihre Jetons. Ein Mann mit Schnauzbart und schlecht sitzendem Anzug greift in seinen Rucksack, zieht eine Gemse heraus und wirft sie auf den Roulette-Tisch.

Wilderer Gemse auf Rot!

Croupier Rien ne va plus!

68

»Verraten Sie mir bitte ein Geheimnis, Nicole«, sagte Maria im Vorraum des Polizeireviers, »wie haben Sie Dombrowski oben in der Höllentalklamm erkannt? Wie konnten Sie so schnell reagieren?«

Nicoles Augen leuchteten.

»Es kamen mehrere auffällige Dinge zusammen«, sagte sie mit einem gehörigen Anflug von Stolz. »Jedes für sich wäre unbedeutend gewesen. Aber alle zusammen haben mich stutzig gemacht. Dombrowski hatte sich drei Kamerataschen umgehängt, locker und lässig wie ein Fotograf. Ich hatte aber den Eindruck, als würden sie ihn stören. Er nahm auch keine der Kameras in die Hand. Außerdem bewegte er sich nicht wie ein Fotograf, er bewegte sich zu – wie soll ich sagen – zu soldatisch, zu durchtrainiert. Dann äugte er dauernd in die Richtung von Weißenborn. Er tat das nicht offen, wie es Journalisten oder Neugierige tun, er versuchte das eher zu verbergen. Dann redete er mich in irgendeiner Sprache an, die ich nicht verstand, vielleicht war es Russisch. Ich antwortete in einem improvisierten Kauderwelsch – und er antwortete mir! Schließlich versuchte er dauernd, mich aus der Linie zwischen ihm und Weißenborn zu bringen, am Ende sogar noch mit dem allerprimitivsten Trick: Er zeigte plötzlich aufgeregt nach oben, um mich abzulenken. Spätestens da fasste ich den Entschluss, den BKA'ler in Sicherheit zu bringen.«

»Und es war gerade noch rechtzeitig! Kompliment!«

»Und Sie, Maria? Welcher Teufel hat Sie geritten, Arri festzuhalten? Ein Bauchgefühl?«

»Ich und ein Bauchgefühl? Gott bewahre! Ich habe die Handgranate an seinem Gürtel baumeln sehen. Er wollte runterspringen und sie raufwerfen. Ich wollte ihn nur zum Stolpern bringen. Aber er versuchte mich abzuschütteln und hat nach mir getreten. Da bin ich sauer geworden. – Bauchgefühl! So was!«

Alle hatten nur ein paar Stunden geschlafen, und man konnte jedem die Strapazen des gestrigen Tages deutlich ansehen. Trotzdem trafen alle Punkt acht im Besprechungszimmer ein. Es war niemand dabei, der nicht irgendwelche Blessuren davongetragen hatte, man sah Pflaster, verbundene Hände, die meisten hinkten zu ihrem Platz.

»Einen schönen guten Morgen«, begrüßte Jennerwein sein Team. »Sie werden verstehen, dass ich mir blumige Worte erspare – mein Dank an Sie alle ist umso ehrlicher und herzlicher. Pro forma haben wir den Auftrag erfüllt: Weißenborn ist befreit, und Dombrowski ist gefasst. Aber Sie wissen selbst, dass noch einige Fragen offen sind.«

Hölleisen kam mit einem Stoß Blätter herein und wedelte damit herum.

»Entschuldigen Sie, Chef, bevor die Besprechung beginnt, bitte ich Sie alle, sich das einmal anzusehen.«

»Nur her damit.«

»Sie wissen, dass ich jedes Schriftstück, das ich bekomme, genau prüfe, bevor ich Sie damit behellige. Diese Mail hier sieht mir nun nicht nach einem Trittbrettfahrer oder Wichtigtuer aus. Es scheint mir ein echter Hilferuf zu sein. Die Mail wurde von einem registrierten Rechner abgeschickt, ich habe das schon nachgeprüft. Der Absender hat so etwas Ähnliches wie eine Totmannschaltung installiert. Der Benutzer muss, während der Computer hochfährt, ein Kennwort eingeben. Wenn er das nicht macht, sendet der Computer automatisch eine Mail, einen

Hilferuf an eine bestimmte Adresse. In diesem Fall kam der stille Alarm bei uns an.«

Alle beugten sich über den Brief.

> Sehr geehrter Herr Hauptkommissar Jennerwein,
> mein Name ist Oliver Krapf, und während ich das hier schreibe, geht es mir gut. Wenn Sie das hingegen lesen, bin ich höchstwahrscheinlich in Not. Warum ich mich gerade an Sie wende? Ich habe die vergangenen Wochen wegen einer kulturwissenschaftlichen Sache in Ihrem Landkreis recherchiert. Genauer gesagt: Mich haben die Höllentalklamm und die damit zusammenhängenden Mythen von den Höhlenbewohnern interessiert. Ich bin schon einmal in Spanien wegen solcher Recherchen in Gefahr gekommen. Falls das aus irgendeinem Grund wieder passieren sollte, möchte ich vorgesorgt haben. Momentan hat also jemand meinen Computer ohne Zugriffsberechtigung hochgefahren, darum bitte ich Sie, nachzusehen, was da los ist.
> Vielen Dank im Voraus – Ihr Oliver Krapf

»Haben Sie dort schon angerufen?« Jennerwein sah Hölleisen an.

»Ja natürlich, alle angegebenen Nummern – es meldet sich niemand.«

»Was ist das für ein Typ?«

»Neunzehn, hat gerade das Abitur gemacht, jobbt ein bisschen, keine Vorstrafen, auch nicht auffällig geworden. Soll ich die Kollegen vor Ort anrufen?«

»Nein, noch nicht, warten Sie. Erstens befinden wir uns immer noch in einer verdeckten Ermittlung, zweitens sollten uns die Stichworte ›Höllentalklamm‹ und ›Höhlenbewohner‹ zu denken geben. Gut gemacht, Hölleisen – wir müssen den Brief sehr ernst nehmen.«

»Wir sollten hinfahren, es sind nur zwei Autostunden«, sagte Maria. »Ich melde mich freiwillig.«

»Danke, Maria, aber ich will jemanden hinschicken, der nicht eine Stunde im eiskalten Wasser herumgeschwommen ist. Becker? Stengele? Fühlen Sie sich fit genug?«

»Klar.«

»Freilich.«

»Sehen Sie sich um. Aber riskieren Sie nichts. Wenn es brenzlig wird, fordern Sie sofort Unterstützung an!«

Die beiden erhoben sich und verließen das Zimmer. Sie stießen an der Tür mit Dr. Rosenberger zusammen.

»Ich kann Ihnen gar nicht sagen, wie dankbar ich Ihnen allen bin!«, sagte der Oberrat, als er sich gesetzt hatte. Alle konnten erkennen, dass dieses Riesentrumm von Mannsbild Tränen in den Augen hatte.

»Wie geht es Ihrem Freund?«

»Na ja. An eine Befragung ist natürlich noch nicht zu denken. Er hatte einen Rückfall, sie haben ihn ins künstliche Koma versetzt. Ich brauche wohl gar nicht zu fragen, ob Sie aus Dombrowski etwas herausgekommen haben?«

»Ein wirklich hoffnungsloser Fall«, sagte Jennerwein. »Stengele hat ihn zwei Stunden in die Mangel genommen. Das ist ein Superprofi. Leider. Der lässt sich nicht mit Vergünstigungen locken, dem kann man nicht mit Drohungen und Versprechungen kommen. Er wartet wohl ab, ob Weißenborn, der wichtigste Zeuge gegen ihn, überlebt. Inzwischen bastelt er an einer wilden Story. Es sind schon zwei Rechtsanwälte da.«

»Er war neben Fred mein bester Mann«, sagte Dr. Rosenberger kopfschüttelnd. »Dass ausgerechnet er zum Verräter wurde! Aber dagegen sind wir bei verdeckten Ermittlungen nie gefeit. Jetzt ist mir auch klar, warum die BKA-Beamten zwar ab und zu Spuren gefunden haben, warum die Spuren aber alle plötzlich im Nichts endeten. Sie waren künstlich gelegt, um uns von der Höllentalklamm abzulenken. Die Mafia hat dort ein perfektes Endlager für unliebsame Mitarbeiter gefunden.«

»Mit Verlaub gesagt«, warf Jennerwein ein. »Ich glaube nicht, dass unsere italienischen Freunde etwas mit der Sache zu tun haben. Sie sind im Kurort nicht mehr operativ tätig. Ich habe eine Quelle. Von der höre ich durchaus glaubhaft, dass die Mafia keinen Mann namens Dombrowski kennt.«

»Wie sicher ist die Quelle?«

Jennerwein und Hölleisen blickten sich an.

»Ziemlich sicher«, sagte Hölleisen. »Auch ich bin hundertprozentig davon überzeugt, dass Dombrowski nichts mit der Mafia zu tun hat.«

»Wo kommt er dann her? Arbeitet er auf eigene Rechnung?«

»Das glaube ich nicht«, sagte Jennerwein. »Gut, er hat eine Höhle gefunden, in der er Menschen verschwinden lassen kann. Er kann dort foltern, er kann verhören, er kann Entführungsopfer einsperren – aber sind dazu nicht Auftraggeber nötig? Vielleicht Waffenschmuggler oder Geldwäscher? Herr Dr. Rosenberger, Sie müssen Ihre BKA-Leute in dieser Richtung weiterermitteln lassen.«

Dr. Rosenberger überlegte. Dann gab er sich einen Ruck.

»Ich sage es Ihnen ganz offen. Ich habe die BKA-Leute von dem Fall abgezogen. Ich bitte Sie, die Ermittlungen weiterzuführen. Ich weiß, dass ich es den Vorschriften nach nicht von Ihnen verlangen kann, aber ich bitte Sie darum. Sie sind meine schlagkräftigste Truppe. Ich möchte wissen, wer die Hintermänner sind.«

Alle nickten.

»Ich nehme das als Zustimmung. Bedenken Sie, dass für Sie immer noch die Geheimhaltungspflicht besteht. Ich gehe wieder zu Fred. Wenn ich etwas Neues erfahre, lasse ich es Sic wissen.«

»Wie sollen wir das anfangen?«, fragte Maria, als der Oberrat gegangen war. »Sein Vertrauen ehrt uns zwar, aber was haben wir? Erstens einen Täter, der nicht reden will, zweitens ein Opfer, das nicht reden kann, drittens zwei Informanten, denen wir nicht trauen –«

»Ich schlage eine kleine Rauchpause vor«, sagte Jennerwein. Die Rauchpause, bei der niemand rauchte, war seit jeher Quell der Inspiration, der Ansatz zu neuen Sichtweisen. Draußen angekommen, suchte jeder nach solch einem Ansatz, einem Ausgangspunkt für die weitere Vorgehensweise. Niemand wollte den Anfang machen.

»Ich darf vielleicht zusammenfassen, was wir bisher haben«, sagte Jennerwein. »Arri Dombrowski ist BKA-Beamter. Bei dienstlichen Recherchen entdeckt er die Höhle in der Höllentalklamm, er findet heraus, dass sie ein ideales Versteck ist, auf das so schnell niemand kommt. Er bietet seine Dienste kriminellen Organisationen an. Weißenborn kommt ihm auf die Spur und stellt ihn zur Rede, Dombrowski lockt Weißenborn unter einem Vorwand zur Höllentalklamm, an die Stelle oberhalb der Höhle, aus der noch nie jemand zurückgekommen ist. Dort kommt es zum Kampf. Weißenborn stürzt die Klamm hinunter ins Wasser, Dombrowski hofft, dass Weißenborn das nicht überlebt.«

»Warum hat er ihn nicht vorher getötet?«

»Weißenborn ist verdeckter Ermittler mit Einzelkämpferausbildung, so einer ist nicht so leicht zu töten.«

»Wenn das so ist, wieso verschwindet dann zuerst Dombrowski, dann Weißenborn?«, fragte Nicole.

»Ich stelle mir folgendes Szenario vor«, sagte Maria. »Dombrowski fädelt das Ganze ein. Ihm ist bewusst, dass Weißenborn ihn verdächtigt. Er taucht ab, lässt Weißenborn eine Nachricht zukommen, dann noch eine, dann noch eine, wie bei einer Schnitzeljagd. Weil sich Weißenborn nicht hundertprozentig sicher ist, ob sein Verdacht begründet ist, meldet er den Vorfall seinen Kollegen nicht. Weißenborn kommt schließlich in die Klamm, es kommt zu einem Kampf zwischen beiden, er wird von Arri ins Wasser gestoßen. Arri hat vor, zum BKA zurückzugehen, eine Legende zu erfinden, dass er zusammengeschlagen, festgehalten, entführt wurde –«

»Dann interessieren sich aber plötzlich viele Leute für die Klamm. Dieser Manager, der Computerfuzzy, schließlich unser Team.«

»Dazu würde passen, was Becker bei Weißenborn gefunden hat«, sagte Nicole Schwattke und zog einen fotokopierten Zettel heraus:

O	I	A	Q	A	T	Z	U
N	H	C	T	O	E	A	L
U	N	Z	L	W	A	C	P
H	E	U	K	C	B	K	J
U	E	T	N	V	R	M	O
T	Q	T	E	L	E	M	B
A	L	K	L	L	E	A	H
G	L	K	L	R	A	A	Z

»Was bedeutet das?«, fragte Hölleisen.

»Es ist ein verschlüsselter Text. Und ich glaube, ich kenne auch den Schlüssel«, sagte Jennerwein lächelnd. »Acht mal acht Felder, das ist ein Schachbrett. Erinnern Sie sich an die sonderbare Aufstellung der Schachfiguren in Dr. Rosenbergers Büro? Von den schwarzen Figuren standen nur noch vier, und zwar auf den Feldern mit diesen Buchstaben –«

Er ringelte nacheinander vier Buchstaben ein.

O	I	A	Q	A	T	Z	U
N	H	C	T	O	E	A	L
U	N	Z	L	W	A	C	P
H	E	U	K	C	B	K	J
U	E	T	N	V	R	M	O
T	Q	T	E	L	E	M	B
A	L	K	L	L	E	A	H
G	L	K	L	R	A	A	Z

»Dreht man das Blatt nun um neunzig Grad im Uhrzeigersinn, findet man die nächsten vier Buchstaben auf die gleiche Weise. Man macht das insgesamt vier Mal und erhält schließlich den Klartext:

HOEL LENT ALKL AMM.« Alle nickten anerkennend.

»Das Schachspiel in Dr. Rosenbergers Büro war der Schlüssel für die BKA-Leute?«

»Ja, freilich. In Dr. Rosenbergers Büro wurde das BKA-Team damals in den Fall eingewiesen. Dombrowski hat den Schlüssel verwendet, um Weißenborn in die Falle zu locken.«

Das Telefon klingelte. Ludwig Stengele war dran. Er hörte sich atemlos und aufgeregt an.

»Ohne Umschweife: Wir sind hier auf eine ganz heiße Sache gestoßen. Wie alles genau zusammenhängt, erzähle ich Ihnen später. Wir haben zwei Komplizen von Dombrowski gefasst. Der eine nennt sich Boris, er hat ausgepackt, erhofft sich dadurch Vergünstigungen. Wir haben ihn mal reden lassen. Vielleicht ist es wieder bloß ein Ablenkungsmanöver. Aber das glaube ich diesmal nicht. Diese Nadja, seine Begleiterin, war so unglaublich wütend auf ihn, das kann man kaum spielen. Sie hat ihn angeschrien und ihm übelst gedroht. Ich glaube, der Einsatz lohnt sich.«

»Was haben Sie herausgefunden, Stengele?«

»Gehen Sie sofort zum Andenkenladen Neuner, er liegt schräg gegenüber dem Hartl-Hof. Durchsuchen Sie das ganze Haus. Seien Sie vorsichtig. Es ist eine Fliegende Sparkasse, eine Bank, wie sie das organisierte Verbrechen braucht. Dort werden deren Projekte finanziert, Mannschaften ausbezahlt, Einnahmen deponiert. Geldwäsche, Geldübergabe, Gelddepots, Devisentausch, solche Sachen. Natürlich alles ohne Quittung. Es handelt sich um eine internationale Bande, die Hauptdrahtzieher sind Russen.«

»Waffenhandel?«

»Dombrowski steckt da ganz dick drin. Seine vorrangige Aufgabe war es, die Fliegende Sparkasse zu schützen. Als BKA'ler sollte er die polizeilichen Ermittlungen auf die italienische Mafia lenken. Obwohl die längst nicht mehr im Kurort tätig ist. Eine weitere Aufgabe von ihm war, dafür zu sorgen, dass die Höhle in der Klamm unentdeckt blieb. Dort haben sie immer wieder Leichen entsorgt.«

»Und dieser Boris?«

»Ist ein kleines Licht. Er ist seit sieben Jahren dabei, hat aber die Auftraggeber noch nie von Angesicht zu Angesicht gesehen. War vorher Sprengmeister, darum ist er in der Truppe. Boris war noch nie in dieser Bank. Das haben alles Arri und Wanda gemacht.«

»Wer ist Wanda?«

»Sie gehört auch zu dieser Gruppe. Aufenthaltsort unbekannt. Aber eins ist sicher: Wenn sie ihre Mitstreiter nicht erreichen kann, wird sie die Fliegende Bank auflösen. Beeilen Sie sich – vielleicht erwischen Sie sie noch im Andenkenladen. Wir sind mit den beiden Verhafteten schon unterwegs. In zwei Stunden sind wir da.«

Alle sprangen von ihren Stühlen auf.

»Das Neuner-Haus hat zwei Eingänge«, sagte Ostler. »Der Vordereingang liegt in der Fußgängerzone und führt direkt ins Geschäft. Auf der Rückseite des Hauses gibt es noch einen kleinen Hintereingang.«

»Kein Kellerausgang, keine Feuerleiter, die irgendwie ins Nebenhaus führt?«

»Nein, meines Wissens nicht.«

»Ostler und Maria, Sie beobachten den Hintereingang. Nicole, Sie gehen mit mir durchs Geschäft.«

69

»Hallo? Ist da jemand?«

Die Ladentür des Andenkenladens Neuner war unverschlossen, Nicole und Jennerwein traten ein. Überall stand Nippes herum, käufliche Andenken an einen unvergessenen Aufenthalt im Föhnland: Ein Aschenbecher, der das Werdenfelser Tal darstellen sollte. Der unvermeidliche Wolperdinger, diesmal holzgeschnitzt. Ein zwei Meter großes Eichhörnchen aus Porzellan.

»Hallo? Ist da jemand?«

Wieder keinerlei Reaktion. Sie sahen sich um. In der halben Stunde, in der sie den Laden vorher beobachtet hatten, waren nacheinander fünf oder sechs Leute hineingegangen und wieder herausgekommen. Niemand hatte das Eichhörnchen aus Porzellan gekauft.

»Hallo! Kundschaft! Ist jemand da?«

Abermals keine Reaktion. Jennerwein trat an den verwaisten Ladentisch und wies Nicole auf das große Schild hin, das dort gut sichtbar lag: KOMME GLEICH WIEDER.

»Das hängt man doch normalerweise an die Tür?«

»Außer man will, dass die Leute reinkommen und wieder rausgehen.«

»So dass es aussieht, als wäre der Laden geöffnet!«

Beide griffen zu den Waffen.

Am Hintereingang des Neuner-Hauses lauerten Maria Schmalfuß und Johann Ostler. Sie hatten sich in einiger Entfernung von der Tür postiert, gut versteckt in einem zugigen Hausdurchgang.

»Jetzt frage ich einmal Sie als Einheimischen«, sagte Maria, »Wie ist es möglich, dass sich so eine Fliegende Sparkasse mitten im Ort befindet – und überhaupt nicht auffällt?«

»Gerade dadurch fällt sie nicht auf!«, erwiderte Ostler. »Ein Einheimischer würde so einen Laden nie betreten, es sind ausschließlich Touristen, die da ein- und ausgehen. Touristen sind auffällig, bunt und schrill, man kennt niemanden von denen, da fällt ein internationaler Waffenhändler, wenn er sich nicht ganz dumm anstellt, überhaupt nicht auf.«

»Und die Besitzerin macht bei so etwas mit?«

»Die Neunerin? Anscheinend. Das hätte ich allerdings nicht von ihr gedacht. Aber jetzt warten wir erst einmal ab, ob es überhaupt wahr ist, was dieser Boris ausgeplaudert hat.«

»Frau Neuner steht selbst im Laden?«

»Meistens. Aber sie hat auch ein paar Aushilfen. Ich habe die Frau Neuner vor ein paar Wochen getroffen, wir haben ein wenig miteinander geplaudert. Dabei habe ich gefragt, wie die Geschäfte so laufen. Mal so, mal so, hat sie geantwortet. Wie man halt so redet. Die brave Frau Neuner – verkauft eine gute Werdenfelser Adresse an internationale Waffenhändler. So was!«

Sie hoben die Thekenklappe hoch, gingen hinter den Ladentisch und spähten ins Hinterzimmer.

»Sollen wir die Ladentüre zusperren?«, fragte Nicole leise.

»Nein, die lassen wir auf. Ich habe da eine Idee. Aber zuerst durchsuchen wir das Haus.«

Im Hinterzimmer des Ladens war niemand zu finden, auch im angrenzenden Zimmer nicht. Das ganze Erdgeschoss war menschenleer, einige Schubladen standen offen. Die unterschiedlichen Staubablagerungen in den Schubladen verrieten, dass erst vor kurzem etwas herausgenommen sein musste. Auch im ersten Stock gab es, zwischen all den gigantischen Ansammlungen von Nippes und Plunder, Schränke mit herausgezogenen Schubladen. Im zweiten Stock hing ein riesiges Bild schief, fast wären sie daran vorbeigegangen.

»Gssst!«, zischte Nicole und wies mit dem Kopf auf das Bild. Sie streiften Handschuhe über. Sie nahmen das Bild ab. Der große Tresor stand einen Spalt offen.

»Leer?«

Langsam und vorsichtig öffnete Jennerwein die Stahltür. Der Tresor war nicht leer. Eine blasse Frau mit einer altmodischen Frisur saß im Inneren, sie hatte genau darin Platz gefunden. Ihre Knie waren an den Leib gepresst, ihr Kopf war unnatürlich nach außen gedreht, ihr Blick war nicht mehr von dieser Welt. Der Dutt war nach Werdenfelser Mode geknüpft und mit einigen Broschen und silbernen Nadeln befestigt.

»Wanda?«, fragte Nicole.

»Nein«, sagte Jennerwein. »Ich vermute, das ist eher die bedauernswerte Frau Neuner.«

»Was? Die Frau Neuner ist tot?«

»Ja, Giftspritze. Wir haben Einstiche am Hals gefunden. Wir machen jetzt Folgendes. Sie beide gehen um das Haus herum, postieren sich wieder in einigem Abstand und achten auf alle, die aus der Vordertür des Ladens kommen. Ich werde mit Nicole ins Hinterzimmer gehen, wir werden die hereinkommenden Kunden durch den Vorhang beobachten. Wenn uns jemand verdächtig vorkommt, geben wir Ihnen Bescheid. Dann verfolgen Sie ihn unauffällig – vielleicht führt er Sie zu Wandas neuem Stützpunkt.«

Johann Ostler wurde natürlich von der Gattinger Martha und von der Hohenleitner Resl angesprochen, vom Baureferenten Gungl, vom pensionierten Volksschullehrer Raabmayr – und von vielen anderen Bürgern mehr. Maria konnte dadurch frei arbeiten und die Eingangstür umso besser beobachten.

»Was machst denn du da?«, fragte die Hirschl Theresa.
»Geh bitte schnell und unauffällig weiter«, zischte Ostler.
»Aha, schon wieder auf Wilderer-Jagd. Der in der Höllentalklamm ist euch ja ausgekommen, hört man!«
»Ja, so ist es. Jetzt geh bitte weiter.«
»Wenn es den polizeilichen Ermittlungen dient.«

Jennerwein schnitt zwei kleine Löcher in den Vorhang, Nicole schaltete alle Lichter im Rückraum des Ladens aus.

»Wenn jemand den Laden betritt«, sagte der Kommissar, »dann betrachten wir ihn uns genau. Ich für meine Person achte darauf, ob er irgendwo nach einer verborgenen Nachricht Ausschau hält, Sie wiederum sehen sich den Kunden selbst an. Sie haben ein gutes Gespür dafür, auffällige Verhaltensweisen von Personen sofort zu erkennen.«
»Danke, Chef.«
»Erst wenn wir beide der Meinung sind, dass es ein Fliegender Kunde ist, greifen wir zu.«
»Haben Sie eine Vorstellung von solch einem – Kunden?«
»Er wird versuchen, sich vollkommen unauffällig zu verhalten. Vielleicht tut er uns den Gefallen und übertreibt das.«
»Vielleicht ist es nicht nur einer, sondern mehrere. Vielleicht ist es nur einer und mischt sich unter eine Gruppe.«
»So würde *ich* das jedenfalls machen.«
»Und Sie glauben, dass sich hier im Laden irgendwo eine Nachricht befindet?«
»Ja, und zwar die, dass diese Bank hier abgebrannt ist. Vielleicht auch ein Hinweis, wo sich die neue Fliegende Sparkasse befindet. Wir wissen nicht, wo die Nachricht ist. Und wenn, dann könnten wir sie nicht entschlüsseln. Er schon. Und er wird uns zu Wanda führen.«

Zwei junge Rucksacktouristen traten ein, sahen sich im Laden um, warteten eine Weile, betasteten ein paar Porzellangegenstände. Sie nahmen sie sogar hoch, und das alles mit bloßen Händen.

Nicole und Jennerwein schüttelten den Kopf. Harmlos.

Dann kam ein Klischeewanderer herein: Rotkariertes Hemd, wandernadelübersäter Hut, heruntergerollte Kniestrümpfe, sonnenverbrannte Wadeln. Er blickte sich kurz und flüchtig um, dann erst kam er zur Ladentheke und las das Schild. Er schüttelte den Kopf und verließ den Laden fluchend.

Harmlos.

Vier Japaner mit aufgefalteten Landkarten stolperten herein, sie sprachen und lachten wild durcheinander. Sie fotografierten das Eichhörnchen.

Harmlos.

Zwei feine, blau ondulierte Damen öffneten die Tür, jede wollte der anderen den Vortritt lassen. Endlich standen sie im Laden und unterhielten sich über das Richard-Strauss-Konzert. Sie waren ziemlich konträrer Meinung bezüglich der allzu dominanten Lautstärke des Bläserensembles.

Harmlos.

Zwei Klosterschwestern suchten ein Geburtstagsgeschenk für eine gewisse Notburga. Sie fanden das Eichhörnchen aus Porzellan scheußlich.

Harmlos? Harmlos.

Ein Postbote kam mit einem Päckchen herein. Er rief nach Frau Neuner, er wartete eine Weile, dann legte er das Päckchen hinter den Ladentisch. Jennerwein öffnete es vorsichtig. Es enthielt nur Haarpflegemittel und Kosmetika.

Harmlos.

Ein weiterer harmloser Herr im lockeren Wanderlook blieb vor dem Schaufenster stehen und betrachtete lange und intensiv die Auslage. Er sah intellektuell aus, er trug den Feuilletonteil einer großen überregionalen Zeitung lässig unter dem Arm. Nachdem er den Laden betreten hatte, sah er sich flüchtig um, dann las er das Schild auf der Ladentheke. Er seufzte nachsichtig und setzte sich auf ein Stühlchen an der Seite. Er blätterte in seiner Zeitung, legte sie wieder beiseite. Dann seufzte er nochmals, stand auf und kam wieder zur Theke. Dort lagen Prospekte, kleine Wanderkarten, Rätselhefte, Hotelflyer, KulturSommer-Programme. Er warf einen flüchtigen Blick darauf, blätterte einiges durch, drehte manches hin und her, sah auf die Uhr. Dann verließ er den Laden wieder. Er hatte etwas Seriöses und Vertrauenserweckendes. Nicole und der Kommissar nickten sich zu.

»Das ist er!«, rief Jennerwein ins Funkgerät, als er den Laden verlassen hatte. »Der Mann in dem olivfarbenen Parka, der vor dem Laden steht. Verfolgen Sie ihn unauffällig. Und riskieren Sie nichts!«

Der olivfarbene Herr spazierte mit Johann Ostler und Maria Schmalfuß im Schlepptau durch den Kurort. Er sollte sie zu Wanda führen, aber er zeigte ihnen zuerst einmal die Sehenswürdigkeiten des Kurorts. Er besah sich Wandmalereien in der Ortsmitte, uralte Bauernhöfe mit riesigen Misthaufen, die Spielpläne der Bauerntheater, das beste Obstgeschäft, die zweitbeste Bäckerei, die schlechteste Metzgerei. Er schlenderte provozierend langsam durch den Kurpark, er setzte sich in eine Wirtschaft, er verzehrte dort zwei Weißwürste – alles offenbar gut gelaunt, als wäre er ein Tourist am ersten Urlaubstag, der alle Zeit der Welt hatte.

»Der Mann ist entweder ein Superprofi«, sagte Maria, »oder wir verfolgen den Falschen.«

»Sie verfolgen den Richtigen, ich bin mir sicher«, sagte Jennerwein durch das Funkgerät. »Bleiben Sie an ihm dran.«

Er studierte das Rätselheft, in dem der Olivfarbene geblättert hatte.

»Hier drin steht, wohin Wanda gegangen ist. Sehen Sie das Buchstaben-Sudoku? Das muss es sein. Sudoku hat zwar mehr Felder, aber es funktioniert trotzdem.«

»Und was kommt raus?«, fragte Nicole ungeduldig. »Wir haben doch den Schlüssel!«

»Nein, habe ich schon probiert. Das ist nicht der richtige. Haben Sie hier im Laden irgendwo ein Schachspiel gesehen?«

»Moment mal – der Typ war doch lange vor dem Schaufenster gestanden!«

Beide liefen hinaus. Zwei Minuten später hatten sie die Adresse geknackt: NEUB ERGS TRAS SE48.

Fast eine Stunde hatte er sie nun schon im Ort herumgeführt, der olivfarbene Seriöse, als Ostler unvermittelt stehenblieb.

»Was ist los? Kommen Sie, wir verlieren ihn sonst.«

»Mensch, bin ich ein Idiot!«, rief Ostler, ein wenig zu laut für eine Verfolgung. »Ich weiß jetzt, wer Wanda ist. Und vor allem: wo sie ist. Kommen Sie, Maria, wir müssen in die entgegengesetzte Richtung!«

In diesem Moment meldete sich das Funkgerät.

»Hallo, Maria!«, sagte Jennerwein. »Brechen Sie die Verfolgung ab und gehen Sie beide schnellstens in die Neubergstraße Nr. 48. Wir sind ebenfalls schon unterwegs.«

»Ostler hat diese Adresse ebenfalls genannt!«

»Wie bitte? Wie kommt er denn da drauf? Egal, wir sind unterwegs.«

Maria und Ostler legten einen Zahn zu.

»Ich Depp!«, sagte Ostler. »Wie ich mit der Frau Neuner geratscht habe, da hat sie gesagt, dass es furchtbar schwer war, Aushilfen zu bekommen. Aber dann, vor ein paar Monaten, hätte sie Glück gehabt, da hätte sich eine gemeldet, die wäre auch zuverlässig gewesen – und es wäre sogar eine Einheimische, die sich ein bisschen Geld dazuverdienen wollte. Wir sind da.«

Es war ein kleines Haus mit einem kleinen Garten. Ostler klingelte an der Gartentür. Eine sportliche Frau kam heraus und ging auf ihn zu.

»Servus, Ostler, was machst denn du da? Ach so, ich weiß schon, ihr seids immer noch hinter dem Wilderer her –«

»Willst du uns nicht reinlassen?«

»Ganz schlecht. Ich habe gerade Hausputz.«

»Komm, Martina, lass uns rein, die Leute brauchen ja nicht alles mitzubekommen. Schau, da bleiben schon welche stehen.«

Martina Seiff wollte offensichtlich Zeit gewinnen.

»Hast du überhaupt einen Durchsuchungsbefehl?«

»Schau, Martina, hinter mir, so zwanzig, dreißig Meter, da stehen zwei weitere von uns. Die zielen auf dich, die haben dich im Visier. Und es sind gute Schützen. Gib auf, Martina. Es hat keinen Wert mehr.«

»Also, diese Wanda habe ich mir anders vorgestellt«, sagte Maria Schmalfuß zu Ostler, als Martina Seiff im Polizeiauto saß.

»Wie denn?«

»Irgendwie brutaler. Krimineller. Russischer vielleicht.«

»Da sehen Sie, Frau Doktor, was hier im Werdenfelser Land manchmal für Gewächse blühen.«

»Aber gleich solche Kaliber! Internationaler Waffenhandel!«

»Gerade hinter den Geranien lauert das Grauen.«

70

Fred Weißenborn war wieder bei Bewusstsein, man sah ihm jedoch den BKA'ler mit Einzelkämpferausbildung momentan nicht an. Er war schwach und blass, eine Kanüle steckte in seinem Hals, er war tracheotomiert worden, deshalb konnte er nicht sprechen. Aber nicken konnte er. Und lächeln konnte er auch schon ein wenig. Dr. Rosenberger erzählte ihm gerade, wie das Team um Jennerwein den Fall zu Ende gebracht hatte.

Als der Hauptkommissar und seine Mitstreiter eintraten, nickte er ihnen stumm und dankbar zu.

»Er hat mir bestätigt, was Sie vermutet haben«, sagte Dr. Rosenberger zu Jennerwein in gedämpftem Ton, der der Atmosphäre einer Intensivstation angemessen war.

»Die BKA-Beamten haben im Kurort relativ unabhängig voneinander operiert. Treffen mit dem Einsatzleiter haben nur alle paar Tage stattgefunden. An dem fraglichen Tag hat Dombrowski deswegen lediglich Weißenborn darüber informiert, dass er einige Zeit außerhalb des Kurorts zu tun hätte. Wie wir jetzt wissen, hat er da eine größere Geldübergabe organisiert. Weißenborn gegenüber behauptete er, er hätte eine heiße Spur außerhalb des Kurortes. Weißenborn hat ihn jedoch mitten im Ort gesehen, als er den Andenkenladen Neuner durch den Hintereingang verlassen hat. Weißenborn kam das Ganze komisch vor, er heftete sich deshalb an Dombrowskis Fersen, bis sie am Ortsrand gelandet waren. Dort hat ihn Weißenborn angesprochen, was denn eigentlich hier los sei und was es mit dem Andenkenladen auf sich hätte. Dombrowski reagierte ausgesprochen gereizt, hat aber dann schließlich etwas von einem sensationellen Fund in der Höllentalklamm erzählt, den er sich unbedingt selbst ansehen müsste. Den Rest der Geschichte kennen Sie.«

Jennerwein nickte.

»Demnach ist also das Schachdiagramm, das wir bei Weißenborn in der Jackentasche gefunden haben und das auf die Höllentalklamm hinweist, nicht von Dombrowski verfertigt worden, um Weißenborn in die Höhle zu locken. Es war umgekehrt: Fred Weißenborn hat es geschrieben, um den BKA-Kollegen seinen Aufenthaltsort mitzuteilen. Anscheinend konnte er die Nachricht nicht mehr an vereinbarter Stelle deponieren.«

»Vielleicht war die Nachricht an mich gerichtet«, sagte Dr. Rosenberger nachdenklich. »Wir wollten uns an dem Tag zum Mittagessen treffen.«

Der Oberrat blickte zu seinem Freund. Der war inzwischen eingeschlafen. Dr. Rosenberger nahm ihm den Block aus der Hand und betrachtete die Notiz, die er zuletzt geschrieben hatte: SKELETTE IN DER HÖHLE.

»Vermutlich Fieberphantasien. Aber ich würde sagen, darum kümmern wir uns später.«

Jennerwein wollte etwas sagen, schwieg jedoch. Nur Maria Schmalfuß hatte das bemerkt.

»Die Höhlen gibt es nicht mehr«, sagte Becker. »Sie sind gesprengt worden. Da kommen wir nicht mehr rein. Aber so wie es jetzt aussieht, ist das ja nicht mehr nötig.«

Jennerwein überlegte, ob er von den Skeletten im Inneren der Höhle erzählen sollte, vielleicht auch von dem Tagebuch, das er aus dem Tornister sichergestellt hatte. Er hielt es jedoch für besser, vorerst darüber zu schweigen. Er musste über die vielen verstörenden Dinge, die er da gelesen hatte, erst nachdenken. Er musste sie verarbeiten. Vielleicht wäre es keine schlechte Idee, mit Maria darüber zu reden.

Dr. Rosenberger räusperte sich mehrmals und blickte einen nach dem anderen ernst an.

»Sie haben Großes geleistet. Sie haben nicht nur den eigentlichen Fall gelöst, Sie haben darüber hinaus auch einen internationalen Waffenhändler- und Geldwäscherring gesprengt. Wir werden die beiden Fliegenden Sparkassen zum Schein weiterbetreiben. Ich hoffe, dass uns auf diese Weise noch viele Kunden in die Falle laufen. Ich setze ein neues BKA-Team darauf an.«

Dr. Rosenberger erhob sich.

»Sie wissen, was jetzt kommt, und Sie wissen auch, dass mir das äußerst unangenehm ist, was ich Ihnen jetzt sage. Es gibt für keinen von Ihnen eine Beförderung, eine Gehaltserhöhung, eine Prämie, nicht einmal einen Sonderurlaub. Ich belobige Sie hiermit alle, ganz inoffiziell. Offiziell wird auch diese Belobigung nirgendwo erscheinen, weder in einem Bericht noch in einer Personalakte.«

»Das überrascht uns eigentlich nicht«, sagte Jennerwein lächelnd. »Aber das Schöne ist doch, dass unser Konzept aufgegangen ist und keiner etwas von dem eigentlichen Fall mitbekommen hat.«

»Jetzt muss nur noch der Wilderer-Fall abgeschlossen werden, dann können Sie sich aus dem Kurort zurückziehen. Ich danke Ihnen allen nochmals.«

»Dann auf zum letzten Akt«, sagte Jennerwein und erhob sich.

»Ich für meine Person«, sagte Stengele draußen im Krankenhausgang, »ich wäre für die Variante *Spielcasino* gewesen: Gams auf Rot – Zugriff. Das hätte mir gefallen. Aber ich sehe ein, dass wir dafür zu viele Leute hätten einweihen müssen.«

»Ich finde, die jetzige Variante ist auch nicht schlecht«, sagte Nicole.

Vor dem Polizeirevier stand ein unschlüssig wirkendes Paar. Sie waren aus zwei verschiedenen Richtungen gekommen, er von seiner Baufirma, sie aus der Apotheke.

»Was können wir verlieren?«, sagte sie. »Die Polizei ist doch zur Diskretion verpflichtet.«

»Da bin ich mir bei unserer Polizei nicht so sicher«, erwiderte er zweifelnd. »Wenn ich mir da den Hölleisen so anschaue –«

»Also, sollen wir jetzt reingehen? Oder was meinst du? Wir haben die tausend Euro doch verdient. Der entscheidende Tipp stammt schließlich von uns, oder?«

»Warum stehen wir dann noch hier herum?«

»Die tausend Euro sind mir ja eigentlich gar nicht so wichtig.«

»Mir doch auch nicht, mir geht es um staatsbürgerliche Pflichten.«

Sie machten ein paar Schritte auf die Tür zu, dann blieben sie wieder stehen.

»Irgendwie habe ich das Gefühl, dass die Sache, die wir gesehen haben, gar nichts mit dem Wilderer zu tun hat.«

»Also, was machen wir jetzt?«

Lange, nachdenkliche Pause.

»Ich muss wieder zurück ins Geschäft.«

»Ich auch. Na dann: Servus.«

Abgang in verschiedene Richtungen.

»Da schau her«, sagte Franz Hölleisen, der die beiden vom Fenster aus beobachtet hatte. »Der Mühlriedl Rudi und die Holzmayer Veronika. Dass die sich so offen zusammen zeigen!«

Ein paar hundert Kilometer weiter nördlich saßen Tina und Oliver Krapf bei Pfefferminztee und marokkanischen Mokka-Krokant-Honig-Keksen.

»بآيد ل ا مشيآر«, sagte Tina, und sie roch immer noch nach Mandelkuchen.

»Ja, ich gebs zu«, sagte Oliver Krapf. »Ich bin stinksauer, dass ich auf euch reingefallen bin. Ich habe in die vollkommen falsche Richtung geforscht. Gerade dadurch, dass die Zeichen so schlampig draufgekritzelt waren, habe ich die Inschrift für echt gehalten. Ich dachte, dass es was Biblisches ist oder so.«

»Hast du die Münze noch?«

»Ja, sie muss irgendwo hier sein.«

Krapf holte das Schmuckstück, für das sich in letzter Zeit niemand mehr so recht interessiert hatte. Tina drehte den Escudo in eine bestimmte Position.

»Schau her, wenn man die Münze so hält, dann erkennt man drei V's nebeneinander – die Buchstaben sind zugegebenermaßen nicht ganz gleichmäßig. Dem Kupferstecher Flo ist die Nadel ein wenig abgerutscht, deshalb.«

»Was bedeutet dann VVV?«

»Au Mann! Wir dachten, *das* springt dir gleich als Erstes ins Auge! Du mit deinem Kryptographie-Tick. Schon mal was von der Vigenère-Verschlüsselung gehört? VV? Benannt nach einem gewissen Blaise de Vigenère, der –«

»– eine Chiffriertechnik erfunden hat, die mindestens dreihundert Jahre lang als unknackbar galt. Klar kenne ich dieses Prinzip. Da gibt es die vier Vigenèreschen Sätze. VV-I, VV-II –«

»Gibt es einen fünften?«

»Ach so: VV-V, der sinnlose fünfte Satz, die Zeichenkette ohne Bedeutung, der nur als Jux zu gebrauchende Hoax. Jetzt verstehe ich.«

»Die Briten haben im Krieg solche VVV-Texte über Funk rausgeschickt. Sowas wie *wrdlbrmpfd* von Karl Valentin, nur länger. Die deutsche Abwehr hat wie verrückt an der Entschlüsselung gearbeitet. Sie konnte dadurch die wirklich relevanten Nachrichten nicht mehr bearbeiten.«

Oliver Krapf saugte an einem Pfefferminzblatt. Er hatte Tina noch gar nichts von dem gestrigen Überfall erzählt.

»*Du* hast die Münze also in den Sack gesteckt?«

»Nein, sie war nie in dem Sack. Die Münze war von Anfang an in meiner Hand!«

»Hätte ich dir nicht zugetraut. Aber ich könnte mich ohrfeigen. Ich habe das Naheliegende übersehen.«

»Du hast nach einer Bedeutung gesucht, dadurch warst du im Blickfeld eingeschränkt. Du wolltest nicht glauben, dass es nichts bedeutet.«

»Aber dadurch habe ich ein Abenteuer erlebt – das muss ich dir erzählen!«

Er freute sich schon auf ihren Gesichtsausdruck, wenn er von seiner Totmannschaltung und der Knochenfräse des durchgeknallten Zahnarztes erzählte.

Tina drehte die Münze um neunzig Grad.

»Es geht noch weiter. Quergelegt siehst du das koreanische Zeichen für Nichts, das Zeichen der absoluten Leere, das Lachen des Narren ohne Folgen für den Weitergang des Laufes der Welt.«

»Jetzt wird es mir aber langsam zu bunt –«

»Und wenn man es nochmals um neunzig Grad dreht, dann könnte man das Ganze als A und M lesen.«

»Jetzt mach mal nen Punkt. Ein A und ein M! Das hier sieht doch nie und nimmer wie ein A und ein M aus.«

Krapf nahm einen Stift zur Hand und zeichnete auf ein Blatt so etwas wie –

»Sieht eher aus wie ein Gebirge«, sagte Krapf. »Wo hast du die Münze überhaupt her?«

»Das war mal ein Knopf von einer Jacke, die mir meine Tante gestrickt hat. Der Knopf ist abgegangen, weil die hinten draufgelötete Öse abgebrochen ist –«

»Die Tante ist doch nicht etwa aus Bayern, oder?«

»Doch, ja, wie kommst du darauf? Sie wohnt in irgendeinem Kaff ganz im Süden Deutschlands.«

Krapf war plötzlich voll auf Klondike. Die glimmende Glut war noch nicht ganz erloschen. Er hatte wieder Witterung aufgenommen.

Hubertus Jennerwein stand allein auf der rauchfreien Nachdenk-Terrasse hinter dem Polizeirevier. Das richtige Geschafft!-Gefühl hatte sich noch nicht eingestellt, zu viele Fragen waren noch offen. Die uralten Skelette, das Tagebuch. Und dann der iPod. Ohne den kleinen Akinetopsie-Anfall in der Höhle wäre ihm die neongrüne Plastikhülle vermutlich gar nicht aufgefallen. Aber dann war das Bild stehengeblieben, und er hatte den Fremdkörper am Boden bemerkt. Er hatte sich gebückt, ihn aufgehoben und eingesteckt. Nun zog er ihn heraus und hielt ihn in die Sonne. Er schaltete ihn an und ließ die zuletzt gespielte Datei laufen. Wütendes Geschrei. Slawische Wortfetzen. Drei aggressive Männerstimmen. Das Wort *sanschtsch* tauchte immer wieder auf. Und der Name *Arri*. Dann brach die Aufzeichnung plötzlich mit einem hässlichen Knirschen ab. Jennerwein hatte das Gefühl, dass diese Aufzeichnung dem BKA bei den folgenden Ermittlungen sehr weiterhelfen würde. Er brachte den iPod zum Spurensicherer Hansjochen Becker.

In der geräumigen Wohnstube des Hartl-Hofes dufteten verführerisch aussehende Schmalznudeln, die aus der Schüssel bis fast zur Decke wuchsen. Der Hartl Peter saß am Tisch, und seine Frau, die Hartl Bäuerin, kam herein.

»Du wirst es nicht glauben, Hartl«, sagte sie, »aber draußen auf unserem Balkon, da jodelt einer.«

»Hast du schon wieder zu viel Schnaps erwischt, Bäuerin?«

»Nein, wirklich! Von wegen Schnaps. Er hat eine Gams auf dem Buckel. Es ist der Wilderer.«

»Setz dich her und iss.«

Der Hartl Peter hatte seiner Frau wieder einmal Unrecht getan. In der Tat stand droben auf dem Balkon Florian Beerschnauz alias Schnäuzelchen, und aus seinem Rucksack lugte das Bein einer Gemse. Der letzte Akt des Wilderer-Dramas hatte begonnen. Nachdem der urwüchsige und leicht schräge Jodler verklungen war, stellte sich der Mann mit dem geschwärzten Gesicht in Positur, und sofort wurde er fotografiert. Schon einige Dutzend Kurgäste hatten sich unten auf dem geräumigen Dorfplatz gesammelt, und es wurden immer mehr.

»Bayrische Landsleute! Und ihr, die ihr die bayrische Lebensart liebt!«, begann er, und die folgende Rede war zutiefst von patriotischen Gefühlen durchglüht. Von Urwurzeln sprach er, von der Urheimat, von alten Sitten und Bräuchen, von Bergen, Seen und der tief empfundenen Furcht von den Naturgewalten.

»Zu Hause redet er nie so viel«, murmelte Nicole.

Schnäuzelchen sprach von der echten, wahrhaften Wilderei, die den Reichen nimmt und den Armen gibt.

»Urbayrische Mitbürger!«, rief Schnäuzelchen, und da sah man eine kleine, drahtige Polizistin, die sich vom Dach abseilte, den Wilderer von hinten packte und niederriss.

»Hamma dich endlich!«, rief sie mit weithin vernehmlicher Stimme.

Das Volk stöhnte auf. Der Wilderer wehrte sich, er zappelte und versuchte sie abzuschütteln, Nicole wurde gegen das Geländer geschleudert, sie drohte über die Holzbrüstung zu kippen, konnte sich aber im letzten Augenblick noch fangen.

Aus der Ferne ertönten Polizeisirenen. Ein Raunen ging durch die Menge: Kommissar Jennerwein kam von der anderen Seite des Balkons gelaufen. Er machte einen Hechtsprung wie ein Fußballtorwart, der weiß, dass Uschi, Gabi und Manuela zuschauen, er bekam den Wilderer gerade noch am Fuß zu fassen. Doch der gab noch nicht auf. Er riss die umgehängte Büchse herunter und richtete sie auf den am Boden liegenden Kommissar.

»Jetzt g'hörst der Katz!«, schrie der Wilderer, doch da ließ sich ein weiterer Polizist vom Dach herab, er war ein grober, eckiger Klotz, der sich aber erstaunlich geschmeidig auf den Täter zu bewegte. Fast katzenhaft stürzte er sich auf den Wilderer und riss ihm die Flinte hoch. Ein Schuss zerriss die atemlose Stille des Nachmittags. Eine Kugel bohrte sich in eine Dachstrebe des Hartl-Hofes. Wie auf Bestellung begannen jetzt die Kirchenglocken der St.-Martins-Kirche zu läuten, der Wilderer wurde dadurch kurz abgelenkt, der grobe Klotz von Polizist fasste ihn fester, der Schwarzgesichtige war zu keiner weiteren Gegenwehr mehr fähig. Kommissar Jennerwein, den die Menge aus den Zeitungen kannte und der dementsprechend angefeuert wurde, war wieder aufgesprungen und legte dem Wüterich Handschellen an.

»Bravo! Jetzt haben sie ihn endlich! Ein Hoch auf die bayrische Polizei!«

Heiner Rothe, der Jugendtrainer der Leichtathletikgemeinschaft Werdenfels, sagte zu seinem Nachbarn:

»Wenn er wegge*laufen* wäre, der Schwarze, dann hätte er eine Chance gehabt! Das war kein Kampfsportler, das war mehr ein Fünftausendmetermann. Das habe ich gleich gesehen.«

Jetzt wurde der Wilderer weggeführt, die Freitreppe des Hartl-Hauses herunter, die Menge bildete eine Gasse. Auf dem Dorfplatz war das Polizeiauto mit kreischenden Bremsen zum Stehen gekommen, die beiden Lokalmatadore Ostler und

Hölleisen sprangen heraus und nahmen den schwarzen Mann in Empfang.

»Lebt wohl, ihr Berge!«, rief der Wilderer noch, dann war er im Inneren des Autos verschwunden. Zweihundert Leute klatschten Beifall, das Auto fuhr ab.

»Den Düwel ook, dat war knapp!«, keuchte Schnäuzelchen und riss sich den falschen Bart herunter.

Kielwasser

Bierzelte und Heimatwochen sind normalerweise furchtbar vorhersehbar. Die Globalisierung hat auch vor diesen urbayrischsten Vergnügungen nicht haltgemacht, überall auf der Welt gibt es kleine Oktoberfeste, selbst im südafrikanischen Busch, in den Vorstädten von Shanghai und in New York, Ecke 45th / Broadway. Die bierpapp- und senfsatten Veranstaltungen ähneln sich inzwischen wie eine EU-Norm-Gurke der anderen. Eine große Ausnahme macht natürlich das Bierzelt im Kurort. Die seit Tausenden von Jahren stattfindenden Werdenfelser Heimatwochen folgen einem bestimmten, von Generation zu Generation ins Ohr geflüsterten Ablauf. Deshalb ist in dieser ersten Augustwoche innerhalb des Festzeltplatzes alles authentisch, einmalig, typisch, urwüchsig, original und unverfälscht. Der Tanzboden ist aus handgehobeltem Zirbelholz, die Trachten stimmen bis zum letzten Stichmessertascherl, selbst der Schiffschaukelbremser draußen vor dem Zelt plattelt und jodelt während des Bremsens. Kein Budenbesitzer beschriftet die Herzen anders als mit *Gsund samma!*, der Geschmack des Biers ist historisch gesichert, und die Softeismaschine ist – man ahnt es schon – auf ›Alpspitze‹ und ›Waxensteine‹ eingestellt.

Einen guten Monat nach den Ereignissen in der Höllentalklamm war das Bierzelt also wieder aufgebaut, ölsardinenvoll war es drinnen, und die Blasmusik spielte einen bayrischen Marschkracher nach dem anderen. Das Team Jennerweins hatte wie jedes Jahr einen Tisch ganz vorn an der Bühne reserviert. Alle hatten ihre schweren Erkältungen nach dem Höllenritt im kalten Klammwasser schon wieder einigermaßen auskuriert. Außer ein paar Schrammen und Schürfwunden hatte der Einsatz im Wildbach keine größeren Schadspuren hinterlassen. ♫ *Rätätätäng!* dröhnte die Blasmusik, und alle erhoben ihre Maßkrüge.

»Auf General Dattelberger!«, rief Jennerwein.

»Auf General Dattelberger!«, wiederholten alle, und die Lauscher an den umliegenden Tischen verstanden nichts.

»Den General haben Sie erfunden, nicht wahr, Chef?«, fragte Nicole.

Jennerwein zuckte verschmitzt die Schultern. Maria Schmalfuß hatte sich neben Polizeiobermeister Hölleisen gesetzt.

»Eines würde mich interessieren, Franz«, sagte sie. »Rein vom psychologischen Standpunkt. Wie haben Sie das mit der *Liste aller Fremdgänger im Kurort* gemacht? Haben Sie so ein gutes Gespür für heimliche Affären?«

»Mit dem Gespür, Frau Doktor, ist das immer so eine Sache. Nein, ich habe eine andere Technik. Wissen Sie, woran man Liebespaare erkennen kann?«

»Keine Ahnung.«

»An der Kinnform. Bei Liebespaaren kann alles unterschiedlich sein: die Statur, das Temperament, die Interessen – aber nach ein paar Monaten gleichen sich die Kinnformen einander an.«

Maria schüttelte ungläubig den Kopf.

»Schauen Sie sich einmal die Zwei am Nebentisch an. Das Ehepaar Helmbrecht. Die sind seit einem halben Jahr verheiratet. Er hat ein spitzes Kinn, und das ist bei ihr auch schon ziemlich ausgeprägt. Oder da drüben, die Heurieders. Drei Jahre verheiratet, zwei identische Knubbelkinne.«

»Ja«, sagte Maria erstaunt, »es ist frappierend.«

»Fremdgänger haben natürlich zunächst unterschiedliche Kinnformen, das können Sie in jeder Hotellobby studieren. Zunächst – denn nach ein paar Monaten ändert sich das dann.«

Die Blaskapelle ratterte sich durch den Bayrischen Defiliermarsch ♫ *OuouBoum bababa boum!*

»Und wieso denken Sie, dass gerade die Apothekerin und der Bauunternehmer etwas mit dem sonderbaren anonymen Brief zu tun haben?«

»Ganz einfach: Ich bin die Liste durchgegangen und habe jeden angerufen. Alle haben ihre Affären natürlich abgestritten, den Brief hat auch niemand zugegeben. Aber die Holzmayerin und der Mühlriedl haben so maßlos übertrieben mit ihren Unschuldsbeteuerungen, dass ich mir sicher bin, dass die beiden etwas mit dem Schrottplatzbrief zu tun haben.«

»Wenn sie es zugeben, dass sie draußen waren –«

»Dann würden wir erfahren, was wirklich los war in dieser Mainacht.«

Die Heimatwochen fanden immer Anfang August statt. Und das alte angebissene Schmalzbrot dort droben tauchte die Nacht in ein Bad von romantischer Eselsmilch. Kleine, schmeichelnde Windstößchen stupsten das Haus, die Ähren wogten sacht. Die stahlblauen Augen der Holzmayerin blickten in die tiefschwarzen vom Mühlriedl Rudi. Die beiden dachten gar nicht daran, etwas zuzugeben oder auszusagen. Allerdings bemerkten sie auch nicht, dass sich ihre Kinnformen langsam annäherten. Sie waren nicht im Bierzelt des Kurorts, dort saßen heute ihre jeweiligen langweiligen Ehehälften. Das verhinderte Liebespaar besichtigte gerade einen uralten Buick Roadmaster, den auf der B 23 bei Peiting ein Traktor seitlich erwischt hatte. Schön zerdellt und verbogen stand er da, der alte Amerikaner, und das nicht etwa beim alten Heilinger, diese Location hatten die beiden gründlich satt. Sie hatten ein neues Schmusekörbchen gefunden, nämlich eines im schönen Malerstädtchen Murnau, und dort war das Blechgerümpel natürlich chamoisegrau, der Rost war chromorange-ockerbraun, mit einem Stich olivgrüngelblich. Verbogene Pleuel schrien grell kobalttürkis auf, Claude Monet hatte mal im Bürohäuschen des Murnauer Schrottplatzes gesessen und die Seerosen gemalt, die aus den nassen Autoleichen herauswuchsen.

»Was sagst du zu dem Buick?«, fragte der Mühlriedl Rudi und testete die Federung der Rückbank.

»Schaun wir mal«, antwortete die Holzmayer Veronika und streifte ihre Handtasche ab.

»Gefällt er dir nicht?«

Sie blickte in den Nachthimmel. Vorgestern war ein hustender Kunde in ihre Apotheke gekommen. Er war Russe, und sie hatte die Gelegenheit genutzt und ihn gefragt, was *sanschtsch* bedeutete. Der Mann schaute sie zu Tode erschrocken an. Dann griff er hastig nach der Hustensaftflasche und verließ die Apotheke fluchtartig. Ein Prickeln stieg in ihr auf. Die Holzmayerin hatte inzwischen mehr Gefallen am Schrecken als an der Liebe gefunden.

»Wir wollen heute wirklich nichts Dienstliches bereden«, sagte Dr. Rosenberger am Bierzelttisch. »Ganz bestimmt nicht. Aber das möchte ich Ihnen nicht vorenthalten: Wir können einen Erfolg verbuchen. Uns ist im Andenkenladen schon der erste Fisch ins Netz gegangen. Ein richtig dicker Fisch sogar!«

Die Blaskapelle stimmte ♫ *Mia san die lustigen Holzhackerbuam* an, eine Unterhaltung im eigentlichen Sinne war nicht mehr möglich. Aber einen besseren Vernebler und Zerhacker von geheimdienstlichen Informationen als einen Blasmusikmarsch gab es auch nicht.

»Darf ich Sie etwas fragen?«, sagte Nicole zum Oberrat. »Das mit dem Schachspiel ist wirklich eine tolle Idee, aber warum steht das Brett mit den Figuren immer noch in Ihrem Büro?«

»Ganz einfach: Ich kann testen, wem das auffällt. In Ihrem Team waren es übrigens zwei Beamte.«

»Das ist Tatort-Profiling«, schoss Maria dazwischen. »Mit einem Blick sehen, was nicht reinpasst in den Raum.«

»Es gibt aber noch einen Grund, warum das Spiel dasteht. Es ist keine Endstellung, es ist die *Anfangs*stellung. Ich spiele mit ein paar Kollegen eine spezielle Schachvariante: das Retro-Schach.«

»Und wie funktioniert das?«

»Man spielt rückwärts.«

Zwei Männer kamen an den Tisch, Dr. Rosenberger begrüßte sie mit einem Nicken, sie setzten sich. Allen kamen die Männer verdammt bekannt vor. Und dann begriffen sie: Es waren die zwei Typen, bei denen sie damals raten mussten, welcher der BKA-Mann und welcher der Steuerberater war. Die Beiden beteiligten sich lebhaft am Gespräch, redeten über Werdenfelser Bräuche und den allgegenwärtigen Föhn, machten jedoch auch jetzt überhaupt keine Anstalten, ihre Identitäten zu lüften.

»Ich tippe einmal, Sie sind beide vom Psychologischen Dienst«, sagte Maria. »Sie sind Verhörspezialisten und testen den Flygare-Wirsen-Effekt: Das Verschweigen der eigenen Identität verleitet den anderen zu unvorsichtigen Äußerungen.«

Keine Reaktion. Maria wurde übermütig.

»Wenn Sie weiter schweigen, dann erzähle ich Ihnen, in wen ich schon jahrelang verliebt bin!«

Die beiden Männer prosteten ihr höflich und stumm zu.

»Und du bist inzwischen schon drei Mal beim Zahnarzt gewesen?«, fragte Tina bewundernd.

»Ja, ich habe meine Angst völlig verloren«, erwiderte Oliver Krapf. »Als nämlich der freundliche Zahnarzt die Sonde in meinen Mund geführt hat, habe ich mir vorgestellt, dass die Folter gleich beginnt, dass diese beiden Irren, Boris und Nadja, mir alle Zähne ausreißen. Als der wirkliche Zahnarzt mir dann nur leicht an den Backenzahn klopfte, war es ein derart wohliges Gefühl, dass die Behandlung richtig Spaß gemacht hat.«

Sie hatten die Höllentalklamm von oben durchquert, jetzt plätscherte der Hammersbach wieder zahm dahin, man konnte sich gar nicht vorstellen, wie er grade eben noch gewütet hatte. Sie setzten sich auf das weiche Moos der Uferböschung und kühlten die Hände im Wasser.

»Schön ist es hier«, sagte Tina. »Gute Idee von dir, einen Abendspaziergang durch die Klamm zu machen.«

»Ich wollte endlich an den Ort des Geschehens.«

»Glaubst du, dass an der Flößerlegende doch was dran ist?«

»Auf jeden Fall. Ich hab da was im Netz entdeckt, Tina, das ist eine ganz heiße Sache. Im Ersten Weltkrieg ist ein italienischer Stoßtrupp bis ins Werdenfelser Land vorgerückt. Ein Zug von achtzehn bayrischen Artilleristen wollte die Eindringlinge aufhalten und hat sich hier in der Höllentalklamm verschanzt. Der italienische General Pascoli nahm sie in die Zange, indem er von oben und unten vorrückte. Als sich die beiden italienischen Kommandos in der Mitte trafen, waren die achtzehn bayrischen Artilleristen wie vom Erdboden verschwunden. Ahnst du was?«

»Ich weiß nicht so recht. Du gibst wohl nie auf.«

Sie beugten sich vor und badeten ihre Hände im Wasser.

»Das waren gut ausgerüstete Soldaten«, sagte Oliver Krapf. »Wenn die tatsächlich in der Höhle gelandet sind, haben sie bestimmt versucht, Nachrichten nach draußen abzusetzen. Ich glaube, dass hier im Unterlauf des Baches jede Menge Hinweise zu finden sind. Es würde sich lohnen, das komplette Flussbett zu durchsieben!«

Er durchplätscherte mit der Hand spielerisch den kleinen Bach, wie um das Gold- oder Münzsuchen anzudeuten. Tina tat es ihm gleich. Ihre Hände trafen sich im eiskalten Wasser.

♫ *Humpftaa! Biersee … so groß wie der Schliersee!*, so tönte es im Bierzelt, Dr. Rosenberger hatte eine Runde ausgegeben, das Team hob kollektiv die Krüge. Zweihundertfünfzig Kilometer weiter nördlich ging es in einer kargen Dienststube weit ruhiger zu. Franz Himpsel las den Brief, den er geschrieben hatte, noch einmal durch.

Sehr geehrter Herr Polizeiobermeister Hölleisen!
Nach dem BayRKG (Bayrisches Reisekostengesetz) sind der Verköstigung des Beamten äußerst enge Grenzen gesetzt. Verköstigungen außerhalb der drei Tagesmahlzeiten, also Leberkäsebrotzeiten, Mitternachtssuppen, Henkersmahlzeiten etc. sind ausdrücklich nicht im Abrechnungsrahmen enthalten.
Gegen diesen Bescheid können Sie innerhalb von vier Wochen Einspruch erheben.
Zu unserer Entlastung zurück:
- Bestätigung Ihrer Gattin wg. div. Essgewohnheiten
- Ärztliches Attest Ihrer Hausarztes
- Artikel der bayrischen Ernährungskoryphäe Dr. Molz

Mit freundlichem Gruß – Franz Himpsel, Sachbearbeiter

Franz Himpsel, der Leiter der Abteilung Versorgung ließ den Brief sinken. Seine Hand zitterte, seine Wangen zitterten, sein ganzer Körper zitterte. Er prustete los, er konnte das Lachen nicht mehr zurückhalten.

»Was machst du denn da, Himpsel?«, fragte sein Kollege, der ihm gegenübersaß.

»Das wird ein Spaß! Das hier ist ein Brief an diesen Provinzler dort unten im Süden, in dem Bindestrichkurort. Es geht um ein paar Leberkäsesemmeln, und der beißt sich da fest, der sture Beamtenschädel.«

»Allmächt! Was soll das bringen?«

»Den Briefwechsel lese ich bei der Weihnachtsfeier vor, das wird eine Riesengaudi!«

»Ja, wenn wir die Oberbayern nicht hätten«, fränkelte der Kollege, »dann gäbe es nichts zu lachen.«

Hubertus Jennerwein war aus dem Zelt gegangen, um frische Luft zu schnappen. Ein paar Fakten aus den vergangenen Ermittlungen gingen ihm immer noch im Kopf herum. Erst letzte Woche hatte er das sechs Jahre alte Tagebuch aus der Klamm nochmals gelesen und dann an Dr. Rosenberger weitergeleitet. Dieser Tagebuchschreiber musste eines der ersten Opfer der Drogen- und Geldwäschegang gewesen sein. Wahrscheinlich ein Konkurrent, der ausgeschaltet werden sollte. Er war gefoltert worden, hatte sich dann plötzlich in der Höhle wiedergefunden, er hatte mit Halluzinationen zu kämpfen gehabt, und er hatte nach Ausgängen gesucht. Jennerwein schlenderte an den Zuckerwatteständen vorbei. Ging ihn das überhaupt noch etwas an? Musste diese Sache nicht das BKA aufklären?

»Hat Sie die letzte Seite auch so schockiert?«, hatte Dr. Rosenberger gefragt. »Was der alles gesehen haben will! Es sind hoffentlich nur Fieberphantasien.«

»Hoffentlich«, hatte Jennerwein gesagt. Die letzten Zeilen des Mannes in der Höhle gingen ihm nicht aus dem Sinn.

Heute ist der große Tag. Meine provisorische Tauchglocke ist fertig. Falls jemand dieses Tagebuch findet: Es gibt Leben hier unten. Ich bin dabei, es weiter zu erkunden. Ich werde versuchen, an der Stelle, an der ständig Blasen an die Wasseroberfläche blubbern, zu tauchen.

Die Aufzeichnungen endeten dort. Bedeutete das nun, dass er bei dem Tauchgang umgekommen war oder dass er einen Ausgang gefunden hatte?

»Hast du die billige Industriewurst im Polizeirevier gesehen?«, fragte Ursel ihren Gatten, als sie sich zum Bierzelt aufmachten.

»Ja freilich, jedes Mal, wenn wir uns melden, steht so ein Schrott da. Mir hat es direkt gegraust. Ich möchte kein Polizist sein. Schon aus diesem Grund nicht. Die amerikanischen Bullen ernähren sich von Donuts. Und die bayrischen von Leberkäsesemmeln.«

»Weißt du was? Bevor wir ins Bierzelt gehen, könnten wir noch auf dem Friedhof vorbeischauen.«

»Das ist eine gute Idee.«

Sie kannten jeden der Verstorbenen, sie deuteten da und dort hin, sie schwelgten in Erinnerungen und erzählten sich Anekdoten.

»Hallo, Herr Rechtsanwalt, was tun Sie denn da?«, rief Ursel über ein paar Koniferensträucher hinweg.

»Ruhig, ruhig!«, entgegnete Goldacker. »Dies ist eine Stätte der Besinnung und Nachdenklichkeit.«

»Ach so«, sagte Ignaz.

Goldacker schien nervös. Er hatte sein Jackett ausgezogen, er schwitzte.

»Ich besuche das Grab meiner Verwandtschaft«, sagte er, und man sah ihm an, dass er log. »Jetzt muss ich aber los.«

»Ja, wir doch auch. Wir sind auf dem Weg ins Bierzelt. Auf Wiedersehen, Herr Advokat.«

»Auf Wiedersehen.«

Der Wind trug einen zwanzig Jahre alten Schlager aus der Ferne her zum Friedhof.

»Hast du nicht auch das Gefühl, dass der richtig nervös war?«

»Dem steigen wir nach. Wir schauen mal, wo das angebliche Grab seiner Verwandten ist.«

Maria Schmalfuß war ebenfalls auf den Vorplatz des Bierzelts gekommen, um frische Luft zu schnappen. Als sie Jennerwein allein vor der Wurfbude stehen sah, ging sie auf ihn zu.

»Was beschäftigt Sie, Hubertus?«, sagte sie mit der weichsten Samtstimme, die sie in ihrer Psychologen-Toolbox fand. »Wollen Sie mir nicht davon erzählen?«

»Ja, gewiss. Alle zu seiner Zeit, Maria. Ich muss mir zuerst selbst Klarheit verschaffen.«

Beide gingen wieder zurück ins Zelt. ♫ *BadabadaTöng* spielte die Blaskapelle, als sie sich setzten.

»Sie kommen gerade recht, Chef«, rief Hölleisen und stellte seine Maß Bier ab. »Ganz ehrlich: Haben Sie schon einmal Ihren Beruf vorgeschoben, um etwas zu erreichen?«

»Einmal habe ich im Eifer des Gefechts meinen Dienstausweis missbraucht«, entgegnete der Kommissar lachend. »Ich wollte unbedingt den Rigoletto von Giuseppe Verdi sehen.«

»Sie sind Opernfan?«, fragte Ludwig Stengele ungläubig.

»Ja, ich mag Opern ganz gerne. Ich finde, es verbricht sich viel leichter mit Musik. Es gab für den Rigoletto natürlich keine Karten mehr. Also bin ich jeden Tag hingedackelt und habe mich brav an der Abendkasse angestellt, um eventuelle Restkarten zu ergattern. Das hat aber auch nicht geklappt. Und am letzten Tag, ich gebe es zu, da ist mir der Kragen geplatzt. Als ich an die Reihe kam, ist mir der Dienstausweis rausgerutscht und auf die Kassentheke gefallen. Ob ich hier im Haus ermittele, fragte mich die Kassenkraft, und ich habe nicht direkt nein gesagt. Dann nehmen Sie halt die Karte vom Oberstaatsanwalt, sagte sie, der kommt sowieso nie, der hat immer Bereitschaft.«

»Und Sie sind reingegangen?«

»Ja freilich, die Oper war toll, der Mörder Sparafucile sang herrlich, in der Pause traf ich dann auch noch Dr. Rosenberger. Er fragte mich, wie ich denn zu Opernkarten gekommen bin. *Sie* haben welche, sagte er, und mein Spezi, der Oberstaatsanwalt, der sich so auf die erstochene Leiche im Sack gefreut hat, musste draußen bleiben!«

Um diese Zeit, im letzten Dämmerlicht, war Rechtsanwalt Maximilian Goldacker schon am Grab des Reininger Sepp, des Bauunternehmers, von dem ihm die Graseggers erzählt hatten, dass er viel Geld im eigenen Sarg versteckt hatte. Goldacker packte seinen Klapp-Spaten aus. Nervös blickte er sich um. Kein Mensch weit und breit. ♫ *Bier her, Bier her, oder ich fall um …* tönte es aus weiter Ferne. Jetzt kam der große Augenblick. Das Geld war angeblich an der Unterseite des Sargdeckels versteckt. Er würde den Deckel hochheben müssen, der Anblick des Skeletts würde schauderhaft sein. Ruhig, ruhig, flüsterte Goldacker halblaut, und er erschrak vor seiner eigenen Grabesstimme. Er blickte nochmals um sich, dann erst wagte er den ersten Spatenstich. Seine Hand zitterte. Schmatzend versumpfte das Spatenblatt in der feuchten Blumenerde. Ein leichter Schauer lief über seinen Rücken. Ein Rascheln. Wo kam das her? Vom Grab nebenan? Er ließ den Griff los und lauschte angestrengt in die Stille der Nacht. Der Wind hatte gedreht und wehte die Stimmungsknüller in die andere Richtung. Da, schon wieder das Rascheln! Diesmal direkt vor ihm! Die Kerze in der Reininger'schen Grablaterne flackerte und zuckte dazu. Jetzt bewegte sich am unteren Rand des Grabsteins auch noch ein Schatten, der Schatten einer sich aufrichtenden kleinen Gestalt. ♫ *Immer wieder sonntags – kommt die Erinnerung* röhrte ein Cindy-und-Bert-Imitator von Ferne, und der Schatten auf dem Grabstein richtete sich zur Höllenhundgröße auf. Ein schreckliches Gebiss war zu sehen, in das etwas Faustgroßes, vielleicht sogar Kopfgroßes eingeklemmt war. Der Schatten wuchs weiter. Hinter den Koniferen war satanisches Gekicher zu hören. Das Untier richtete sich mit zuckendem Riesenschweif auf, wie um ihn anzuspringen. Das war zu viel für Goldacker. Er drehte sich um und floh. Auch wenn er wusste, dass das Tier, das den Schatten geworfen hatte, ein Eichhörnchen war, das seine Nüsse versteckte, war der Anblick zu schauerlich. Das flackernde Grablicht verzerrte die

Gestalt ins Überlebensgroße. Es war ein Zeichen. Für solche Aktionen war er nicht geeignet. Vielleicht dieser Dombrowski, den er jetzt verteidigte. Aber nicht er. Ein Mann trat ihm in den Weg. Abermals erschrak Goldacker fürchterlich.

»Ich glaube, Sie haben Ihren Spaten vergessen«, sagte Ignaz Grasegger und reichte ihm das Gerät.

»Da drüben, von dem Nussbaum, da kommen sie immer her, die Eichkatzerl«, sagte Ursel lächelnd. »Eine wirkliche Plage.«

Als er den Friedhof verließ, hörte er wieder satanisches Gekicher in seinem Rücken.

»Auf gehts zum Fingerhakeln!«, schrie der Ansager ins alte Shure-Mikrophon aus den Sechzigerjahren, und ein Scheinwerfer beleuchtete ein Tischchen auf der Bühne, an dem der fettglänzende Moisch Ludwig saß.

»Man nennt ihn den Dreizentner-Lucki.« ♫ *Tusch* »Wer von Ihnen im Saal dieses Mordstrumm Mannsbild über den Tisch zieht, dem spendiert die Brauerei einen Hektoliter Bier.« ♫ *Zweifacher Tusch.* »Wie schauts aus?«

Fingerhakeln durfte bei den Heimatwochen nicht fehlen. Platteln hätte zur Not noch ausfallen können, aber Finkerhakeln musste einfach sein. Der Dreizentner-Lucki war unangefochtener bayrischer Meister, sogar deutscher Meister. Europameisterschaften im Fingerhakeln gab es schon gar nicht mehr, also war er eigentlich Weltmeister.

»Wie schauts aus? Einen Hektoliter Bier für denjenigen unter Ihnen, der den Stier von Wamberg besiegt!«, rief der Ansager.

Ein paar angeheiterte Touristen versuchten es, sie stolperten unter großem Applaus auf die Bühne, sie hatten natürlich keine Chance. Der Dreizentner-Lucki musste sich nicht einmal anstrengen, er bewegte sich keinen Millimeter von der Stelle.

»Als Läufer wäre der nichts!«, sagte der Rothe Heiner zu seinem Nachbarn. »Der hat die Kraft mehr in den Armen.«

»Wie schauts aus mit dem Tisch da hinten?« Der Suchscheinwerfer fuhr hin. »Wenn mich nicht alles täuscht, sind das doch die Schlauderaffen, die immer beim Metzger Kallinger herumhängen! Wie siehts aus? Leberkäse soll doch kräftigend wirken!«

Gelächter am Tisch Kallinger. ♫ *Ein Prosit der Gemütlichkeit* von der Blaskapelle. Schließlich erhob sich der Metzger Kallinger persönlich. Er war einen Kopf kleiner als der Stier vom Wamberg, aber er war ein drahtiger Mann. Er konnte dem bayrischen Meister sogar ein paar Sekunden standhalten, dann wurde auch er über den Tisch gezogen. Ein Achtungserfolg immerhin. ♫ *Es war ein Schütz' in seinen besten Jahren …* Der Suchscheinwerfer richtete sich auf den Tisch, an dem Jennerwein und die Seinen saßen. Natürlich hatte das kommen müssen. Großer Applaus im Publikum. Einige Bravo-Rufe stachen heraus. Schließlich wurde auffordernd rhythmisch mitgeklatscht.

»Wie ist es mit den Damen und Herren Polizisten?«, rief der Ansager. Das Klatschen verstärkte sich, alle im Publikum nickten begeistert. Die Teammitglieder am Tisch blickten fragend zu ihrem Chef, der schüttelte den Kopf.

»Tut mir leid, aber ich muss passen. Mir tun noch sämtliche Knochen von der Klammabfahrt weh.«

Verstärktes rhythmisches Klatschen. Maria beugte sich zu Dr. Rosenberger.

»Ich würde es glatt machen, aber ich bin auch nicht so ganz fit.«

»Sie würden es machen?«

»Ja, natürlich. Es ist gar nicht so viel Kraft nötig. Man muss nur den richtigen Augenblick erwischen. Die Hundertstelsekunde, in dem die Konzentration dieses Fettkloßes nachlässt, die muss man erwischen. Jeder Mensch kann sich nur etwa fünf bis sechs Sekunden voll konzentrieren –«

»Ich mache es«, sagte Dr. Rosenberger zur Überraschung aller am Tisch. Er erhob sich. Seine Gestalt war imposant.

Das rhythmische Klatschen schwoll so laut an, dass es das ♫ *HumpfHumpfHumpf* des Bayrischen Infanteriemarschs übertönte.

»Ja, das gibts doch nicht! Das doch der Kriminaloberrat Dr. Rosenberger, der da aufgestanden ist! Da sind wir aber gespannt!«

Dr. Rosenberger hatte etwa die gleiche Größe wie der Profi-Fingerhakler dort oben auf der Bühne. Er war jedoch wesentlich muskulöser. Er zog seine Trachtenjoppe aus und machte einige Fingerdehnübungen.

»Es ist genauso wie beim Schachspielen«, sagte er leichthin zu seiner verdutzten Truppe. »Man muss sich in den Gegner hineindenken. Warten Sie's ab!«

Er schritt auf die Bühne, und er hatte wie immer etwas Würdevolles in seinen Bewegungen. Er krempelte die Ärmel hoch. Die Lederhose saß wie angegossen, die hatte er sich sicherlich maßschneidern lassen. Der Gamsbart auf seinem Hut zitterte leicht, seine Haferlschuhe waren spiegelblank.

»Er könnte es schaffen«, sagte Stengele. »Man muss dem anderen nur in die Augen schauen. Wenn er blinzelt, muss man anziehen.«

Dr. Rosenberger setzte sich. Er war auf Augenhöhe mit dem Koloss. Hinter beide Finkerhakler stellten sich, für alle Fälle, Auffänger. Die Kapelle schwieg. Der Oberrat griff zum Gummiring, der beim Fingerhakeln verwendet wurde und hielt ihn dem Ungetüm hin. Er blickte dem Weltmeister in die Augen. Unter dem Gejohle der Bierzeltbesucher spannte sich der Gummiring, beide gingen in eine leichte Rückenlage. Jetzt schwieg die Menge. Bahnte sich da etwa eine Sensation an? Dr. Rosenbergers Taktik schien aufzugehen. Er ließ seinen Blick nicht von den Augen des Dreizentner-Lucki. Der schüttelte den Kopf, wie um etwas Lästiges abzuschütteln, der bohrende Blick seines Gegners war ihm unangenehm, das konnte man bis unten sehen. So ging das fünf Sekunden. Dann drehte er den Kopf einfach von Dr. Rosenberger weg und zog den Gegner in ganzer Länge und scheinbar mühelos über den Tisch, so dass der Oberrat hilflos auf dem Bauch lag. Er hatte einen Schuh verloren, das Hemd war ihm aus der Hose gerutscht, und der Hut lag auf dem Boden. Trotzdem. Er stand wieder auf und verneigte sich leicht und höflich vor seinem Gegner, so wie man es beim Schachspielen macht. Dr. Rosenberger hatte keinen Augenblick seine Würde verloren. Mit einer eleganten Bewegung stopfte er das Hemd in die Hose und trat lächelnd den Rückweg an.

Tosender Applaus.

»Sie glauben gar nicht, was das für ein dicker Fisch war, der uns da ins Netz gegangen ist!«, sagte er, als er wieder am Tisch saß. »Der König Ludwig des Verbrechens!«

»*Kini*, Herr Dr. Rosenberger«, ergänzte Nicole Schwattke. »Bei uns heißt das *Kini.*«

Anhang 1

Liste der Fremdgänger im Kurort

Erstellt von Polizeiobermeister Franz Hölleisen

Aus Gründen des Persönlichkeitsschutzes sind nicht die Familiennamen, sondern die ›Hausnamen‹ der betreffenden Personen hier abgedruckt. (Also statt Schorsch Praxmeier: Buchsn Schorsch)

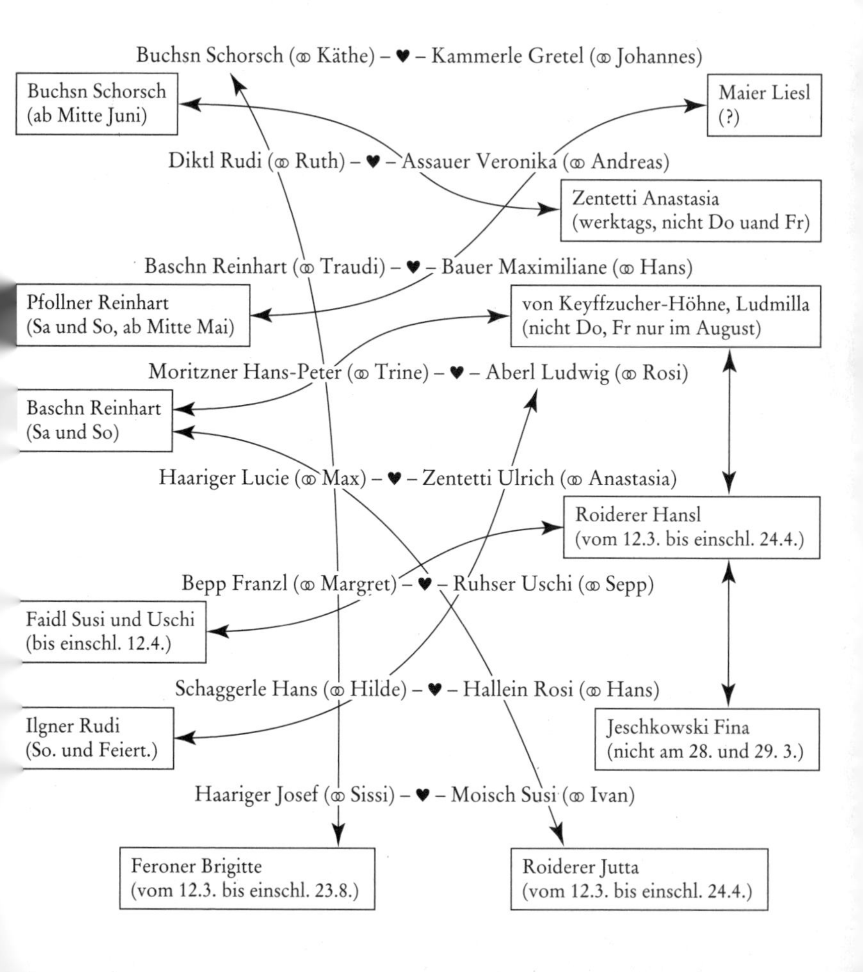

Anhang 2

Regeln für Retroschach

Die Spieler beginnen vor einem Schachbrett, auf dem höchstens vier Figuren je Farbe in sinnvollen, aber aussichtslosen Positionen stehen. Es ist zum Beispiel auch möglich, dass nur zwei Könige aufgestellt sind.

Schwarz beginnt und versucht nun den Zug zu finden und zurückzuspielen, der zu dieser aussichtslosen Stellung geführt hat. Weiß erwidert den Zug auf dieselbe Weise, so dass die Spieler das Schachspiel sozusagen zurückspielen. Dabei müssen die normalen Schachregeln beachten werden.

Beim Retroschach werden Figuren nicht geschlagen, sie entstehen aus dem Nichts. Lässt ein Spieler eine Figur entstehen, muss er dies ankündigen. Dabei ist zu beachten, dass ein Spieler nur eine gegnerische Figur entstehen lassen kann.

Verloren hat ein Spieler, der so zieht, dass der Gegner keinen sinnvollen Zug mehr zurück machen kann. Verloren hat auch der Spieler, der eine Figur entstehen lässt, die dann nicht mehr ziehen kann.

Ziel des Retroschachs ist es, zur Anfangsstellung zurückzukommen. Dieses Ziel ist eigentlich unerreichbar. Wer es trotzdem schafft, bekommt von einer weltbekannten Brauerei einen Hektoliter Bier spendiert.

Danksagungen
(in alphabetischer Reihenfolge)

♫ Nun sei bedankt, mein lieber Schwan!
Zieh durch die weite Flut zurück …
Richard Wagner, Lohengrin

In medizinischen Angelegenheiten und Fragen der Folter und Schädelöffnung hat mich **Dr. Thomas Bachmann** beraten. Von ihm stammt etwa der Hinweis, dass die aus Film, Funk und Fernsehen bekannte Drahtschlinge *(Fleißige Liesel)* keineswegs leise und schnell tötet. Das wäre eher bei einer *Garotte* der Fall. Der Delinquent muss sich dabei setzen, ein Band wird um seinen Hals geschlungen, das ihm einen Stachel ins Genick drückt – doch welche Erbtante, welcher lästig gewordene Gatte ahnt nicht die Absicht, wenn man ihm einen derart präparierten Stuhl anbietet?

Das in Süddeutschland und Österreich gebräuchliche *Vergelt's Gott* entspricht dem hochdeutschen *Danke*. Im Volksglauben genügen drei empfangene Vergelt's-Gotte pro Tag, um in den Himmel zu kommen.
Che's kleines Lexikon der Volksbräuche

Gerade im Oberwasser schlingert das Kajak besonders stark, gerade dort droht es häufig zu kentern und unterzugehen. Da ist Hilfe dringend nötig. Einige Male liefen die Handlungsstränge kreuz und quer durcheinander, die Logik driftete hinüber ins Absurde, die

Figuren machten schließlich, was sie wollten. In solchen verfahrenen Fällen hat mir die unerbittlich gradlinige, ungemein weitsichtige und immer gutgelaunte Lektorin des Fischer Verlages, **Dr. Cordelia Borchardt**, geholfen, das Kajak in narrativer Not wieder auf Kurs zu bringen. Ohne ihre speziellen Eskimorollen, geschickten Wendemanöver und kühnen Umfahrungen von Untiefen hätte die Handlung sicherlich kein gutes Ende gefunden.

> Der Tatbestand des Groben Undanks (nicht zu verwechseln mit dem des Groben Unfugs) ist auch dann gegeben, wenn der Beschenkte den Schenker nach der Schenkung schwer beleidigt. Dies kann auch wortlos geschehen. Eine schwere Beleidigung ist etwa das Ausräuchern eines Stuhls, auf dem der Beleidigte gesessen hat.
>
> *Juristischer Kommentar zu §§ 530 und 532 BGB*

Der rechte Ratgeber bezüglich kryptologischer Verrätselungen und computergestützter Verschlüsselungstechniken war der Digitaljongleur **Thomas Corell**. Nächtelang haben wir Schachrätsel noch komplizierter gemacht, als sie ohnehin sind. Auch ihm ein herzliches www.seibedanktgutermann.de! Dennoch habe ich mir einige Freiheiten erlaubt. Nur als Beispiel: Den Mathematiker Vigenère gab es zwar, aber mit der *chiffre indéchiffrable* ist es wie mit dem perfekten Mord oder der glücklichen Ehe. Jeder träumt davon, aber so ganz klappt es nie.

> Vielen Dank für die Blumen!
> Vielen Dank, wie lieb von di-hir …
>
> *Tom zu Jerry*

Wer glaubt, dass solch ein Roman das Werk eines einzelnen armen Poeten im stillen Kämmerlein ist, der irrt gewaltig. Es gibt viele Menschen, die sich bereits Gedanken machen, bevor die erste Zeile geschrieben ist, die dann den abgegebenen Buchstabensalat hegen und pflegen, die ihn in die rechte Druckform bringen, in die Regale stellen und in die feinnervigen Leserhände legen. Es sind die vor Kreativität berstenden Köpfe vom **Fischer Taschenbuch Verlag**, deren Abteilungen Tag und Nacht darüber sinnen, wie denn die bunte Leserschar noch weiter gepflegt werden könnte. Einen einzelnen Kreativkopf hier namentlich zu nennen, wäre gemein gegenüber allen anderen Engeln im Fischer-Himmel. Ich verneige mich stumm.

> Billig danken! Um Nürnberg herum gibt es über zweihundert Dankstellen …
>
> *Internetvideo des Fremdenverkehrsamtes Mittelfranken*

Nebenbei gesagt empfiehlt es sich nicht, die Höllentalklamm mit einem noch so stabilen Boot hinunterzufahren. Nicht wegen der Schwierigkeitsstufe VI – in irgendeinem Zustand kommt man schon unten an. Es liegt aber – dem aufmerksamen Leser mag es nicht entgangen sein – wahrscheinlich noch mindestens eine Handgranate im Wasser. Die Terminologie der Wildwasser-Freaks ist ausgefuchst: Ein Wirbel ist keine Walze, ein Helm heißt Mütze, und ›rudern‹ ist für den paddelnden, stechenden und rollenden Kajakfahrer eine schwere Beleidigung. Auf diesem Gebiet hat mich **Han's Klaffl** beraten, seines Zeichens OSt-Dir und Oberstudienkabarettist, de'r, nebe'n viele'n andere'n bekannte'n Begabunge'n auch noch dem nasskalten Hobby des Kajakfahrens frönt. Einzelne herrliche Details (etwa die Kunst, im Kehrwasser zu verkehren, und das auch noch mit dem gesicherten Kajaktyp ›Delirium‹) stammen von ihm. Er hat es sich aber nicht nehmen lassen, die Klamm persönlich hinunterzufahren. Bitte melde dich mal wieder, Han's!

Nach Angaben der Herstellerfirma enthalten
100 Gramm Merci-Schokolade:

0,7	Gramm Eiweiß
2,9	Gramm Kohlenhydrate
3,6	Gramm Fett
92,8	Gramm Serotonin (Glück)

Mein Dank gilt auch der wachsenden **Leserschaft**, die immer wieder mit nützlichen Hinweisen, Fragen und Anmerkungen aufwartet. Ich gebe vielleicht ein Beispiel. Oft wird die Frage gestellt, wie es denn dem Kommissar Jennerwein in den ersten drei Romanen möglich wäre, die Schläfen mit Daumen und Zeigefinger zu massieren – Ist sein Kopf so klein? Sind seine Pratzen so groß? Ich habe dem Rechnung getragen – im vierten Roman massiert er die Schläfen mit Daumen und Mittelfinger, mit wesentlich mehr Erfolg, wie mir scheint. Eine andere Frage ist die, wann jetzt zwischen Jennerwein und Maria Schmalfuß endlich mal etwas läuft. Ich arbeite daran! Um einer Frage gleich vorzugreifen: Der Brauch des *Jackelschutzens* wurde natürlich nicht mit einem Schneidergesellen und nicht an Erntedank durchgeführt, da habe ich mir wieder Freiheiten erlaubt. Trotzdem ein Dank an die vielen draußen im Leseland, die die Geschichten aus dem Werdenfelser Tal immer mehr verfeinern!

> Ich werds dir lohnen – im späteren Leben,
> einstweilen besten Dank.
> *Walter Kempowski, Tadellöser & Wolff*

Im Hinterzimmer reiht der Autor Zeile an Zeile, im Vorzimmer sitzt **Marion Schreiber**, die sich mit der Organisation dieser Zeilenreihen beschäftigt. Sie managt die kriminelle Energie des Autors und lenkt sie in legale Kanäle. Sie betreut zum Beispiel die Lesungen, leitet das Hörbuch in die Wege, regelt das Termindruckventil. Das, was der Autor im Hinterzimmer zusammenköchelt, serviert sie mit leichter Hand an den Tischen der Leserschaft. Sie ist verantwortlich für die Gestaltung des alljährlich neuen Kriminalkabaretts, das in den Buchhandlungen der Republik zur Aufführung kommt, sie fotografiert und liest Filmdrehbücher. Es wäre zu kurz gegriffen, sie mit einem *Mein besonderer Dank gilt* abzuspeisen. Ich wünsche jedem Autor eine Marion Schreiber. Oder, wenn ich es genau überlege …

Danke	**Bitte**
Vergelt's Gott	Gern g'schehn
Dank'schee	Is scho recht
Merciperssi	Guit scho
Ja, dann dankschee, du	Passt eh
Duidankdiraascheegei	Scho vergessen
Sanks	War eh koa Aufwand

Aus dem bayrischen Konversationsbüchlein von Nicole Schwattke

Die detailgetreue Schilderung einer in einem Zahn versteckten Zyankali-Kapsel verdanke ich meinem Zahnarzt, **Dr. Ingo Teuchert**. Eigenwerbung ist den Medizinern bekanntlich streng verboten, deshalb möchte ich nicht unerwähnt lassen, dass Dr. Teucherts Zyankalikapselmechanismen von hier bis Sewastopol die besten sind!

danke danke danke danke danke danke danke danke
danke danke danke danke danke danke danke danke
danke danke danke danke danke danke danke danke
danke danke danke danke danke danke danke danke
danke danke danke danke danke danke danke danke
danke danke danke danke danke danke danke danke
danke danke danke danke danke für wasn eigentlich?
Ernst Jandl

In polizeilichen Angelegenheiten ist mir zur Seite gestanden **Kriminalhauptkommissar Nico Witte**, der diesmal eine besonders harte Nuss zu beißen hatte. Er meldete erhebliche Bedenken an, die Ostler-Kinder Tim und Wolfi als VE's (Verdeckte Ermittler) in die polizeiliche Arbeit einzuspannen. (Wörtliche Reaktion: »Au weia!«) Wenigstens die Mutter Ostler hätte eingeweiht werden müssen. Die geschilderte gefakte Wilderer-Szene allerdings fand er wiederum interessant und würde sie gerne bei einem seiner nächsten Einsätze ausprobieren. Der Rest ist dicht dran am Polizeialltag, die geschilderten Vorgänge sind authentisch – bis hin zum Leberkäsesemmel-Briefwechsel mit der Abteilung Versorgung. Naja, fast authentisch.

Garmisch-Partenkirchen, im Sommer 2011

Jörg Maurer
Föhnlage
Alpenkrimi
Band 18237

Sterben, wo andere Urlaub machen

Bei einem Konzert in einem idyllischen bayrischen Alpen-Kurort stürzt ein Mann von der Decke ins Publikum – tot. Und der Zuhörer, auf den er fiel, auch. Kommissar Jennerwein nimmt die Ermittlungen auf: War es ein Unfall, Selbstmord, Mord? Und warum ist der hoch angesehene Bestattungsunternehmer Ignaz Grasegger auf einmal so nervös? Während die Einheimischen genussvoll bei Föhn und Bier spekulieren, muss Jennerwein einen verdächtigen Trachtler durch den Ort jagen und stößt unverhofft auf eine heiße Spur …

»Mit morbidem Humor, wilden Wendungen und skurrilen Figuren passt sich das Buch perfekt in das Genre des Alpenkrimis ein, bleibt aber dank der kabarettistischen Vorbildung Maurers im Ton eigen und dank seiner Herkunft aus Garmisch-Partenkirchen authentisch.«
Süddeutsche Zeitung

»Wunderbar unernster, heiterironischer Alpenkrimi.«
Westdeutsche Allgemeine

»Virtuos komponiertes Kriminalrätsel.«
Frankfurter Allgemeine Zeitung

Fischer Taschenbuch Verlag

fi 18237 / 1

Jörg Maurer
Hochsaison
Alpenkrimi
Band 18653

Nach dem Bestseller ›Föhnlage‹ der zweite Alpenkrimi
mit Kommissar Jennerwein

Beim Neujahrsspringen in einem alpenländischen Kurort stürzt ein Skispringer schwer – und das ausgerechnet, wo Olympia-Funktionäre zur Vergabe zukünftiger Winterspiele zuschauen. Wurde der Springer während seines Fluges etwa beschossen? Kommissar Jennerwein ermittelt bei Schützenvereinen und Olympia-Konkurrenten. Als in einem Bekennerbrief weitere Anschläge angedroht werden, kocht die Empörung beim Bürgermeister hoch: Jennerwein muss den Täter fassen, sonst ist doch glatt die Hochsaison in Gefahr …

»›Hochsaison‹ ist um Klassen besser
als mancher anderer Regionalkrimi,
außerdem ist das Buch auch noch komisch!«
Bayerischer Rundfunk

»Skurril und komisch nach dem Motto
›Sterben, wo andere Urlaub machen‹.«
Freundin

Fischer Taschenbuch Verlag

fi 18653 / 1

Jörg Maurer
Niedertracht
Alpenkrimi
Band 18894

Hier trägt das Böse Tracht:
Der dritte Alpenkrimi mit Kommissar Jennerwein

In der Gipfelwand über einem idyllischen alpenländischen Kurort findet die Bergwacht eine Leiche. Kommissar Jennerwein ermittelt zwischen Höhenangst und Almrausch, während die Einheimischen düstere Vorhersagen über weitere Opfer machen. Was bedeutet derweil die Mückenplage in Gipfelnähe, warum hat ein grantiger Imker auf einmal viel Geld, und wieso hilft ein Mafioso, ein Kind aus Bergnot zu retten? Jennerwein hat einen steilen Weg vor sich …

»Einen Drahtseilakt in Sachen Konstruktion
legt Maurer hin, und er hält dank seines leichtfüßigen
Humors die Balance.«
Abendzeitung

»Wer schwarzen Humor mag,
wird diesen Krimi lieben.«
Für Sie

»Jörg Maurers Bücher
sind einfach auf der Höh'.«
Bergliteratur Online

Fischer Taschenbuch Verlag

fi 18894 / 1

Jörg Maurers Alpenkrimis im Hörbuch

Föhnlage
Autorenlesung
4 CDs

Hochsaison
Autorenlesung
4 CDs

Niedertracht
Autorenlesung
5 CDs

Oberwasser
Autorenlesung
5 CDs

»Der Autor Jörg Maurer ist Kabarettist, das merkt man seinem pointenreichen, von abstrusen Gestalten und Situationen wimmelnden Krimi an.«
dpa

»Gemäß seiner eigentlichen Tätigkeit als Kabarettist ist ›Föhnlage‹ durchzogen von schreiend-komischen Dialogen und skurrilen Situationen, in denen er die föhngeplagten Bewohner des bayerischen Kur- und Tatorts auf die Schippe nimmt.«
Alt-Bayerische Heimatpost

Argon Verlag

fi 666 048 / 4